내신

다품

고등 생활과 윤리

STRUCTURE 구성과 특징

개념 정리

교과서 핵심 개념을 한눈에 알아볼 수 있게 정리하였습니다.

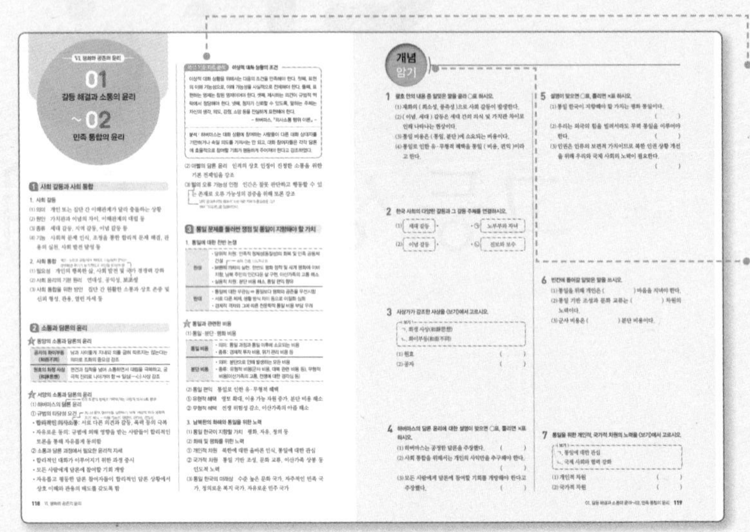

핵심 기출 자료 분석
시험에 자주 출제되는 자료를 엄선하여 꼼꼼하게 분석하였습니다.

개념 암기
○X 문제, 빈칸 채우기 문제, 선 긋기 문제 등을 풀며 핵심 개념을 빠르게 암기할 수 있도록 하였습니다.

단계별 문제 구성

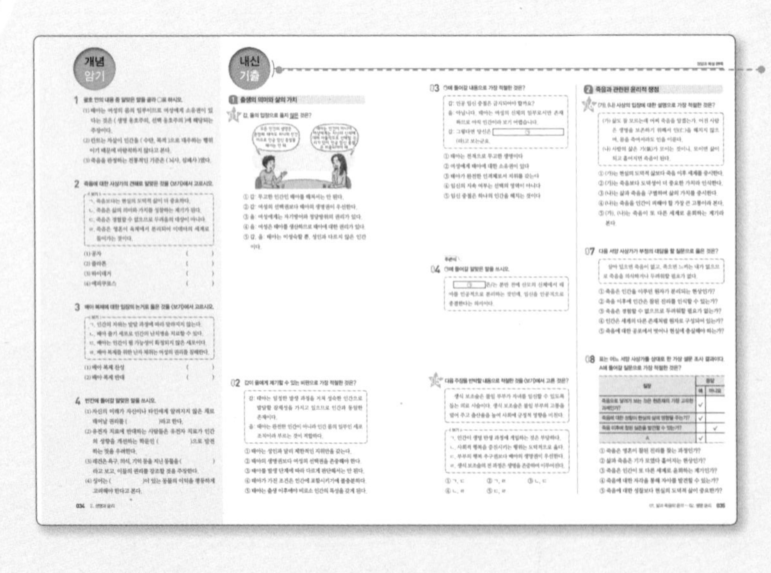

내신 기출
기출 문제를 분석하여 내신 시험에 자주 출제되는 유형의 문제를 제시하였습니다. 또한 시험에 자주 출제되는 서술형 문제를 모아서 서술형 시험에도 대비할 수 있도록 하였습니다.

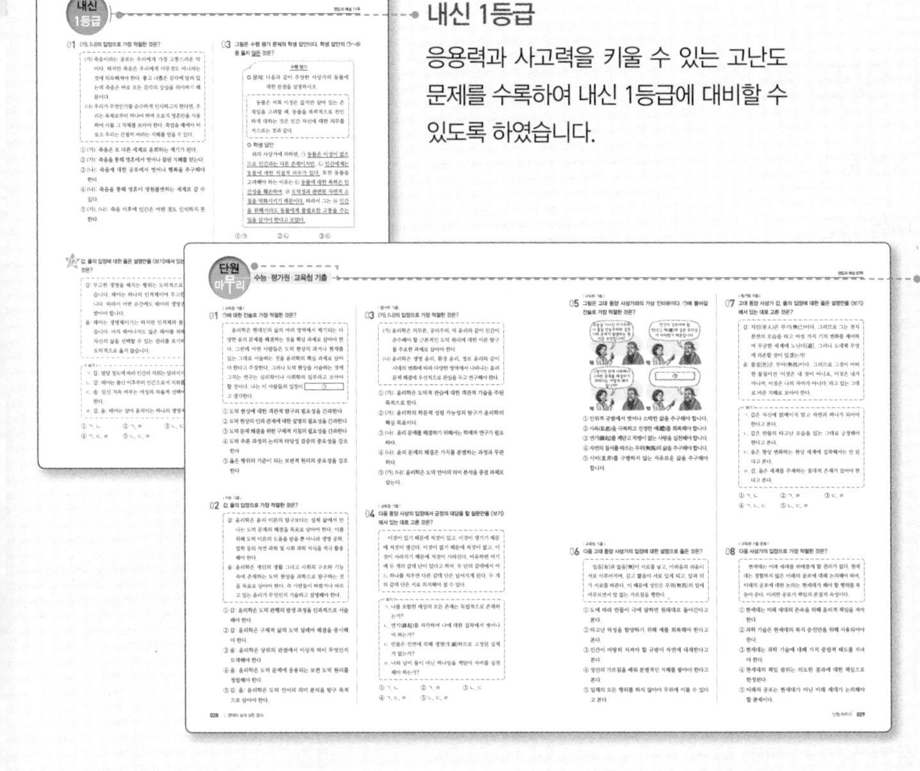

내신 1등급

응용력과 사고력을 키울 수 있는 고난도 문제를 수록하여 내신 1등급에 대비할 수 있도록 하였습니다.

단원 마무리

수능 • 평가원 • 교육청 기출 문제를 풀어 보면서 단원을 마무리할 수 있도록 하였습니다.

정답과 해설

모든 문제에 대한 상세한 해설을 수록하였습니다.

왜 틀렸을까? 선택지 뜯어 보기

틀린 선지를 다시 검토할 수 있게 하였습니다.

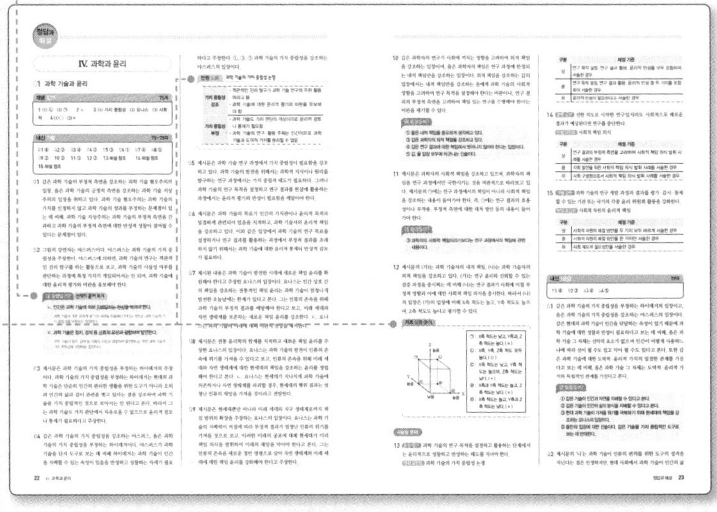

만점 노트, 자료 심층 분석

문제를 완벽하게 이해할 수 있도록 하였습니다.

CONTENTS 차례

I 현대의 삶과 실천 윤리

생명과 윤리

사회와 윤리

과학과 윤리

문화와 윤리

평화와 공존의 윤리

5종 교과서 단원별 페이지 찾아보기

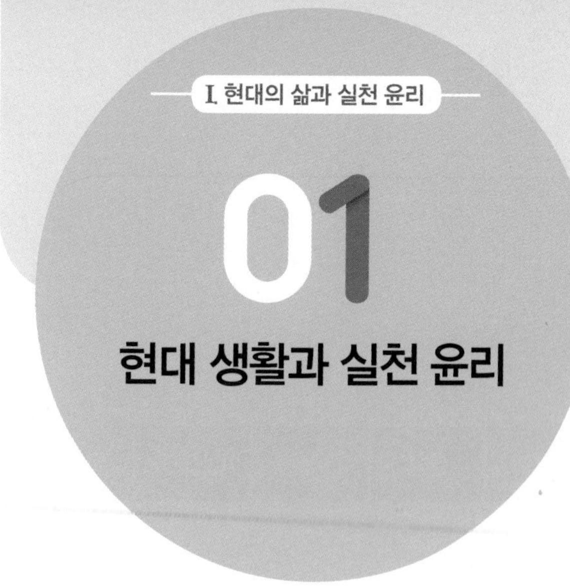

I. 현대의 삶과 실천 윤리

01 현대 생활과 실천 윤리

1 현대인의 삶과 다양한 윤리적 쟁점들

구분	내용
생명 윤리	인공 임신 중절, 자살, 안락사, 뇌사, 유전자 치료, 동물 실험과 동물의 권리 문제 등
	예 생명 과학 기술의 발달로 발생하는 윤리적 쟁점은 무엇인가?
성과 가족 윤리	사랑과 성의 관계, 성차별, 성적 자기 결정권, 성 상품화, 결혼의 윤리적 의미, 부부 윤리 등
	예 성에 대한 자기 결정권의 범위는 어디까지인가?
사회 윤리	직업윤리, 공정한 분배의 기준, 교정적 정의의 문제, 우대 정책과 역차별의 문제, 시민 불복종 등
	예 시민 불복종을 정당화할 수 있는 조건은 무엇인가?
과학과 정보 윤리	과학 기술의 가치 중립성 논쟁, 과학 기술자의 책임 문제, 사이버 공간에서 표현의 자유, 매체 윤리 등
	예 사이버 공간에서 표현의 자유는 어디까지 허용될 수 있는가?
환경 윤리	환경 문제와 기후 변화, 미래 세대에 대한 책임 문제, 생태계의 지속 가능성 등
	예 인간 중심주의 윤리로 환경 문제를 해결할 수 있는가?
문화 윤리	예술 지상주의와 도덕주의 논쟁, 대중문화의 상업화, 합리적 소비와 윤리적 소비, 다문화 사회의 윤리 등
	예 의식주와 윤리는 어떤 관련이 있는가?
평화와 공존 윤리	계층·이념·지역·세대 간 갈등, 통일 문제를 둘러싼 쟁점, 국제 분쟁, 해외 원조 등
	예 빈곤국에 대한 부유한 국가의 원조는 의무인가?

2 실천 윤리학의 성격과 특징

1. 실천 윤리학의 등장 배경

(1) 이론 윤리학의 한계 구체적 삶의 문제를 해결하지 못함

(2) 과학 기술의 발달과 삶의 변화

① 과학 기술의 급속한 발전으로 인한 풍요로운 삶 향유

② 과학 기술로 인한 새로운 윤리적 문제 대두

→ 유전 공학의 발전, 인공 지능의 등장 등 지금까지 인류가 고민하지 못했던 새로운 윤리 문제가 나타남

핵심 기출 자료 분석 요나스의 책임 윤리

다른 사람의 도움을 필요로 하는 자신의 결핍성 속에서 위협을 받으며 살아가는 생명체만이 책임의 대상이 될 수 있다. …(중략)… 인간만이 오직 책임을 질 수 있다는 특성은 동시에 인간은 자기와 동등한 다른 존재들을 위해서도 책임을 가지고 있다는 것을 의미한다. 책임을 가질 수 있는 능력은 책임의 실제성에 대한 충분조건이다.

분석 | 인간은 책임의 대상을 자연과 미래 세대로 확대하여 예견할 수 있는 모든 결과에 대해 책임져야 할 의무를 갖는다.

→ 과학 기술의 발전 속도를 윤리가 따라가지 못하면서 발생하는 윤리적 공백을 확대된 책임 개념을 통해 새로운 윤리로 극복해야 함.

2. 실천 윤리학의 성격과 특징

(1) 학제적 성격 삶의 다양한 영역에서 발생하는 문제를 해결하기 위해 인접 학문과 연계

(2) 이론 윤리학의 적용 이론 윤리학에서 도출된 도덕 원리를 토대로 구체적 삶의 문제 해결

3. 윤리학의 구분

(1) 이론 윤리학

구분	내용
특징	• 어떤 도덕 원리가 윤리적 행위를 위한 근본 원리로 성립할 수 있는지를 연구함 • 도덕 원리나 도덕적 정당화의 이론적 근거를 제시하는 데 주된 관심을 둠
예	의무론, 공리주의, 덕 윤리 등

(2) 실천 윤리학

구분	내용
특징	• 삶의 구체적 윤리 문제에 대한 실제적·구체적 해결책 모색 (→ 실천 지향적인 특징) • 이론 윤리학에서 제공하는 도덕 원리를 토대로 다양한 윤리 문제 해결에 주된 관심을 둠
예	생명 윤리, 정보 윤리, 환경 윤리 등

(3) 메타 윤리학과 기술 윤리학

구분	내용
메타 윤리학	• 윤리학의 학문적 성립 가능성을 모색함 • 도덕적 언어의 의미 분석과 도덕적 추론의 논리적 구조 분석에 주된 관심을 둠 예 '옳다.' '그르다.'의 의미는 무엇인가?
기술 윤리학	• 도덕적 관습이나 규범에 대해 객관적으로 기술함 • 도덕 현상과 문제를 명확하게 기술하고, 기술된 현상들 간의 인과 관계에 대한 설명에 주된 관심을 둠

핵심 기출 자료 분석 윤리학의 구분

• 이론 윤리학은 옳고 그름의 판단 기준인 도덕규범을 정립하고자 한다.
• 실천 윤리학은 도덕 원리를 응용하여 구체적인 삶의 도덕 문제를 해결하고자 한다.
• 메타 윤리학은 윤리학의 학문적 성립 가능성을 면밀히 검토한다.
• 기술 윤리학은 도덕 현상을 가치 중립적으로 설명하고자 한다.

(4) 이론 윤리학과 실천 윤리학의 관계

① 공통점 현실의 윤리 문제에 대한 해결책을 제시하고 올바른 삶의 방향을 제시하고자 함

② 차이점 이론 윤리학은 도덕 원리나 도덕적 정당화의 이론적 근거를 제시하는 것이 본질이며, 실천 윤리학은 도덕 원리를 근거로 구체적인 삶의 문제를 해결하는 것이 본질임

개념 암기

1 괄호 안의 내용 중 알맞은 말을 골라 ○표 하시오.

(1) 요나스는 과학 기술에 대한 성찰을 토대로 책임의 개념을 (미래 세대, 현세대)까지 확장할 것을 주장한다.

(2) 실천 윤리학은 구체적 삶의 문제를 해결하기 위해 이론 윤리학의 도덕 원리를 (활용, 배제)한다.

(3) 도덕적 언어의 의미 분석을 핵심으로 하는 윤리학은 (기술, 메타) 윤리학이다.

2 윤리학의 특징으로 옳은 것을 〈보기〉에서 고르시오.

보기
ㄱ. 도덕 원리와 도덕적 정당화의 이론적 근거 제시
ㄴ. 도덕적 관습 및 규범에 관한 객관적 기술
ㄷ. 윤리학의 학문적 성립 가능성 모색

(1) 메타 윤리학 (　　　)
(2) 기술 윤리학 (　　　)
(3) 이론 윤리학 (　　　)

3 설명이 맞으면 ○표, 틀리면 X표 하시오.

(1) 요나스에 의하면 과학 기술의 발전 속도와 윤리의 발전 속도는 동일하다. (　　　)

(2) 실천 윤리학은 구체적 삶의 문제를 해결하기 위해 학제적 성격을 갖는다. (　　　)

4 빈칸에 들어갈 알맞은 말을 쓰시오.

(1) 요나스는 과학 기술의 발전을 윤리가 따라가지 못하는 현상을 (　　　　　　)(이)라고 하였다.

(2) 특정 문화권의 도덕 현상을 가치 중립적으로 기술하는 것은 (　　　　　　)이다.

(3) 도덕적 언어의 의미와 도덕적 추론의 논리적 구조를 분석하는 것은 (　　　　　　)이다.

5 윤리학의 분야를 바르게 연결하시오.

(1) 이론 윤리학 • 　　　　• ㉠ 생명 윤리, 환경 윤리
(2) 실천 윤리학 • 　　　　• ㉡ 공리주의, 의무론

내신 기출

1 현대인의 삶과 다양한 윤리적 쟁점들

01 다음의 입장으로 가장 적절한 것은?

> 현대 사회는 과학 기술의 급속한 발전으로 인해 많은 혜택을 누리고 있다. 그러나 동시에 과거에는 윤리적 사유의 대상이 되지 않았던 영역에서 윤리적 판단이 필요한 경우가 생겨났다. 따라서 현대 사회에서 발생하는 다양한 문제를 해결하기 위한 새로운 윤리가 요청된다.

① 현대 사회의 풍요와 과학 기술의 발전은 무관하다.
② 현대와 과거의 윤리적 사유 대상은 모두 동일하다.
③ 기존의 윤리적 사유로도 모든 문제가 해결 가능하다.
④ 새로운 윤리 문제는 전통적 윤리로만 해결할 수 없다.
⑤ 과거에도 존재했던 동일한 문제를 새로운 윤리로 해결해야 한다.

02 (가), (나)에 해당하는 윤리적 쟁점을 〈보기〉에서 골라 바르게 짝지은 것은?

> (가) 생명이라는 존엄성을 가지고 태어나는 인간 생명과 관련한 삶과 죽음의 문제, 나아가 인간을 위해 희생되는 동물의 생명에 관해 탐구한다.
> (나) 환경을 개발의 대상으로 인식하던 시각에서 벗어나 전 세계가 함께 해결해야 할 문제로 인식하고, 인간과 환경이 공존할 수 있는 방향을 탐구한다.

보기
ㄱ. 과학 기술은 어떤 상황에서도 가치 중립적인가?
ㄴ. 뇌 기능의 정지를 죽음의 기준으로 볼 수 있는가?
ㄷ. 인간에게는 자연에 대한 도덕적 책임의 의무가 있는가?
ㄹ. 인간 성(性)에 대한 자기 결정권은 항상 존중되어야 하는가?

	(가)	(나)		(가)	(나)
①	ㄱ	ㄴ	②	ㄱ	ㄷ
③	ㄴ	ㄷ	④	ㄴ	ㄹ
⑤	ㄷ	ㄹ			

03 다음은 신문 칼럼이다. ㉠에 들어갈 제목으로 가장 적절한 것은?

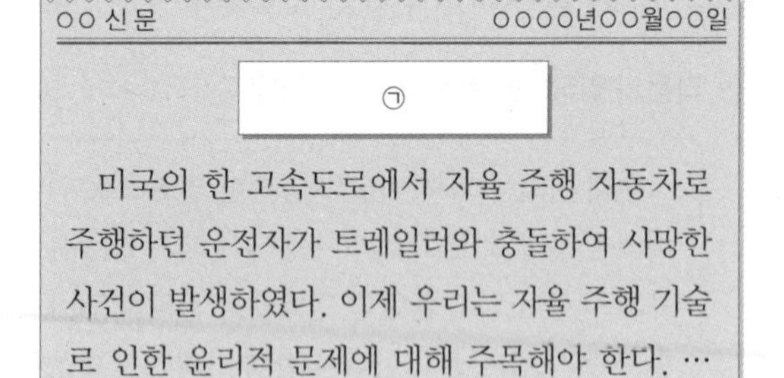
○○ 신문 ○○○○년○○월○○일

㉠

미국의 한 고속도로에서 자율 주행 자동차로 주행하던 운전자가 트레일러와 충돌하여 사망한 사건이 발생하였다. 이제 우리는 자율 주행 기술로 인한 윤리적 문제에 대해 주목해야 한다. …(후략)…

① 자율 주행 기술의 안전성을 재점검해야
② 자율 주행 기술 자동차의 판매를 금지해야
③ 자율 주행 기술의 윤리성에 대해 고찰해야
④ 안전을 위해 자율 주행 기술을 전면 중단해야
⑤ 자율 주행 자동차 운전자의 역할에 대해 고민해야

04 갑, 을의 입장으로 가장 적절한 것은?

① 갑: 음란물을 표현할 자유를 제한해야 한다.
② 갑: 음란물 출판은 표현의 자유를 침해한다.
③ 을: 음란물 출판은 국민 정서를 불안하게 한다.
④ 을: 음란물 출판의 합법화는 범죄율과 무관하다.
⑤ 갑, 을: 음란물 출판은 사회적 영향력이 거의 없다.

05 갑, 을의 입장으로 적절한 것은?

> 갑: 인간 배아는 인간이 아닌 단순한 세포 덩어리에 불과하므로 인간 복지를 위한 실험의 대상이 될 수 있다.
> 을: 인간 배아는 인간과 동일한 존엄성을 지니므로 인간과 마찬가지로 실험 대상으로 삼아서는 안 된다.

① 갑: 배아는 인간과 동등한 지위를 갖는다.
② 갑: 배아에 대한 실험은 인간 존중에 위배된다.
③ 을: 인간과 인간이 되기 전 단계는 구분되어야 한다.
④ 을: 배아는 인간이 될 가능성이 있는 존엄한 존재이다.
⑤ 갑, 을: 배아를 대상으로 한 실험을 중지해야 한다.

06 다음의 가상 편지를 쓴 사람이 지지할 주장으로 가장 적절한 것은?

> 친애하는 ○○에게
> 자네가 최근 도덕적 감성의 문제로 연구를 한다는 이야기를 들었네. 이제 과학 기술의 발달로 도덕적 감성을 담당하는 뇌의 특정 부분을 인위적으로 조작하여 활성화하면 사람들이 도덕적 행동을 하게 만들 수도 있다네. 이러한 기술은 인간의 도덕성 향상에 기여할 것이네.

① 과학적 내용을 윤리학의 토대로 삼아서는 안 된다.
② 도덕적 감성은 인간의 뇌가 아닌 마음의 문제이다.
③ 뇌 과학을 통해 인간 도덕성의 근원을 밝힐 수 있다.
④ 인간의 윤리적 의식과 뇌의 물리적 변화는 무관하다.
⑤ 인간의 도덕성은 과학적으로 측정 불가능한 영역이다.

2 실천 윤리학의 성격과 특징

07 다음은 학생이 제출한 형성 평가지의 일부이다. ㉠~㉣ 중에서 옳게 대답한 항목만을 고른 것은?

> [형성 평가]
> 이름: ○○○
> ※ 실천 윤리학의 등장 배경에 대한 설명이 맞으면 '예', 틀리면 '아니요'에 ∨표 하시오.
> 1. 이론 윤리학은 행위의 지침을 충분히 제시한다.
> 예□ 아니요☑ ……… ㉠
> 2. 과학 기술이 빠른 속도로 발전하고 있다.
> 예□ 아니요☑ ……… ㉡
> 3. 과학이 발전되어도 윤리 문제는 달라지지 않는다.
> 예☑ 아니요□ ……… ㉢
> 4. 과학 발전에 따른 윤리적 성찰이 필요하다.
> 예☑ 아니요□ ……… ㉣

① ㉠, ㉡　② ㉠, ㉣　③ ㉡, ㉢
④ ㉡, ㉣　⑤ ㉢, ㉣

08 다음을 주장한 사상가의 입장으로 옳은 것은?

> 과학 기술의 발전 속도와 과학 기술의 영향에 대한 윤리적 성찰이 충분히 반영되지 못하여 윤리적 공백이 발생한다.

① 자연과 인간은 상호 간에 책임의 의무가 있다.
② 기존의 윤리로도 윤리적 공백을 극복할 수 있다.
③ 책임질 능력이 없어도 책임의 의무는 가져야 한다.
④ 책임의 대상을 자연과 미래 세대로 확장해야 한다.
⑤ 윤리적 성찰보다 과학 기술의 발전을 우선해야 한다.

09 다음을 주장한 사상가가 긍정의 대답을 할 질문으로 옳은 것은?

> 전통적 윤리는 인간적 삶의 전 지구적 조건과 종(種)의 먼 미래와 실존을 고려할 필요가 없었다. 그러나 이제 우리는 자연에 대한 책임, 미래 지향적 책임, 미래 세대의 삶의 조건에 대한 책임까지 숙고해야 한다.

① 인간은 의도한 결과에 대해서만 책임이 있는가?
② 자연과 인간은 서로 책임져야 할 의무가 있는가?
③ 책임의 대상에서 미래 세대는 제외시켜야 하는가?
④ 인류의 존속을 위해 환경 파괴는 불가피한 것인가?
⑤ 책임질 수 있는 능력은 책임져야 하는 의무로 연결되는가?

10 밑줄 친 'A 윤리학'에 대한 설명으로 옳은 것은?

> A 윤리학의 주된 목적은 인간이 어떻게 행위를 해야 하는가에 대한 보편적 원리를 탐구하는 것이다. 따라서 이러한 윤리학은 구체적인 도덕 판단의 타당성과 그 근거에 관하여 묻는다.

① 도덕적 풍습의 사실적 의미를 탐구한다.
② 도덕적 관습에 대해 객관적으로 기술한다.
③ 도덕적 개념이나 언어의 의미를 분석한다.
④ 도덕적 행위를 정당화하는 근거를 탐구한다.
⑤ 도덕적 문제에 대한 구체적인 해결책을 제시한다.

11 ㉠에 들어갈 진술로 가장 적절한 것은?

> 나는 윤리학이 한 사회의 도덕적 관습에 대해 객관적으로 기술하는 것을 핵심으로 삼는다고 생각한다. 그런데 어떤 사람들은 윤리학이 도덕 언어의 의미를 분석하는 것을 핵심으로 삼는다고 주장한다. 나는 이러한 사람들이 [㉠] 간과한다고 생각한다.

① 도덕적 추론의 타당성을 입증해야 함을
② 도덕적 진술의 논리적 구조를 분석해야 함을
③ 도덕적 사실을 가치 중립적으로 기술해야 함을
④ 윤리학의 학문적 성립 가능성을 검토해야 함을
⑤ 도덕적 사실보다 도덕 개념의 의미 파악이 우선함을

주관식

12 ㉠에 들어갈 알맞은 말을 쓰시오.

> 추상적이고 보편적인 이론 윤리학은 구체적인 행위에 대한 지침을 제공해 주지 못하는 한계를 갖는다. 이를 해결하기 위해 등장한 [㉠]은/는 구체적이고 실천적인 도덕 판단과 행위의 지침을 강조하는 특징을 갖는다.

13 그림에서 갑, 을은 옳고 병은 틀린 대답을 했다고 할 때, A에 대한 설명으로 가장 적절한 것은?

① 사회의 관습이나 규범을 객관적으로 기술한다.
② 삶의 구체적인 윤리 문제의 해결책을 제시한다.
③ 도덕적 언어의 논리적 타당성과 의미를 분석한다.
④ 윤리적 판단과 행위 원리를 탐구하고 정당화한다.
⑤ 대표적으로 의무론, 공리주의, 덕 윤리를 들 수 있다.

주관식

14 (1), (2)에 해당하는 윤리학의 명칭을 각각 쓰시오.

(1) 삶의 구체적 윤리 문제에 대한 실제적 해결책을 제시하는 윤리학
(2) 도덕 원리나 도덕적 정당화의 이론적 근거를 제시하는 윤리학

15 (가)의 갑, 을의 입장을 (나) 그림으로 표현할 때, A~C에 해당하는 적절한 진술만을 〈보기〉에서 고른 것은?

(가)	갑: 윤리학은 인간이 어떻게 행위를 해야 하는가에 대한 보편적 원리 탐구를 핵심으로 삼는다. 을: 윤리학은 삶에서 구체적으로 발생하는 윤리 문제에 대한 해결책을 모색하는 것을 핵심으로 삼는다.
(나)	갑 을 / A B C 〈범 례〉 A : 갑만의 입장 B : 갑, 을의 공통 입장 C : 을만의 입장

보기
ㄱ. A: 도덕적 사실에 대한 객관적 기술이 주된 목표이다.
ㄴ. B: 보편적 도덕 원리나 이론에 대해 관심을 갖는다.
ㄷ. B: 학제적 접근을 통해 도덕 문제를 해결하고자 한다.
ㄹ. C: 생명 윤리, 정보 윤리, 환경 윤리 등이 해당된다.

① ㄱ, ㄴ ② ㄱ, ㄷ ③ ㄴ, ㄷ
④ ㄴ, ㄹ ⑤ ㄷ, ㄹ

서술형 문제

16 다음을 읽고 물음에 답하시오.

(가) 윤리학은 도덕 판단의 명확한 기준을 제시할 수 있어야 하며 도덕성에 대한 이론적 분석과 정당화가 중요하다. 따라서 윤리학은 윤리 이론을 정립하고 이를 정당화하는 것을 과제로 삼아야 한다.
(나) 윤리학은 사회의 변화로 현실적 삶에 새롭게 등장한 다양한 윤리 문제를 구체적으로 해결할 수 있어야 한다. 따라서 윤리학은 실제적 도덕 문제의 구체적인 해결책을 모색하는 것을 과제로 삼아야 한다.

(1) (가), (나)에 해당하는 윤리학을 쓰시오.

(2) (가), (나)의 관계를 서술하시오.

17 다음은 서양 사상가와의 가상 대담이다. ㉠에 들어갈 적절한 내용을 서술하시오.

사회자: 선생님은 과학 기술의 발전에 따라 발생하는 다양한 윤리적 문제를 해결할 윤리가 부재한 상태를 '윤리적 공백'이라 말씀하셨습니다. 이러한 윤리적 공백을 해결할 수 있는 방안은 무엇인가요?
사상가: 인간만이 책임질 수 있는 능력을 가지고 있으므로 책임에 대한 의무가 있다고 할 수 있습니다. 예견될 수 있는 모든 결과에 대해 책임지는 확장된 책임 개념을 통해 윤리적 공백을 극복할 수 있습니다.
사회자: 그렇다면 확장된 책임의 범위는 어디까지입니까?
사상가: ___㉠___

01 그림에서 학생들이 모두 옳은 대답을 했다고 할 때, A~C에 대한 설명으로 가장 적절한 것은?

① A는 도덕 현상을 있는 그대로 기술해야 한다고 본다.
② B는 도덕적 행위의 옳고 그름의 기준에 대해 탐구한다.
③ C는 윤리학의 학문적 성립 가능성에 대한 탐구를 강조한다.
④ A는 C에 비해 보편적 도덕 원리에 대한 탐구를 중시한다.
⑤ B는 C에 비해 도덕적 사실에 대한 가치 중립적 인식을 강조한다.

02 ㉠에 들어갈 진술로 가장 적절한 것은?

> 나는 윤리학이 '선하다'는 것과 '악하다'와 같이 도덕적인 언어의 의미를 분석하고 도덕 판단의 타당성을 분석하는 것을 탐구의 주요 대상으로 삼아야 한다고 생각한다. 그런데 어떤 사람들은 윤리학이 '어떻게 사는 것이 선하게 사는 것인가?', '무엇이 옳은 행위인가?'와 같이 어떤 원리가 윤리적 행위를 위한 근본 원리로 성립할 수 있는가를 윤리학적 탐구의 주요 대상으로 삼는다. 나는 이러한 사람들이 [㉠]고 생각한다.

① 보편적인 도덕 법칙 정립의 중요성을 간과한다
② 도덕적 추론의 타당성 검토가 중요함을 간과한다
③ 사회의 도덕적 관습에 대한 객관적 기술을 중시한다
④ 도덕 원리에 대한 이론적 정당화의 중요성을 간과한다
⑤ 윤리학의 학문적 성립 가능성에 대한 탐구를 중시한다

03 (가), (나)의 입장을 〈보기〉에서 골라 바르게 짝지은 것은?

> (가) 윤리학의 핵심 과제는 도덕적 행위에 대한 이론적 분석과 정당화를 통해 현실의 윤리 문제를 해결할 수 있는 이론적 토대를 제공하는 것이다.
> (나) 윤리학의 핵심 과제는 사회의 여러 분야의 다양한 이론을 바탕으로 삶의 구체적인 상황에서 발생하는 문제에 대한 도덕적 해결책을 제공하는 것이다.

보기

		도덕 원리의 중요성을 인정하는가?	
		예	아니요
도덕 문제 해결을 위해 학제적 접근을 추구하는가?	예	A	B
	아니요	C	D

	(가)	(나)		(가)	(나)
①	A	B	②	A	C
③	C	A	④	C	D
⑤	D	B			

04 그림의 강연자가 긍정의 대답을 할 질문으로 가장 적절한 것은?

> 인류는 지구상에 계속 존재해야 한다. 이를 위해서는 사고의 전환이 요청된다. 이제 우리는 자연에 대한 책임, 미래 지향적 책임, 미래 세대의 삶의 조건에 대한 책임까지 숙고해야 한다.

① 책임의 대상은 현세대의 인간으로 한정해야 하는가?
② 과학 기술을 통해 모든 윤리 문제를 해결할 수 있는가?
③ 인류의 존속 가능성을 파괴하지 않도록 행동해야 하는가?
④ 책임의 의무는 행위의 결과에 대한 책임으로 충분한가?
⑤ 자연에 대한 주인 의식을 가지고 자연을 이용해야 하는가?

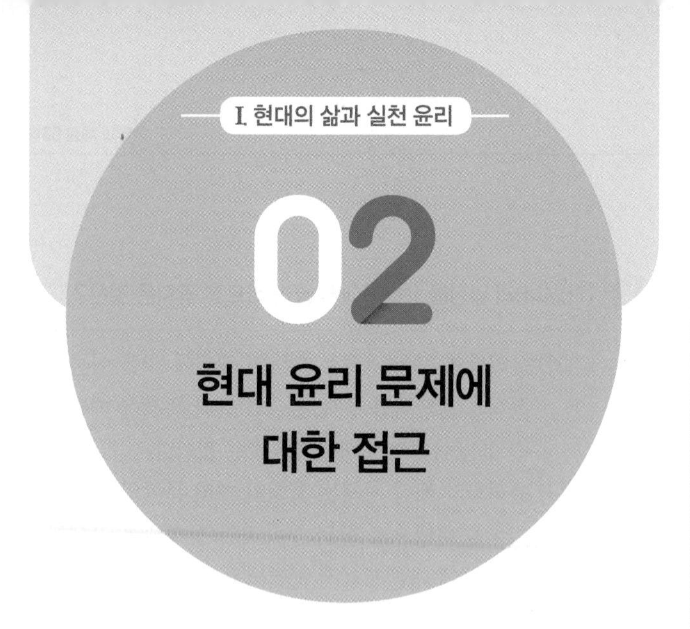

I. 현대의 삶과 실천 윤리

02 현대 윤리 문제에 대한 접근

1 동양 윤리의 접근

1. 유교의 윤리

도덕성	인간을 도덕적 존재로 인식하고 도덕적인 행위를 실천하는 삶을 강조
인(仁)	• 의미: 진정한 인간다움, 타인에 대한 사랑 • 실천: ① 충(忠) – 자신에 대한 성실 ② 서(恕) – 내 마음을 미루어 타인을 배려함
극기복례	인간은 도덕적 존재이지만 욕구로 인해 잘못을 저지를 수 있음 ➡ 지나친 욕구를 극복하고 예를 회복해야 함 → 경(敬)과 성(誠)의 방법을 강조
성인 (└ 군자)	수양을 통해 도덕성을 확충하고 실천하는 이상적 인간 (└→ 자신을 수양하고 다른 사람을 편안하게 함(修己安人))
대동 사회	도덕과 예의로 백성들을 교화하며 백성들의 기본적 생활을 보장하는 가족 같은 도덕 공동체

2. 불교의 윤리

평등한 세계관	살아 있는 모든 존재는 불성(佛性)을 가지고 있으므로 모두 평등함 (└→ 부처가 될 수 있는 가능성)
연기설	모든 존재와 현상은 다양한 원인과 조건에 의해 생겨남 ➡ 모든 존재는 다른 존재와 상호 의존적 관계 → 어떤 존재도 다른 존재와 독립적으로 존재하는 것은 없음
자비	자신에 얽매이지 않고 모든 생명을 차별하지 않는 사랑을 의미함 → 연기에 대한 깨달음을 통해 생기는 사랑
보살 (└→ 대승 불교의 이상적 인간상)	위로는 진리를 구하고, 아래로는 중생을 구제하는 이상적 인간
열반(涅槃)	고통을 유발하는 집착에서 벗어나 진리에 대한 깨달음을 얻은 이상적 단계

3. 도교의 윤리

도(道)	우주의 근원, 만물의 변화 법칙 → 스스로 그러함
상대적 세계관	도(道)의 측면에서는 모두가 평등하므로 귀천, 선악, 미추, 시비 등을 구별해서는 안 됨 ➡ 만물을 도의 관점에서 있는 그대로 바라볼 때 편견과 차별이 사라짐
무위자연	인위적인 것에서 벗어나 자연과 조화를 이루는 삶의 태도
지인, 진인	• 도를 깨달아 인위적인 것에서 벗어나 어린아이와 같은 소박함과 순수함을 가진 이상적 인간 • 수양 방법: – 심재: 마음을 가지런히 함 – 좌망: 조용히 앉아서 시비 분별을 잊음
제물(齊物)	만물과 나 사이의 구별이 없는 만물과 하나가 되는 경지 → 만물을 평등하게 바라보는 것

2 서양 윤리의 접근

1. 의무론적 접근

(1) 자연법 윤리

자연법	• 모든 인간에게 자연적으로 주어진 보편적인 법 • 이성이나 직관을 통해 자연법 인식 ➡ 이를 통해 도출되는 의무를 지켜야 함
아퀴나스	• 선을 추구하고 악을 피하라. → 자연법의 기본 원리 • 인간의 세 가지 자연적 성향: 자기 보존, 종족 보존, 진리 추구

★(2) 칸트의 의무론적 윤리

도덕 법칙	무조건 따라야 하는 정언 명령 – 네 의지의 준칙이 항상 동시에 보편적 입법의 원리가 될 수 있도록 행위하라. – 너 자신의 인격에서나 다른 모든 사람의 인격에서 인간을 단지 수단으로만 대우하지 말고 항상 동시에 목적으로 대우하라. → 인간은 이성적·자율적 존재
선의지	이성에 의해 도덕 법칙을 파악하고 이를 순수하게 따르려는 의지 ➡ 행위의 결과보다는 동기의 중요성

★2. 공리주의적 접근

특징	• 쾌락이나 행복을 추구하는 유용성에 따라 옳고 그름을 판단 (→ 행위의 동기보다는 결과가 중요함) • 도덕과 입법의 원리: 최대 다수의 최대 행복
행위 공리주의	① 벤담: 양적 공리주의 ➡ 모든 쾌락은 질적으로 동일하여 양적 차이만 있으므로 쾌락의 양을 계산 가능 ② 밀: 질적 공리주의 ➡ 쾌락의 양뿐만 아니라 질적 차이 인정, 정상적 인간은 질적으로 높고 고상한 쾌락 추구
규칙 공리주의	• 행위 공리주의의 문제점에 대한 대안 (← ① 최대 행복을 낳는 행위가 상식적 도덕과 상반될 수 있음 ② 각 상황마다 행위의 결과를 계산하기 어려움) • 최대 행복을 가져오는 행위의 규칙 준수 ➡ 어떤 규칙이 최대의 유용성을 가져오는가?

3. 현대 윤리학적 접근

덕 윤리	• 행위 중심 윤리가 아닌 행위자 중심 윤리 (→ 어떤 품성을 갖춘 사람이 되어야 하는가?) • 행위자의 덕성: 바람직한 인간관계, 공동체의 전통과 역사, 구체적·맥락적 사고 중시 → 타인이 처한 문제 상황과 구체적 맥락 고려
배려 윤리	• 타인을 보살피고 배려하는 공동체적 관계 중시 • 수용성, 관계성, 응답성에 근거한 모성적 배려
도덕 과학적 접근	① 신경 윤리학: 도덕의 근원인 감정, 이성의 역할과 상호 관계를 과학적 방법으로 측정 ② 진화 윤리학: 도덕성을 진화의 산물로 인식 (← 생존과 보존에 도움이 되기 때문에 이타적으로 행동한다고 봄)

개념 암기

1 괄호 안의 내용 중 알맞은 말을 골라 ○표 하시오.

(1) 불교에서는 집착을 버리고 고통에서 벗어난 이상적 경지를 (열반, 제물)이라고 한다.

(2) 칸트는 무조건 따라야 할 도덕 법칙을 (정언 명령, 가언 명령)의 형태로 제시한다.

(3) 밀은 쾌락의 (양적, 질적) 차이를 인정하여, 정상적 인간이라면 고상한 쾌락을 추구할 것이라 본다.

2 윤리 사상의 특징으로 옳은 것을 〈보기〉에서 고르시오.

보기
ㄱ. 최대 행복을 가져오는 규칙의 준수
ㄴ. 인간의 도덕성을 중시하며 인(仁)의 실천을 강조
ㄷ. 인위적인 것에서 벗어나 자연과 조화를 이루는 삶
ㄹ. 도덕의 근원에 대해 과학적인 방법으로 측정·탐구

(1) 도교 윤리 ( )
(2) 유교 윤리 ( )
(3) 신경 윤리학 ( )
(4) 규칙 공리주의 ( )

3 설명이 맞으면 ○표, 틀리면 X표 하시오.

(1) 불교에서는 인간을 다른 존재와 구별된 독립된 존재로 본다. ( )

(2) 공리주의는 유용성을 행위의 기준으로 삼으며, 행위의 동기보다는 결과를 중시한다. ( )

(3) 덕 윤리는 행위보다는 행위자의 성품이나 덕성을 중시하는 행위자 중심의 윤리이다. ( )

4 빈칸에 들어갈 알맞은 말을 쓰시오.

(1) 유교에서는 도덕성을 실천하며 다른 사람을 편안하게 하는 이상적 인간을 ( )(이)라 한다.

(2) 불교는 모든 존재가 원인과 조건에 의해 상호 연결되어 있다는 ( )을 핵심으로 한다.

(3) ( )는 '선을 추구하고 악을 피하라.'라는 자연법의 기본 원리를 토대로 다양한 의무를 도출한다.

(4) 벤담은 모든 쾌락은 질적 차이가 없으므로 양적으로 ( )이 가능하다고 본다.

5 각 윤리 사상이 강조하는 것을 바르게 연결하시오.

(1) 불교 윤리 • • ㉠ 제물의 경지
(2) 도교 윤리 • • ㉡ 자비의 실천
(3) 칸트 의무론 • • ㉢ 선의지 존중

내신 기출

1 동양 윤리의 접근

01 대화의 스승이 지지할 주장으로 옳지 않은 것은?

제자: 스승님, 인(仁)이란 무엇입니까?
스승: 자기를 이겨 내고 예로 돌아가는 것이다.
제자: 어떻게 하면 그렇게 할 수 있습니까?
스승: 인을 행하는 방법은 자기로부터 시작된다. 어찌 다른 사람으로부터 시작할 수 있겠는가?

① 인간은 하늘로부터 도덕성을 부여받은 존재이다.
② 자기 수양을 통해 도덕성을 확충하고 실천해야 한다.
③ 내 마음을 미루어 남을 배려하며 인을 실천해야 한다.
④ 인간은 항상 욕구를 이기고 도덕적으로 살아가는 존재이다.
⑤ 도덕성을 보존하기 위해 경(敬)과 성(誠)을 실천해야 한다.

02 (가), (나) 사상의 입장을 〈보기〉에서 골라 바르게 연결한 것은?

(가) 모든 존재와 현상은 다양한 원인과 조건, 즉 인연(因緣)으로 생겨난다. 모든 존재는 인연에 의해 생겨났다가 없어지므로 스스로 존재하는 것은 없다.
(나) 인간관계에서 실현해야 할 최상의 가치는 인(仁)이다. 인이란 진정한 인간다움이며 타인에 대한 사랑과 어진 행동을 의미한다.

보기
ㄱ. 자아는 불변하는 고정된 실체로서 존재하지 않는다.
ㄴ. 만물은 서로 다른 특성을 가지고 독립적으로 존재한다.
ㄷ. 사회적 삶에서 벗어나 자기 수양에만 집중해야 한다.
ㄹ. 선천적인 도덕성은 지속적인 노력을 통해 유지될 수 있다.

	(가)	(나)		(가)	(나)
①	ㄱ	ㄴ	②	ㄱ	ㄹ
③	ㄴ	ㄷ	④	ㄴ	ㄹ
⑤	ㄷ	ㄹ			

03 다음 대화의 ㉠에 들어갈 내용으로 가장 적절한 것은?

① 예(禮)와 같은 인위적 규범에서 벗어나야 한다.
② 내 마음을 미루어 타인에 대한 배려를 실천해야 한다.
③ 모든 존재가 연기(緣起)에 의해 존재함을 알아야 한다.
④ 도(道)의 관점에서 선악·미추를 구별하지 않아야 한다.
⑤ 인간의 욕구를 긍정적으로 인식하고 충족시켜야 한다.

04 다음 사상의 입장에서 부정의 대답을 할 질문으로 옳은 것은?

> 세 개의 갈대가 아무것도 없는 땅 위에 서려고 할 때, 만일 한 개를 제거해 버리면 두 개의 갈대는 서지 못하고 두 개의 갈대를 제거해 버리면 나머지 한 개도 역시 서지 못한다. 이처럼 이것이 있기 때문에 저것이 있고, 이것이 사라지기 때문에 저것이 사라진다.

① 이 세상에는 고정 불변하는 실체가 존재하는가?
② 살아 있는 모든 존재는 불성(佛性)을 가지고 있는가?
③ 만물의 상호 의존성을 깨달아 자비를 실천해야 하는가?
④ 고통의 원인인 집착을 제거하고 열반에 도달해야 하는가?
⑤ 인간과 만물은 모두 평등하므로 생명을 존중해야 하는가?

주관식

05 (1), (2)에 해당하는 불교 사상의 개념을 각각 쓰시오.

> (1) 모든 것이 상호 관계 속에서 존재한다는 연기의 법칙을 깨닫게 되면 생기는 만물을 사랑하는 마음
> (2) 대승 불교의 이상적 인간상으로, 위로는 깨달음을 구하고 아래로는 중생을 구제하는 사람

06 (가) 사상의 입장에서 (나)의 갑에게 제시할 조언으로 가장 적절한 것은?

(가)	이것이 있으므로 저것이 있고, 이것이 생기므로 저것이 생긴다. 이것이 없으므로 저것이 없고 이것이 멸하므로 저것이 멸한다.
(나)	갑은 의류 생산 공장을 운영하고 있다. 갑은 의류 생산을 더 늘려 이윤을 추구하고 싶지만, 의류 생산에 사용되는 물 때문에 주변 호수의 물이 고갈되고 있다는 사실을 알기에 고민하고 있다.

① 자신의 욕구를 충족시킬 수 있는 방안을 탐구하세요.
② 효율적으로 이윤을 추구할 수 있는 방법을 생각하세요.
③ 욕구를 절제하고 도덕성을 회복하기 위해 노력하세요.
④ 조용히 앉아서 옳고 그름을 분별하는 마음을 버리세요.
⑤ 모든 존재는 상호 의존하여 연결되어 있음을 기억하세요.

07 다음 사상의 관점에서 지지할 주장을 〈보기〉에서 고른 것은?

> 물오리는 비록 다리가 짧지만 그것을 길게 이어 주면 괴로워하고, 학의 다리는 길지만 그것을 짧게 잘라 주면 슬퍼한다. 이러한 까닭으로 본래부터 긴 것을 잘라서는 안 되며, 본래부터 짧은 것을 이어 주어서도 안 된다.

보기
ㄱ. 옳고 그름을 구분하는 확고한 기준을 수립해야 한다.
ㄴ. 사물을 차별하지 않는 자유의 경지에 도달해야 한다.
ㄷ. 인간이 본래 가진 인의(仁義)의 도덕성을 회복해야 한다.
ㄹ. 인위적 가치관에서 벗어나 무위(無爲)를 추구해야 한다.

① ㄱ, ㄴ　② ㄱ, ㄷ　③ ㄴ, ㄷ
④ ㄴ, ㄹ　⑤ ㄷ, ㄹ

다음 이야기가 주는 교훈으로 가장 적절한 것은?

옛날에 바닷새가 노나라 교외로 날아와 앉자, 노나라 임금은 그 새를 맞아 잔치를 열어 아름다운 음악을 연주하고 성대한 음식으로 대접하였다. 그러나 새는 도리어 눈이 어지럽고 근심과 슬픔에 잠겨 고기 한 점 먹지 못하고 술 한 모금 마시지 못한 채 사흘 만에 죽었다.

① 자연은 인간의 삶을 위해 필요한 도구이다.
② 도(道)의 관점에서 인간만이 평등한 존재이다.
③ 지나친 욕심을 극복하고 예(禮)를 회복해야 한다.
④ 법과 제도를 준수함으로써 도덕적 삶을 살아야 한다.
⑤ 만물을 차별하지 않고 자연적 본성을 존중해야 한다.

을이 갑에게 할 수 있는 비판으로 가장 적절한 것은?

갑: 인(仁)은 자신의 이기심을 극복하고 예(禮)로 돌아가는 것[克己復禮]이다. 인을 실천하기 위해서는 예가 아니면 보지 말고, 예가 아니면 듣지 말고, 예가 아니면 말하지 말고, 예가 아니면 행동하지 말아야 한다.
을: 도(道)의 관점에서 보면 만물에 귀천은 없다. 어떤 존재가 다른 존재보다 크기 때문에 크다고 한다면 만물 중에 크지 않은 것이 없고, 어떤 존재가 다른 존재보다 작기 때문에 작다고 한다면 만물 중에 작지 않은 것이 없다.

① 예는 인위적인 것으로 인간의 자연성을 훼손한다.
② 인간은 하늘로부터 선한 본성을 부여받은 존재이다.
③ 욕구를 절제하고 인의(仁義)의 도덕성을 회복해야 한다.
④ 사회적 혼란은 인간의 도덕성 회복으로 해결할 수 있다.
⑤ 인간 삶의 개선을 위해 자연을 사용하는 것은 정당하다.

2 서양 윤리의 접근

(가)를 주장한 사상가의 입장에서 (나)의 ㉠에 들어갈 진술로 가장 적절한 것은?

(가)	인간은 도덕 법칙을 순수하게 따르려는 선의지에 따라 어떤 상황에서도 무조건 따라야 하는 정언 명령을 지켜야 한다.
(나)	㉠ 그러면 바람직한 삶을 살 수 있다.

① 사회 전체의 행복을 가져오는 행위를 하라.
② 행위의 동기보다 바람직한 결과를 중시하라.
③ 상황과 관계없이 보편적 도덕 법칙을 준수하라.
④ 도덕 법칙을 다른 목적을 위한 수단으로 삼아라.
⑤ 좋은 결과를 가져오는 행위의 도덕적 가치를 인정하라.

주관식

11 ㉠에 들어갈 알맞은 말을 쓰시오.

㉠ 에 따르면 인간은 이성이나 직관을 통해 영원하고 절대적인 자연법의 원리를 발견할 수 있으며, 이 원리로부터 도출되는 의무를 지켜야 한다. 아퀴나스는 자연법의 제1의 원리로 '선을 추구하고 악을 피하라.'라는 규범을 제시한다.

12 (가)의 관점에서 〈문제 상황〉에 대해 내릴 도덕 판단으로 가장 적절한 것은?

(가) 네 의지의 준칙이 항상 동시에 보편적 입법의 원리가 될 수 있도록 행위하라. 너 자신의 인격에서나 다른 모든 사람의 인격에서 인간을 단지 수단으로만 대우하지 말고 항상 동시에 목적으로 대우하도록 행위하라.

〈문제 상황〉

최근 사이버 공간의 익명성을 이용하여 타인에 대해 악성 댓글을 남기는 일이 많아졌다. 이로 인해 악성 댓글의 피해자들은 심각한 정신적 고통을 호소하고 있다.

① 악성 댓글은 사회에 악영향을 주기 때문에 부당하다.
② 악성 댓글은 보편화될 수 없는 행위이므로 부당하다.
③ 표현의 자유를 존중해야 하므로 악성 댓글은 정당하다.
④ 정당한 비판이 존재하므로 악성 댓글은 정당화될 수 있다.
⑤ 악성 댓글은 타인에 대한 공감 부족으로 나타나므로 부당하다.

내신 기출

13 다음 사상가의 입장으로 옳은 것을 〈보기〉에서 고른 것은?

> 쾌락과 고통을 평가함에 있어 고려할 것은 강도, 지속성, 확실성, 근접성이다. 그러나 쾌락과 고통의 가치가 그것을 낳는 행위의 영향을 평가한다는 목적을 위해 쓰일 때는 생산성과 순수성을 계산에 넣어야 한다. 그리고 범위, 즉 쾌락과 고통의 영향을 받는 사람들의 수도 고려해야 한다.

보기
ㄱ. 선한 행위는 쾌락을 산출하고 고통을 줄이는 것이다.
ㄴ. 모든 종류의 쾌락에는 질적 차이가 존재하지 않는다.
ㄷ. 쾌락의 양적 차이뿐만 아니라 질적 차이를 고려해야 한다.
ㄹ. 행위의 결과보다 동기를 우선 고려하여 행위해야 한다.

① ㄱ, ㄴ ② ㄱ, ㄷ ③ ㄴ, ㄷ
④ ㄴ, ㄹ ⑤ ㄷ, ㄹ

14 (가)의 갑, 을의 입장을 (나) 그림으로 표현할 때, A~C에 해당하는 적절한 진술만을 〈보기〉에서 고른 것은?

(가)	갑: 공리의 원리란 모든 행위에 관해 그것이 우리의 행복을 증진하느냐 혹은 감소하느냐에 따라 좋다거나 혹은 나쁘다고 평가하는 원리이다. 을: 일반적으로 최대 행복을 가져오는 행위의 규칙을 따라야 한다. 규칙의 결과의 유용성에 따라 행위의 옳고 그름을 평가할 수 있다.
(나)	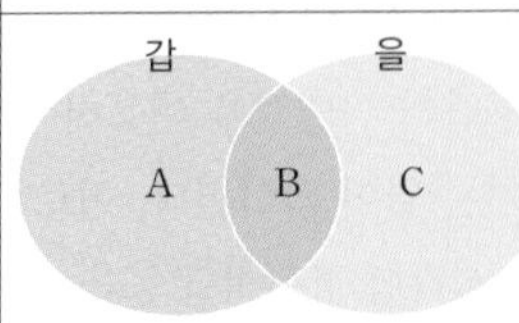 〈범 례〉 A : 갑만의 입장 B : 갑, 을의 공통 입장 C : 을만의 입장

보기
ㄱ. A: 도덕성을 평가할 때 동기보다 결과가 중요하다.
ㄴ. B: 개별 행위의 유용성이 도덕성 평가의 기준이다.
ㄷ. B: 인간은 쾌락을 추구하고 고통을 피하는 존재이다.
ㄹ. C: 행위의 유용성보다 규칙의 유용성이 우선한다.

① ㄱ, ㄴ ② ㄱ, ㄷ ③ ㄴ, ㄷ
④ ㄴ, ㄹ ⑤ ㄷ, ㄹ

15 다음 가상 대화의 ㉠에 들어갈 내용으로 가장 적절한 것은?

> 갑: 쾌락 계산법에 의해 모든 종류의 쾌락은 계산할 수 있습니다. 쾌락을 계산하는 기준은 강도, 지속성, 확실성, 생산성 등입니다.
> 을: 아닙니다. 쾌락을 계산하는 것은 불가능합니다. 정상적인 인간이라면 누구나 질적으로 높고 고상한 쾌락을 추구할 것이기 때문입니다.
> 갑: 제 생각에 당신의 견해는 ㉠

① 모든 쾌락에 질적 차이가 없음을 모르고 있습니다.
② 유용성에 따른 행위가 도덕적임을 모르고 있습니다.
③ 최대 공리를 낳는 규칙의 중요성을 모르고 있습니다.
④ 인간이 쾌락을 추구하는 존재임을 무시하고 있습니다.
⑤ 최대 다수의 최대 행복을 낳는 결과를 무시하고 있습니다.

16 그림의 강연자가 지지할 입장으로 옳지 않은 것은?

① 올바른 행위의 습관화를 통해 덕이 길러질 수 있다.
② 도덕적 의무보다 바람직한 인간관계가 더 중요하다.
③ 덕 있는 사람이 되면 도덕적 행위를 더 잘할 수 있다.
④ 행위자 중심에서 행위 중심의 윤리로 바뀌어야 한다.
⑤ 공동체의 전통과 역사와 같은 구체적 맥락이 중요하다.

17 다음 입장에 대한 설명으로 가장 적절한 것은?

> 도덕적 판단 혹은 도덕적 행위 과정에서 이성과 정서가 어떤 역할을 하는지, 인간이 자유 의지나 타인에 대한 공감 능력을 가지고 있는지 등은 과학적으로 측정하여 입증할 수 있다.

① 다른 사람을 보살피고 배려하는 관계성을 우선한다.
② 최대 다수의 최대 행복을 가져오는 행위를 중시한다.
③ 뇌의 자극을 통해 도덕성을 향상시킬 수 있다고 본다.
④ 행위의 결과보다 절대적인 도덕 법칙의 준수를 강조한다.
⑤ 행위자의 올바른 성품이 도덕적 행위의 근거라고 본다.

(가)의 관점에서 〈문제 상황〉의 갑에게 제시할 조언으로 가장 적절한 것은?

> (가) 배려의 감정은 우리가 타인을 배려해 주고 타인으로부터 배려받았던 기억들에 의해 촉진된다. 배려에 바탕을 둔 윤리는 상호 연관적 자아를 추구한다.
>
> 〈문제 상황〉
>
> 어느 추운 겨울, 공원 연못에서 놀던 세 명의 아이들이 얼음이 깨져 연못에 빠졌다. 갑은 아이들을 발견했지만, 자신도 위험에 빠질 수 있다는 생각에 망설이고 있다.

① 선을 추구하라는 자연법에 따라 행동하세요.
② 최선의 결과를 낳는 규칙에 따라 행동하세요.
③ 사회적 유용성을 기준으로 삼아서 행동하세요.
④ 상대방이 처해 있는 구체적인 상황을 고려하세요.
⑤ 인간을 목적으로 대우해야 한다는 의무에 따르세요.

갑, 을 사상가 중 적어도 한 사람이 긍정의 대답을 할 질문을 〈보기〉에서 고른 것은?

> 갑: 인간은 목적 자체로서 존재하며, 단지 이런저런 의지가 임의로 사용할 수 있는 수단으로 존재하지 않는다. 이성적이고 자율적인 인간에게 선이란 도덕 법칙에 따라 사는 삶이다.
>
> 을: 모든 인간은 쾌락을 추구하고 고통을 피하려는 경향을 지니고 있으므로 행위의 평가 기준은 행위로 인해 생겨날 쾌락과 고통에 달려 있다. 최대 다수의 최대 행복을 도덕과 입법의 원리로 삼아야 한다.

보기

> ㄱ. 인간이 가진 도덕성은 과학을 통해 증명 가능한가?
> ㄴ. 행위의 도덕성은 결과를 기준으로 평가해야 하는가?
> ㄷ. 결과와 무관하게 도덕적으로 옳은 행위가 존재하는가?
> ㄹ. 행위의 기준인 보편적인 도덕 원리는 존재하지 않는가?

① ㄱ, ㄴ　② ㄱ, ㄷ　③ ㄴ, ㄷ
④ ㄴ, ㄹ　⑤ ㄷ, ㄹ

서술형 문제

20 다음을 읽고 물음에 답하시오.

> 옛날의 ㉠ 진인(眞人)은 출생을 기뻐하지 않았고, 죽음을 싫어하지 않았다. 태어난 것을 기뻐하지 않거니와 되돌아가는 것을 거부하지도 않았다. 의연히 가고 의연히 올 뿐이다. 이것이 바로 인간의 마음으로써 도(道)를 덜어 내지 아니하고, 인위로써 자연을 돕지 않는다는 것이다.

(1) ㉠에 이르기 위해 필요한 수양 방법을 두 가지 쓰시오.

(2) ㉠이 추구하는 이상적 경지의 특징을 서술하시오.

21 갑 사상가가 을 사상가에게 제기할 수 있는 적절한 비판을 서술하시오.

> 갑: 아무런 제한 없이 선하다고 생각할 수 있는 것은 오직 선의지뿐이다. 지성, 용기, 결단성 등은 선하고 바람직하지만, 이런 천부적 자질들을 이용하는 의지가 선하지 않다면 극도로 악하고 해가 될 수 있다.
>
> 을: 자연은 인류를 고통과 쾌락이라는 두 군주에게 지배받도록 만들었다. 공리의 원칙은 이러한 복종 관계를 인식시켜 주고, 이성과 법률의 손길로 행복의 틀을 짜는 목적을 지닌 체계의 기초이다.

01 그림은 서양 사상가 갑, 을의 가상 대화이다. 갑이 을에게 제기할 수 있는 비판으로 가장 적절한 것은?

이성적이고 자율적인 인간은 보편적인 도덕 법칙을 의식할 수 있다. 도덕 법칙에 대한 존경심에서 비롯된 행위만이 도덕적인 행위이다.

바람직한 행위를 하려면 먼저 바람직한 행위자가 되어야 한다. 도덕적인 행위를 하려면 먼저 유덕한 품성을 길러야 한다.

① 보편적인 윤리를 통해 도덕 행위의 근거를 마련해야 한다.
② 자연법을 준수함으로써 자연의 질서에 따라 행위해야 한다.
③ 사회 전체에 최대의 유용성을 가져오는 행위를 해야 한다.
④ 도덕 법칙은 공동체의 역사와 전통에 따라 달라질 수 있다.
⑤ 도덕적 행위는 상황의 구체적 맥락을 고려해 이루어져야 한다.

다음 사상의 관점에 해당하는 것에만 모두 '✓'를 표시한 학생은?

이것이 있기 때문에 저것이 있고, 이것이 생기기 때문에 저것이 생긴다. 이것이 없기 때문에 저것이 없고, 이것이 사라지기 때문에 저것이 사라진다.

관점	갑	을	병	정	무
수양을 통해 불변하는 자아의 실체를 찾아야 한다.	✓		✓		✓
만물의 상호 의존성을 깨달아 자비를 실천해야 한다.		✓		✓	✓
수행을 통해 고통에서 벗어나 열반의 경지에 이를 수 있다.	✓	✓	✓		
이 세상의 모든 것은 고정된 것이 아니며 지속적으로 변화한다.		✓	✓	✓	✓

① 갑 ② 을 ③ 병
④ 정 ⑤ 무

(가)의 서양 사상가 갑, 을의 입장을 (나) 그림으로 탐구할 때, A~C에 들어갈 질문으로 옳은 것은?

(가)
갑: 도덕의 원리는 유용성에 근거해야 한다. 어떤 행위가 더 가치 있는지 판단할 때, 강도, 지속성 등을 기준으로 측정한 쾌락의 양을 비교해야 한다.
을: 자신의 인격과 타인의 인격에 있어서 인간성을 언제나 동시에 목적으로 간주하여야 하며, 결코 한낱 수단으로 사용해서는 안 된다.

(나)
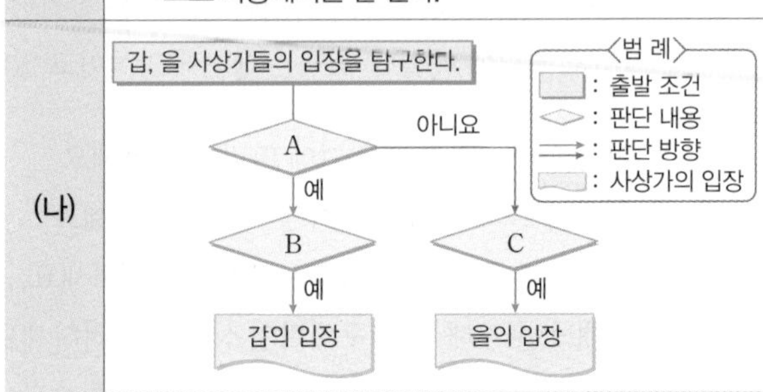

① A: 행위의 의도를 기준으로 도덕성을 평가해야 하는가?
② B: 인간의 욕구와 쾌락을 억제해야 도덕성이 유지되는가?
③ B: 모든 행위의 목적은 쾌락 또는 행복을 산출하는 것인가?
④ C: 개인이 세운 모든 준칙은 보편적 도덕 원칙이 되는가?
⑤ C: 도덕 법칙은 시대와 상황에 따라 달라질 수 있는가?

04 (가), (나)는 동양 사상이다. (가)의 관점에 비해 (나)의 관점이 갖는 상대적 특징을 그림의 ㉠~㉤ 중에서 고른 것은?

(가) 인(仁)은 자신의 이기심을 극복하고 예(禮)로 돌아가는 것[克己復禮]이다. 인을 실천하기 위해서는 예가 아니면 행동하지 말아야 한다.
(나) 개별적 존재의 관점에서 보면 자기는 귀하고 남은 천하다. 도(道)의 관점에서 보면 만물에 귀천은 없다.

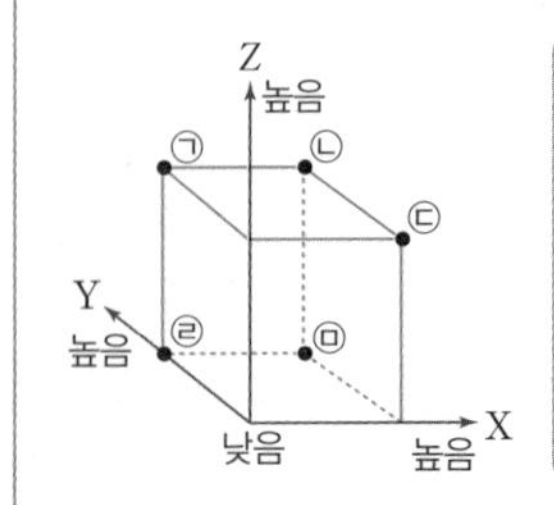

• X: 예(禮)의 실천을 강조하는 정도
• Y: 인위적인 가치관을 거부하는 정도
• Z: 인간과 만물이 도의 관점에서 평등함을 강조하는 정도

① ㉠ ② ㉡ ③ ㉢
④ ㉣ ⑤ ㉤

05 다음은 서양 사상가와의 가상 대담이다. ㉠에 들어갈 진술로 가장 적절한 것은?

> 사회자: 선생님은 공정성과 자율성을 중시하는 기존의 윤리가 여성의 도덕성을 간과해 왔다고 말씀하셨습니다. 여성의 도덕성은 무엇인가요?
> 사상가: 여성의 도덕성은 정서적 돌봄과 보살핌, 배려를 특징으로 하는 것입니다.
> 사회자: 그렇다면 바람직한 배려는 어떻게 실천해야 할까요?
> 사상가: ________㉠________

① 자연법의 원리에 따른 자연적 배려를 실천해야 합니다.
② 인간관계에서 벗어나 합리적인 배려를 실천해야 합니다.
③ 사회 전체의 행복을 증진시키는 배려를 실천해야 합니다.
④ 구체적 상황과 맥락을 고려하여 배려를 실천해야 합니다.
⑤ 시대에 따라 변하지 않는 보편적 배려를 실천해야 합니다.

06 (가), (나)의 입장으로 가장 적절한 것은?

> (가) 이 세계는 상대적이다. 큰 것은 그와 대비되는 것에 의해 크게 여겨지고, 아름다움 것도 그와 대비되는 것에 의해 아름답다고 여겨진다. 도의 측면에서 모든 가치는 평등하다.
> (나) 세상의 모든 것은 생멸(生滅)하고 변화하며, '나'라고 하는 불변의 실체는 없다. 변하는 모든 것은 고통이다. 이를 깨달아야 해탈할 수 있다.

① (가): 인간의 관점에서 사물을 평가하는 것은 정당하다.
② (가): 명확한 기준을 통해 옳고 그름을 분별해야 한다.
③ (나): 자연은 인간 삶의 개선을 위한 도구일 뿐이다.
④ (나): 부처가 될 잠재 가능성은 인간만이 갖추고 있다.
⑤ (가), (나): 모든 만물을 차별하지 않고 존중해야 한다.

07 (가)의 갑, 을, 병의 입장을 (나) 그림으로 탐구할 때, A~E에 들어갈 진술로 옳은 것은?

(가)	갑: 도덕의 근원이 무엇이며, 도덕 판단 과정에서 어떻게 작용하는지의 문제는 과학적 방법을 통해 측정할 수 있다. 을: 도덕의 근원은 배려와 관계성이다. 서로 배려하는 마음을 통해 따뜻한 인간관계를 맺는 것이 도덕적 행위의 핵심이다. 병: 도덕의 근원은 행위자의 성품이다. 훌륭한 성품을 지닌 사람은 구체적인 상황과 맥락을 고려하여 도덕적 행위를 실천한다.
(나)	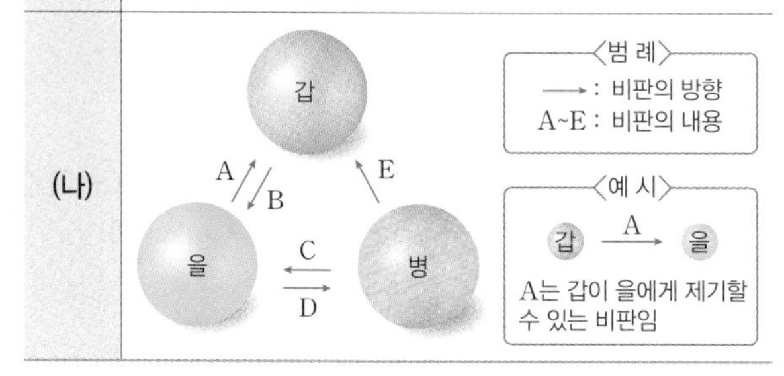

① A: 뇌를 자극함으로써 배려의 감정을 향상시킬 수 있다.
② B: 도덕성은 감정에서 비롯되므로 객관적 측정이 불가능하다.
③ C: 타인과의 관계와 공동체를 고려하여 행위해야 한다.
④ D: 도덕 법칙은 구체적 상황을 고려하지 못하므로 부적절하다.
⑤ E: 훌륭한 성품은 과학적 측정이 아닌 실천으로 나타난다.

08 다음 사상의 관점에서 지지할 주장으로 옳은 것만을 〈보기〉에서 있는 대로 고른 것은?

> 인간은 하늘로부터 도덕적 본성을 부여받은 존재이지만 지나친 욕구 때문에 잘못된 행동을 할 수 있다. 따라서 경(敬)과 성(誠)을 실천함으로써 마음과 몸가짐을 바르게 해야 한다.

보기
ㄱ. 사회에서 벗어나 개인적 수양에 집중해야 한다.
ㄴ. 도덕성을 개인적 차원에서 국가로 확대해야 한다.
ㄷ. 인(仁)을 실천함으로써 인간다움을 실현해야 한다.
ㄹ. 내 마음을 미루어 타인에 대한 배려를 실천해야 한다.

① ㄱ, ㄴ ② ㄱ, ㄹ ③ ㄷ, ㄹ
④ ㄱ, ㄴ, ㄷ ⑤ ㄴ, ㄷ, ㄹ

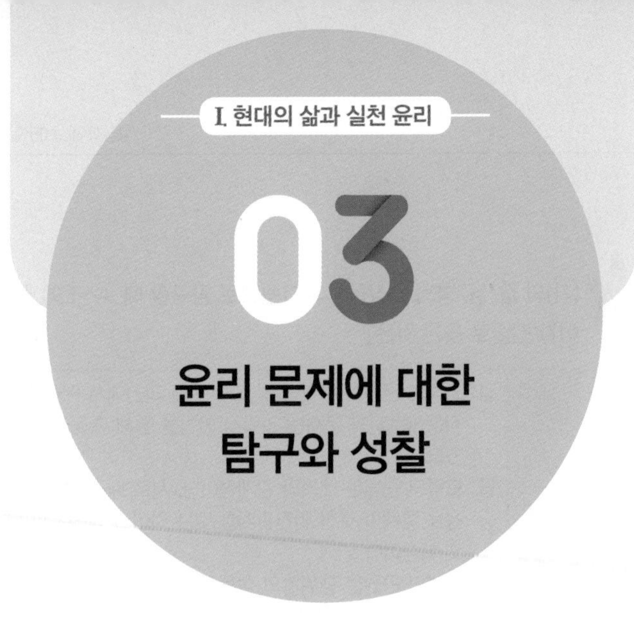

1 도덕적 탐구의 방법

1. 도덕적 탐구의 의미와 방법

(1) 의미　도덕 문제의 해결 방안을 찾기 위해 도덕 원리와 사실 판단을 분석, 평가하여 타당한 결론을 내리는 과정

(2) 중요성　다양한 윤리 문제의 해결, 윤리적 가치관의 정립, 타인을 배려하는 역지사지 정신의 함양

(3) 방법　윤리적 쟁점 또는 딜레마 확인 ➡ 문제 해결에 필요한 각종 자료 수집·분석 ➡ 자신의 입장 채택 후 대안 설정 및 정당화 근거 제시 ➡ 최선의 대안 도출

2. 도덕적 추론과 도덕 판단

(1) 도덕적 추론　이유나 근거를 제시하면서 도덕 판단을 이끌어 내는 과정

(2) 도덕 판단

구분	내용
도덕 원리	옳고 그름을 판단하는 원리 예 다른 사람을 돕는 행위는 옳다.
사실 판단	참과 거짓을 구분하는 판단 예 세계 빈민에게 원조하는 것은 다른 사람을 돕는 행위이다.
도덕 판단	다양한 윤리 문제에 대한 바람직한 판단 예 세계 빈민에게 원조하는 것은 옳다.

3. 비판적 사고 및 도덕적 상상력과 배려적 사고

(1) 비판적 사고

① 사실 판단의 진위 검토　경험적 탐구 방법 활용

② 도덕 원리에 대한 검토　가치의 문제이기 때문에 다양한 검사를 통해 정당화 가능성을 검토해야 함

핵심 기출 자료 분석　**도덕 원리의 타당성 검토 방법**

- **역할 교환 검사**　도덕 원리를 자신에게 적용했을 때도 받아들일 수 있는지 확인하는 방법
- **반증 사례 검사**　도덕 원리가 적용되지 않는 사례는 없는지 확인하는 방법
- **보편화 결과 검사**　도덕 원리를 모든 사람에게 적용했을 때 나타나는 결과에 문제가 없는지 확인하는 방법

(2) 도덕적 상상력과 배려적 사고

① 도덕적 상상력　딜레마 상황에서 그것이 윤리 문제인지 지각하고, 문제 상황이 어떻게 전개될 것인지 고려하는 능력

② 배려적 사고　도덕적 민감성과 공감 능력을 근거로 타인의 욕구나 필요에 관심을 두고 그의 처지에서 생각하는 태도

➡ 도덕 문제를 해결하기 위해서는 비판적 사고와 배려적 사고가 모두 필요함

2 윤리적 성찰과 실천

1. 윤리적 성찰의 의미와 중요성

(1) 의미　자신의 도덕적 경험을 바탕으로 반성적 사고를 하고, 도덕적 삶의 실천 방향을 결정하는 활동

(2) 도덕적 탐구와의 관계　모두 도덕적 행위의 실천을 추구한다는 점에서 지향점이 같음

윤리적 성찰과 도덕적 탐구의 차이점
– 도덕적 탐구: 윤리 문제에 대한 이해 및 분석에 중점
– 윤리적 성찰: 도덕적 주체의 도덕성에 중점

2. 윤리적 성찰의 방법

구분	내용
유교	• 거경(居敬): 마음을 한 곳으로 모아 흐트러짐이 없게 하는 것 └ 신독(愼獨): 홀로 있을 때도 도리에 어긋나지 않도록 몸과 마음을 바르게 하고 언행을 신중하게 하는 것 • 일일삼성(一日三省): 하루에 세 번 반성하는 것 └ '남을 돕는 데 정성스럽게 하였는가?, 친구와 교제를 하는 데 신의를 다하였는가?, 스승에게 배운 것을 잘 익혔는가?'
소크라테스	• 성찰하는 삶의 중요성 강조 • "반성하지 않는 삶은 살 가치가 없다."
아리스토텔레스	• 행위와 태도를 성찰하는 방법 제시 ➡ 중용 • "마땅한 때에, 마땅한 일에 대하여, 마땅한 사람에게, 마땅한 동기로"

핵심 기출 자료 분석　**소크라테스의 성찰**

여러분은 지혜와 힘이 가장 뛰어난 아테네의 시민입니다. 그런데 여러분은 재물과 명성과 명예에 대해서는 최대한 마음을 쓰지만, 사리분별과 진리 그리고 정신의 훌륭함에 대해서는 생각도 않고 염려하지도 않습니다. 이점이 부끄럽지 않습니까? 재물에서 덕이 생기는 것이 아니라 덕에 의해 재물이나 그 밖의 모든 것이 사적으로든 공적으로든 좋은 것이 됩니다.
– 플라톤, 『소크라테스의 변론』 –

분석 | 소크라테스는 자기 자신과 다른 사람의 삶을 부단히 검토하고 성찰하는 것을 자신의 본분이라 생각했으며 명예보다 덕 있는 삶을 사는 것이 더 중요하다고 주장하였다.

3. 토론을 통한 성찰과 윤리적 실천

(1) 도덕적 토론　인식과 판단의 오류 가능성을 줄이고 갈등을 원만하게 해결할 수 있도록 함 → 주관적인 의견이 보편적인 앎의 형태로 나아가 바람직한 해결 방안을 찾도록 도움

주장하기	반론하기	재반론하기	정리하기
근거를 들어 자신의 주장을 제시	상대방 주장의 오류나 부당성 제시	자신의 주장을 뒷받침할 근거 제시	상대방 반론을 참고하여 최종 입장 발표

(2) 윤리적 실천　올바른 도덕 판단이 반드시 실천으로 연결되는 것은 아니므로, 선한 의지를 토대로 옳은 행동을 지속적으로 실천하여 옳은 행위를 습관화해야 함

개념 암기

1 괄호 안의 내용 중 알맞은 말을 골라 ○표 하시오.

(1) 도덕적 탐구는 도덕 문제를 해결하기 위해 도덕 원리와 (사실 판단, 가치 판단)을 분석·평가한다.

(2) 도덕 판단 과정에서 옳고 그름을 판단하는 원리는 (도덕 원리, 사실 판단)이다.

(3) 도덕 판단의 오류 가능성을 줄이고 갈등을 해결할 수 있도록 돕는 것은 (도덕적 토론, 배려적 사고)이다.

2 도덕 원리 검사의 특징으로 적절한 것을 〈보기〉에서 고르시오.

보기
ㄱ. 도덕 원리가 적용되지 않는 사례가 없는지 검사
ㄴ. 도덕 원리를 자신에게도 적용할 수 있는지 검사
ㄷ. 도덕 원리를 모든 사람에게 적용할 수 있는지 검사

(1) 반증 사례 검사 ( )
(2) 보편화 결과 검사 ( )
(3) 역할 교환 검사 ( )

3 설명이 맞으면 ○표, 틀리면 X표 하시오.

(1) 도덕 문제를 해결하기 위해서는 비판적 사고과 배려적 사고가 모두 필요하다. ( )

(2) 도덕적 탐구와 윤리적 성찰은 상호 무관하다. ( )

4 빈칸에 들어갈 알맞은 말을 쓰시오.

(1) 유교에서는 윤리적 성찰의 방법으로 마음을 한 곳으로 모아 흐트러짐이 없게 하는 ( )을 강조한다.

(2) 증자는 세 가지 질문을 통해 하루의 삶을 반성하는 ( )을 주장하였다.

(3) ( )는 "반성하지 않는 삶은 살 가치가 없다."라는 주장을 통해 성찰의 중요성을 강조하였다.

(4) 아리스토텔레스는 행위와 태도를 성찰하는 방법으로 ( )을 주장하였다.

5 개념과 특징을 바르게 연결하시오.

(1) 도덕 판단 • • ㉠ 주관적 의견의 보편화를 도움
(2) 도덕적 토론 • • ㉡ 도덕 원리와 사실 판단을 검토
(3) 비판적 사고 • • ㉢ 도덕 원리와 사실 판단을 근거로 내리는 판단

내신 기출

1 도덕적 탐구의 방법

01 ㉠이 필요한 이유로 적절한 것을 〈보기〉에서 고른 것은?

㉠ 도덕적 탐구는 윤리 문제에 대한 쟁점 혹은 갈등이 무엇인지를 확인하고, 관련 자료를 탐색하며, 정당한 근거를 바탕으로 자신의 입장이나 대안을 설정하고, 의사소통 및 토론의 과정을 거쳐 최선의 대안을 끌어내는 과정이다.

보기
ㄱ. 자신에게 최대의 이익이 되는 판단을 내릴 수 있다.
ㄴ. 다양한 윤리 문제를 해결하는 데 도움을 줄 수 있다.
ㄷ. 타인을 배려하는 역지사지의 정신을 함양할 수 있다.
ㄹ. 상대의 반박으로부터 자신의 주장을 끝까지 지켜 낼 수 있다.

① ㄱ, ㄴ ② ㄱ, ㄷ ③ ㄴ, ㄷ
④ ㄴ, ㄹ ⑤ ㄷ, ㄹ

02 도덕적 탐구의 과정과 특징을 바르게 설명한 것은?

①	윤리적 쟁점 확인	타인의 의견을 구하거나 토론의 과정을 거친다.
②	자료 수집 및 분석	윤리적 쟁점에 대한 자신의 주장을 선택한다.
③	입장 채택	관련된 자료를 풍부하게 수집하여 검토한다.
④	정당화 근거 제시	도덕 원리와 사실 판단을 들어 자신의 주장을 지지한다.
⑤	최선의 대안 도출	윤리 문제가 발생하게 된 이유를 확인한다.

주관식

03 ㉠에 들어갈 알맞은 말을 쓰시오.

• 도덕 원리: 무고한 인간을 죽이는 것은 옳지 않다.
• ㉠ : 태아를 죽이는 임신 중절은 무고한 인간을 죽이는 것이다.
• 도덕 판단: 태아를 죽이는 임신 중절은 옳지 않다.

04 (가), (나)에 대한 설명으로 적절한 것을 〈보기〉에서 고른 것은?

〈비판적 사고〉

올바른 도덕 판단을 위해서는 다음과 같은 비판적 사고가 필요함.

(가) 사실 판단의 진위 검토

(나) 도덕 원리에 대한 검토

보기

ㄱ. (가): 가치의 영역에 속하므로 개인마다 다르다.

ㄴ. (가): 경험적 탐구 방법을 통해 확인할 수 있다.

ㄷ. (나): 참과 거짓에 대한 판단으로 명확한 기준이 있다.

ㄹ. (나): 역할 교환 검사, 반증 사례 검사 등을 활용할 수 있다.

① ㄱ, ㄴ ② ㄱ, ㄷ ③ ㄴ, ㄷ
④ ㄴ, ㄹ ⑤ ㄷ, ㄹ

05 다음은 수업의 한 장면이다. 소전제 ㉠에 들어갈 내용으로 가장 적절한 것은?

① 뇌사를 죽음으로 인정해서는 안 된다.
② 뇌사 판정은 사회적 유용성을 가져온다.
③ 뇌사 판정은 누군가의 생명을 해치는 것이다.
④ 뇌사 판정은 생명의 존엄성을 훼손할 수 있다.
⑤ 장기 이식은 사회적 유용성과 무관한 행위이다.

06 ㉠에 대한 설명으로 가장 적절한 것은?

잠정적인 도덕 판단을 내렸다면 이를 뒷받침하는 도덕 원리가 적절한지 검토할 필요가 있다. 도덕 원리를 검토할 때는 반증 사례 검사법, ㉠ 역할 교환 검사법, 보편화 결과 검사법 등을 활용할 수 있다.

① 도덕 원리의 사회적 영향력을 확인하는 것이다.
② 보다 상위의 도덕 원리에 포함시켜 보는 것이다.
③ 도덕 원리를 모든 사람에게 적용해 보는 것이다.
④ 도덕 원리의 반대 사례가 있는지 확인하는 것이다.
⑤ 도덕 원리를 자기 스스로에게 적용해 보는 것이다.

07 밑줄 친 '어떤 학자들'이 범하고 있는 오류로 가장 적절한 것은?

어떤 학자들은 "A는 B이다."라는 일종의 사실 판단의 진술들을 통해 자신의 이론을 전개해 나간다. 그런데 사실 판단의 진술들을 바탕으로 최종적으로 "A는 B해야 한다."와 같은 일종의 당위의 주장을 펼치기도 한다.

① 도덕적 상상력을 지나치게 강조하고 있다.
② 사실 판단 없이 도덕적 판단을 내리고 있다.
③ 사실로부터 당위적인 판단을 도출하고 있다.
④ 당위의 주장을 통해 사실 판단을 도출하고 있다.
⑤ 도덕 판단 과정에서 배려적 사고를 과도하게 추구하고 있다.

08 갑의 주장에 대해 을이 보편화 결과 검사로 타당성을 검토했다고 할 때, ㉠에 들어갈 내용으로 가장 적절한 것은?

갑: 학교 매점에서 아주머니가 거스름돈을 더 주셨는데 마침 차비가 부족하던 터라 말하지 않았어.

을: 어떻게 그럴 수가 있니? 아주머니는 돈이 맞지 않아서 곤란하셨을 거야.

갑: 그럼 어떡해! 차비가 부족한데 이 추운 날 집까지 걸어갈 수는 없잖아.

을: 너에게 이익이 된다면 더 받은 돈을 돌려주지 않아도 된다는 말이구나. (㉠)

① 네가 만약 아주머니였다고 해도 그렇게 했을까?
② 누군가 너의 돈을 그렇게 한다면 너는 괜찮겠니?
③ 너에게 이익이 된다면 다른 사람을 해칠 수도 있니?
④ 더 받은 돈을 돌려주는 것은 반드시 손해만 가져올까?
⑤ 모든 사람이 더 받은 돈을 돌려주지 않는다면 어떻게 될까?

2 윤리적 성찰과 실천

09 다음은 한국 사상가가 쓴 글의 일부이다. 이 사상가가 강조하는 삶의 태도로 가장 적절한 것은?

> 버릇은 사람의 뜻을 견고하지 못하게 하고, 행실을 독실하지 못하게 하여, 오늘 한 것은 내일 고치기 어렵고 아침에 행한 것을 후회하고도 저녁이면 벌써 다시 그렇게 한다. 때때로 깊이 반성하는 공부를 더 해 이 마음으로 하여금 옛날에 물든 더러움을 한 점이라도 없게 하라.

① 모든 잘못된 습관은 단번에 고쳐질 수 있다.
② 윤리적 성찰을 통해 반성하는 삶을 살아야 한다.
③ 버릇은 반성하는 공부를 통해서도 고칠 수 없다.
④ 지식을 확충하는 공부만으로도 발전이 가능하다.
⑤ 과거를 잊고 새로운 마음으로 미래로 나아가야 한다.

10 다음의 서양 사상가가 강조하는 입장으로 가장 적절한 것은?

> 여러분은 지혜와 힘이 가장 뛰어난 아테네 시민입니다. 그런데 여러분은 재물과 명성과 명예에 대해서는 최대한 마음을 쓰지만, 정신의 훌륭함에 대해서는 생각도 하지 않고 염려하지도 않습니다. 이 점이 부끄럽지 않습니까?

① 반성하는 삶만이 살 가치가 있는 삶이다.
② 재물과 명예는 삶에 유용성을 가져다준다.
③ 타인의 삶에 대해 간섭하는 태도가 필요하다.
④ 특정 사람만이 정신의 훌륭함을 갖출 수 있다.
⑤ 명예와 정신의 훌륭함을 동시에 추구할 수 있다.

주관식

11 윤리적 성찰과 관련하여 유교에서 제시한 (1), (2)의 개념을 쓰시오.

> (1) 홀로 있을 때도 도리에 어긋나지 않도록 몸과 마음을 바르게 하고, 언행을 신중하게 하는 것
> (2) 매일 자신에게 던지는 세 가지의 물음을 통해 하루의 삶을 성찰하는 지침

12 다음 사상가의 입장에서 지지할 주장을 〈보기〉에서 고른 것은?

> 당신이 옳을 수 있고, 내가 틀릴 수 있다. 다만 서로 힘을 모으면 우리는 진리에 더욱 다가설 수 있을 것이다. 인간의 지식은 항상 오류 가능성이 있기 때문에 합리적 비판이 필요하며, 모든 지식은 추측과 반박을 통해 발전한다.

보기
ㄱ. 보편적 지식에 대해서는 토론이 필요하지 않다.
ㄴ. 토론을 통해 자신의 의견을 다시 검증할 수 있다.
ㄷ. 토론에 의해 윤리 문제를 객관적으로 바라볼 수 있다.
ㄹ. 토론을 통해 도출된 결론은 오류 가능성이 전혀 없다.

① ㄱ, ㄴ ② ㄱ, ㄷ ③ ㄴ, ㄷ
④ ㄴ, ㄹ ⑤ ㄷ, ㄹ

13 ㉠, ㉡에 대한 설명으로 옳지 않은 것은?

> ㉠ 윤리적 성찰은 자신의 도덕적 경험을 바탕으로 반성적 사고를 하고, 도덕적 삶의 실천 방향을 결정하는 활동이다. ㉡ 도덕적 탐구는 도덕 문제의 해결 방안을 찾기 위해 도덕 원리와 사실 판단을 조사, 분석, 비교, 평가하며 타당한 결론을 내리는 과정이다.

① ㉠: 도덕적 주체의 도덕성에 중점을 둔다.
② ㉠: 개인의 도덕성과 도덕적 정체성 함양을 돕는다.
③ ㉡: 윤리 문제에 대한 이해 및 분석에 중점을 둔다.
④ ㉡: 현상의 원인과 결과를 관찰과 실험을 통해 설명한다.
⑤ ㉠, ㉡: 도덕적 행위의 실천이라는 지향점을 추구한다.

14 표는 토론의 과정을 정리한 것이다. (가) 단계의 특징을 〈보기〉에서 고른 것은?

주장하기	반론하기	재반론하기	정리하기
근거를 들어 자신의 주장을 제시	상대방 주장의 오류나 부당성 제시	(가)	상대방 반론을 참고하여 최종 입장 발표

보기
ㄱ. 상대방의 반론이 옳지 않음을 밝힐 수 있다.
ㄴ. 자신의 주장을 바꿔 상대방의 반론을 지지하게 된다.
ㄷ. 상대방의 의견과 무관하게 자신의 주장을 관철시킬 수 있다.
ㄹ. 상대의 반박에 대해 자신의 주장을 뒷받침할 근거를 제시할 수 있다.

① ㄱ, ㄷ ② ㄱ, ㄹ ③ ㄴ, ㄷ
④ ㄴ, ㄹ ⑤ ㄷ, ㄹ

15 다음 사상가가 강조하는 내용으로 가장 적절한 것은?

덕에는 지성적인 덕과 품성적인 덕이라는 두 종류가 있다. 지성적인 덕은 대체로 교육에 의해 생기고 성장하며, 많은 경험과 시간을 필요로 한다. 이에 비해 품성적인 덕은 습관의 결과로 생긴다. 절제 있는 행위를 해 봄으로써 절제 있게 되며, 용감한 행위를 해 봄으로써 용감하게 되는 것이다. 품성적인 덕은 중용을 택하여 행동하는 성품이다.

① 지속적 실천을 통해 품성적인 덕을 갖출 수 있다.
② 지식을 배움으로써 품성적인 덕을 습득할 수 있다.
③ 중용을 알면 실천하지 않아도 덕을 형성할 수 있다.
④ 사람은 나면서부터 품성적인 덕을 가지고 태어난다.
⑤ 품성적인 덕의 형성에 반드시 실천이 필요한 것은 아니다.

서술형 문제

16 다음을 읽고 물음에 답하시오.

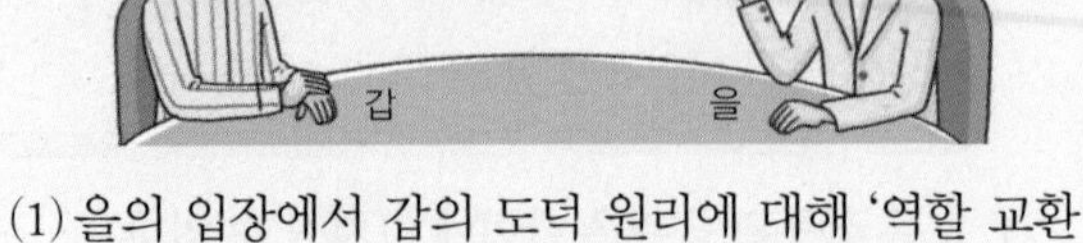

(1) 을의 입장에서 갑의 도덕 원리에 대해 '역할 교환 검사'를 활용하여 비판하시오.

(2) 을의 입장에서 갑의 도덕 원리에 대해 '보편화 결과 검사'를 활용하여 비판하시오.

17 다음의 동양 사상가 갑과 서양 사상가 을이 윤리적 삶과 관련하여 공통적으로 강조하고 있는 내용을 서술하시오.

갑: 나는 날마다 세 가지 점에 대해 나 자신에게 묻는다. 남을 위하여 일을 꾀하면서 진심을 다하지 못한 점은 없는가? 벗과 사귀면서 신의를 지키지 못한 일은 없는가? 배운 것을 제대로 익히지 못한 것은 없는가?
을: 여러분은 재물과 명예에 대해서는 최대한 마음을 쓰면서도 사리 분별과 진리 그리고 정신의 훌륭함에 대해서는 생각도 하지 않고 염려하지도 않습니다. 이 점이 부끄럽지 않습니까?

01 (가)의 주장을 (나)와 같이 나타낼 때, ㉠에 대한 반론의 근거로 가장 적절한 것은?

(가)	과학 기술을 활용하여 환경을 개발하는 것은 인간의 삶을 풍요롭게 하는 것이므로 막아서는 안 된다.
(나)	전제 1: 인간에게 이익이 되는 행위는 정당하다. + 전제 2: ㉠ ⇩ 결론: 환경 개발은 정당한 몫이다.

① 환경 보존보다 인간 삶의 개선과 발전이 우선한다.
② 환경 보존을 고려하면 사회 발전이 제한될 수 있다.
③ 인간은 환경을 이용하고 정복할 권리를 가지고 있다.
④ 경제 발전을 위해 환경을 개발하는 것은 불가피하다.
⑤ 개발로 인한 환경 파괴는 인간의 삶에 악영향을 끼친다.

02 ㉠에 대한 설명으로 적절하지 않은 것은?

> • ㉠ 은/는 도덕 현상을 이해하고 윤리 문제를 해결하기 위한 지적 활동이다.
> • ㉠ 은/는 도덕 문제의 해결 방안을 찾기 위해 도덕 원리와 사실 판단을 조사, 분석, 평가하며 타당한 결론을 내리는 과정이다.

① 윤리적 쟁점이 무엇인지 확인할 수 있도록 돕는다.
② 타인을 배려하는 역지사지의 정신을 함양하게 한다.
③ 사실의 진위를 확인하는 경험적 탐구에만 집중한다.
④ 정당한 근거를 바탕으로 최선을 대안을 도출하게 한다.
⑤ 윤리 문제를 해결하고 윤리적 가치관을 정립하게 한다.

03 다음 토론의 핵심 쟁점으로 가장 적절한 것은?

> 갑: 토론은 개인의 주관적 판단에 보편성을 부여하여 바람직한 해결 방안을 찾을 수 있게 하므로 정당합니다.
> 을: 동의합니다. 이러한 토론을 할 때는 토론에 참여할 태도를 갖춘 사람만 토론에 참여시켜야 합니다. 이러한 태도를 갖추지 못한 사람으로 인해 토론이 유의미한 결과를 도출하지 못하기 때문입니다.
> 갑: 아닙니다. 토론 참여자를 제한시키는 것은 옳지 않습니다. 오히려 유의미한 결과를 도출하기 위해서는 다양한 의견을 수용하는 것이 필요합니다.
> 을: 그렇지 않습니다. 토론은 전문성을 요구합니다. 토론할 준비가 되어 있는 참여자들 사이에서 다양한 의견이 나올 수 있습니다.

① 토론을 통해 유의미한 결과를 도출해야 하는가?
② 토론은 개인의 주관적 판단을 확고하게 해 주는가?
③ 다양한 의견을 수용하는 토론이 이루어져야 하는가?
④ 토론은 바람직한 해결 방안을 찾는 데 도움이 되는가?
⑤ 유의미한 토론을 위해 토론 참여자를 제한해야 하는가?

04 다음 가상 편지에서 강조하는 내용으로 가장 적절한 것은?

> 지난번 편지에서 자네가 고민했던 것에 대해 나는 이렇게 생각하네. 사이버 공간에서 타인에게 악성 댓글을 다는 일은 익명성에 기대어 타인의 인권을 침해하는 일이 되네. 유교는 '홀로 있을 때도 도리에 어긋나지 않도록 몸과 마음을 바르게 하고 언행을 신중하게 하는 것'을 강조했네. 이러한 가르침을 교훈 삼아 자네도 앞으로는 자네의 행동을 돌아보도록 하게. 그러한 반성을 통해 자네의 잘못된 행동을 고칠 수 있지 않겠는가.

① 악성 댓글 방지를 위한 사회 제도를 마련해야 한다.
② 사이버 공간 사용에 대한 금지로 문제를 예방해야 한다.
③ 악성 댓글에 대한 엄격한 처벌로 행동을 개선해야 한다.
④ 개인적 반성만으로 악성 댓글 문제를 해결하기는 어렵다.
⑤ 성찰을 통해 사이버 공간에서 잘못된 행동을 개선해야 한다.

수능·평가원·교육청 기출

| 교육청 기출 |

01 ㉠에 대한 진술로 가장 적절한 것은?

> 윤리학은 현대인의 삶의 여러 영역에서 제기되는 다양한 윤리 문제를 해결하는 것을 핵심 과제로 삼아야 한다. 그런데 어떤 사람들은 도덕 현상의 과거나 현재를 있는 그대로 서술하는 것을 윤리학의 핵심 과제로 삼아야 한다고 주장한다. 그러나 도덕 현상을 서술하는 것에 그치는 연구는 심리학이나 사회학의 일부라고 보아야 할 것이다. 나는 이 사람들의 입장이 [㉠] 고 생각한다.

① 도덕 현상에 대한 객관적 탐구의 필요성을 간과한다
② 도덕 현상의 인과 관계에 대한 설명의 필요성을 간과한다
③ 도덕 문제 해결을 위한 구체적 지침의 필요성을 간과한다
④ 도덕 추론 과정의 논리적 타당성 검증의 중요성을 강조한다
⑤ 옳은 행위의 기준이 되는 보편적 원리의 중요성을 강조한다

| 수능 기출 |

02 갑, 을의 입장으로 가장 적절한 것은?

> 갑: 윤리학은 윤리 이론의 탐구보다는 실제 삶에서 만나는 도덕 문제의 해결을 목표로 삼아야 한다. 이를 위해 도덕 이론의 도움을 받을 뿐 아니라 생명 공학, 법학 등의 자연 과학 및 사회 과학 지식을 적극 활용해야 한다.
> 을: 윤리학은 개인의 생활 그리고 사회의 구조와 기능 속에 존재하는 도덕 현상을 과학으로 탐구하는 것을 목표로 삼아야 한다. 즉 사람들이 따랐거나 따르고 있는 윤리가 무엇인지 기술하고 설명해야 한다.

① 갑: 윤리학은 도덕 관행의 발생 과정을 인과적으로 서술해야 한다.
② 갑: 윤리학은 구체적 삶의 도덕 딜레마 해결을 중시해야 한다.
③ 을: 윤리학은 당위의 관점에서 이상적 덕이 무엇인지 모색해야 한다.
④ 을: 윤리학은 도덕 문제에 응용되는 보편 도덕 원리를 정립해야 한다.
⑤ 갑, 을: 윤리학은 도덕 언어의 의미 분석을 탐구 목적으로 삼아야 한다.

| 평가원 기출 |

03 (가), (나)의 입장으로 가장 적절한 것은?

> (가) 윤리학은 의무론, 공리주의, 덕 윤리와 같이 인간이 준수해야 할 근본적인 도덕 원리에 대한 이론 탐구를 주요한 과제로 삼아야 한다.
> (나) 윤리학은 생명 윤리, 환경 윤리, 정보 윤리와 같이 시대의 변화에 따라 다양한 영역에서 나타나는 윤리 문제 해결에 우선적으로 관심을 두고 연구해야 한다.

① (가): 윤리학은 도덕적 관습에 대한 객관적 기술을 주된 목적으로 한다.
② (가): 윤리학의 학문적 성립 가능성의 탐구가 윤리학의 핵심 목표이다.
③ (나): 윤리 문제를 해결하기 위해서는 학제적 연구가 필요하다.
④ (나): 윤리 문제의 해결은 가치를 분별하는 과정과 무관하다.
⑤ (가), (나): 윤리학은 도덕 언어의 의미 분석을 중점 과제로 삼는다.

| 교육청 기출 |

04 다음 동양 사상의 입장에서 긍정의 대답을 할 질문만을 〈보기〉에서 있는 대로 고른 것은?

> 이것이 있기 때문에 저것이 있고, 이것이 생기기 때문에 저것이 생긴다. 이것이 없기 때문에 저것이 없고, 이것이 사라지기 때문에 저것이 사라진다. 비유하면 여기에 두 개의 갈대 단이 있다고 하자. 두 단의 갈대에서 어느 하나를 치우면 다른 갈대 단은 넘어지게 된다. 두 개의 갈대 단은 서로 의지해야 설 수 있다.

| 보기 |

ㄱ. 나를 포함한 세상의 모든 존재는 독립적으로 존재하는가?
ㄴ. 연기(緣起)를 자각하여 나에 대한 집착에서 벗어나야 하는가?
ㄷ. 만물은 인연에 의해 생멸(生滅)하므로 고정된 실체가 없는가?
ㄹ. 나와 남이 둘이 아닌 하나임을 깨달아 자비를 실천해야 하는가?

① ㄱ, ㄴ　② ㄱ, ㄹ　③ ㄴ, ㄷ
④ ㄱ, ㄷ, ㄹ　⑤ ㄴ, ㄷ, ㄹ

| 교육청 기출 |

05 그림은 고대 동양 사상가와의 가상 인터뷰이다. ㉠에 들어갈 진술로 가장 적절한 것은?

① 인위적 규범에서 벗어나 소박한 삶을 추구해야 합니다.
② 사욕(私慾)을 극복하고 진정한 예(禮)를 회복해야 합니다.
③ 연기(緣起)를 깨닫고 차별이 없는 사랑을 실천해야 합니다.
④ 자연의 질서를 따르는 무위(無爲)의 삶을 추구해야 합니다.
⑤ 시비(是非)를 구별하지 않는 자유로운 삶을 추구해야 합니다.

| 교육청 기출 |

06 다음 고대 동양 사상가의 입장에 대한 설명으로 옳은 것은?

> 있음[有]과 없음[無]이 서로를 낳고, 어려움과 쉬움이 서로 이루어지며, 길고 짧음이 서로 있게 되고, 앞과 뒤가 서로를 따른다. 이 때문에 성인은 무위(無爲)의 일에 머무르면서 말 없는 가르침을 행한다.

① 도에 따라 만물이 극에 달하면 원래대로 돌아간다고 본다.
② 타고난 덕성을 함양하기 위해 예를 회복해야 한다고 본다.
③ 인간이 마땅히 지켜야 할 규범이 자연에 내재한다고 본다.
④ 성인의 가르침을 배워 분별적인 지혜를 쌓아야 한다고 본다.
⑤ 일체의 모든 행위를 하지 않아야 무위에 이를 수 있다고 본다.

| 평가원 기출 |

07 고대 동양 사상가 갑, 을의 입장에 대한 옳은 설명만을 〈보기〉에서 있는 대로 고른 것은?

> 갑: 지인(至人)은 무기(無己)이다. 그러므로 그는 천지 본연의 모습을 타고 여섯 가지 기의 변화를 제어하여 무궁한 세계에 노닌다[遊]. 그러니 도대체 무엇에 의존할 것이 있겠는가!
> 을: 물질[色]은 무아(無我)이다. 그러므로 그것이 어떠한 물질이건 '이것은 내 것이 아니요, 이것은 내가 아니며, 이것은 나의 자아가 아니다.'라고 있는 그대로 바른 지혜로 보아야 한다.

| 보기 |
ㄱ. 갑은 자신에 얽매이지 말고 자연과 하나가 되어야 한다고 본다.
ㄴ. 갑은 만물의 타고난 모습을 있는 그대로 긍정해야 한다고 본다.
ㄷ. 을은 항상 변화하는 현상 세계에 집착해서는 안 된다고 본다.
ㄹ. 갑, 을은 세계를 주재하는 절대적 존재가 있어야 한다고 본다.

① ㄱ, ㄴ ② ㄱ, ㄹ ③ ㄷ, ㄹ
④ ㄱ, ㄴ, ㄷ ⑤ ㄴ, ㄷ, ㄹ

| 교육청 기출 응용 |

08 다음 사상가의 입장으로 가장 적절한 것은?

> 현세대는 미래 세대를 위태롭게 할 권리가 없다. 현세대는 경험하지 않은 미래의 공포에 대해 논의해야 하며, 미래의 공포에 대한 논의는 현세대가 해야 할 행위를 북돋아 준다. 이러한 공포가 책임의 본질적 속성이다.

① 현세대는 미래 세대의 존속을 위해 윤리적 책임을 져야 한다.
② 과학 기술은 현세대의 복지 증진만을 위해 사용되어야 한다.
③ 현세대는 과학 기술에 대해 가치 중립적 태도를 지녀야 한다.
④ 현세대의 책임 범위는 의도한 결과에 대한 책임으로 한정된다.
⑤ 미래의 공포는 현세대가 아닌 미래 세대가 논의해야 할 문제이다.

| 평가원 기출 |

09 다음 사상가의 관점에서 〈사례〉 속 A에게 해 줄 수 있는 조언으로 가장 적절한 것은?

> 의무에 맞는 것이기는 하지만 의무로부터 나온 것이 아닌 행위는 도덕적 가치를 가지지 못한다. 행위는 그 자체로 선한 의지에서 비롯된 경우에만 도덕적 가치를 지닐 수 있다.
>
> **〈사례〉**
>
> 천성적으로 동정심이 많은 A는 평소 남을 돕는 일에 기쁨을 느끼며 봉사 활동에 참여해 왔다. 그런데 A는 최근 겪은 슬픈 일로 인해 봉사 활동에 계속 참여할지를 고민하고 있다.

① 공동체의 전통과 덕목에 부합하도록 행위해야 합니다.
② 자연적 경향성에서 비롯된 준칙에 따라 행위해야 합니다.
③ 선한 목적을 위해 조건적인 명령에 따라 행위해야 합니다.
④ 사회적으로 칭찬과 인정을 받을 수 있도록 행위해야 합니다.
⑤ 자신의 감정이 아니라 보편적 도덕 법칙에 따라 행위해야 합니다.

| 수능 기출 |

10 다음 사상가의 관점에서 〈사례〉 속 A에게 제시할 조언으로 가장 적절한 것은?

> 공동체의 행복은 공동체 구성원들의 행복의 총합이다. 어떤 행동이 공동체의 행복을 증가시키는 경향이 감소시키는 경향보다 더 클 경우, 그 행동은 공리의 원리에 일치한다고 말할 수 있다. 우리는 마땅히 이 원리에 일치하는 행동을 해야 한다.
>
> **〈사례〉**
>
> 고등학생 A는 자전거를 사기 위해 용돈을 모으고 있다. 그러다가 TV에서 '난민 돕기 운동' 광고를 보고 모은 용돈을 기부해야 할지 고민하고 있다.

① 정언 명령에 따라 어려운 처지의 사람을 도우세요.
② 이해 당사자들의 쾌락을 최대화하도록 행동하세요.
③ 실천적 지혜를 발휘해 유덕한 사람이 되도록 행동하세요.
④ 기부의 결과를 따지기보다 배려심을 발휘하여 행동하세요.
⑤ 공익은 사익의 총합보다 크다는 것을 고려하여 선택하세요.

| 교육청 기출 |

11 다음 입장에 부합하는 관점에만 모두 '✓'를 표시한 학생은?

> 도덕 과학적 접근은 인간의 도덕성을 과학에 근거하여 탐구하는 방식을 말한다. 이러한 접근 방식 중에는 도덕성을 진화의 산물로 여기는 입장이 있다. 이들은 인간의 이타적 행위를 추상적 도덕 원리가 아닌 생물학적 적응의 결과로 본다. 즉 이타적 행동은 궁극적으로 자신의 생존과 번식, 자기 유전자를 복제하는 등 진화를 통한 자연 선택의 결과라는 것이다.

관점	갑	을	병	정	무
인간의 이타적 행동은 신의 뜻에 따른 것이다.	✓			✓	✓
인간의 이타적 행동은 생물학적 진화의 결과이다.		✓	✓	✓	
인간은 선천적이고 불변하는 도덕성을 지니고 있다.		✓		✓	✓
인간의 윤리 문제를 이해하기 위해 도덕 과학적 접근이 필요하다.	✓		✓		✓

① 갑　② 을　③ 병
④ 정　⑤ 무

| 평가원 기출 |

12 갑 사상가가 을 사상가에게 제기할 반론으로 가장 적절한 것은?

> 갑: 인간에 대한 배려는 윤리적 행위의 결과물이기도 하지만 오히려 그 토대이다. 배려했던 기억과 배려 받았던 기억이 윤리적 행위의 초석이다.
>
> 을: 인류는 고통과 쾌락의 두 주권자의 지배하에 있다. 마땅히 해야만 하는 것으로 인도하며 의무를 결정 짓는 것은 오로지 고통과 쾌락뿐이다.

① 최대 행복의 원리보다 인간관계의 맥락을 우선해야 함을 간과한다.
② 유용성의 계산은 보편적 도덕 원리에 의거해야 함을 간과한다.
③ 고통의 회피와 쾌락의 추구가 인간 고유의 성향임을 간과한다.
④ 나의 행복과 타인의 행복이 동등하게 고려되어야 함을 간과한다.
⑤ 윤리적 행위를 위해서는 동기보다 결과가 더 중요함을 간과한다.

| 평가원 기출 응용 |

13 다음 서양 사상가의 입장으로 옳은 것은?

> 인간의 도덕성 발달은 정의 윤리가 놓친 배려라는 주제를 중심으로 새롭게 조직되어야 한다. 배려하는 사람은 상대방의 처지에 걸맞는 도움을 주어야 하며, 배려받는 사람 또한 상대방의 도움을 진심으로 받아들이는 것이 중요하다.

① 배려 윤리는 사람들 간의 상호 의존성과 유대감을 중시한다.
② 배려보다는 논리적 추론을 통해 도덕 문제를 해결해야 한다.
③ 자연적 배려는 이성에 의해 동기가 부여됨으로써 실천된다.
④ 자연적 배려는 모성애와 같은 윤리적 배려에 근거한다.
⑤ 정의 윤리와 배려 윤리는 서로 배타적이어서 양립할 수 없다.

| 교육청 기출 |

14 다음은 '인공 지능'에 대한 토론의 과정이다. ㉠에 들어갈 내용으로 가장 적절한 것은?

주장하기	인공 지능은 생산성을 높이는 등 우리 사회의 발전에 도움이 될 것입니다.
반론하기	인공 지능은 인간의 일자리를 차지하여 우리 사회의 발전을 어렵게 할 것입니다.
재반론하기	㉠
정리하기	우리는 인공 지능에 대한 비판적 검토를 통해 바람직한 방향을 찾아야 합니다.

① 인공 지능의 빠른 진화는 인간 소외 현상을 더욱 심화시킬 것입니다.
② 인공 지능의 판단에 의존하게 되어 직업 윤리 의식이 약화될 것입니다.
③ 인공 지능을 활용함으로써 인간의 새로운 일자리가 지속적으로 만들어질 것입니다.
④ 인공 지능의 발전은 인간의 일자리를 로봇이 대체하는 결과를 초래하게 될 것입니다.
⑤ 인공 지능의 발전에 따라 과학 기술을 지나치게 맹신하는 분위기가 확산될 것입니다.

| 교육청 기출 |

15 다음 가상 편지에서 강조하는 내용으로 가장 적절한 것은?

> 요즘 네가 친구와 대화 중에 의견 대립이 있어 고민이 많더구나. 이런 경우에는 먼저 나 자신을 살펴보고 대화로 풀어가는 것이 중요하단다. 그렇게 해야만 더 큰 갈등이 일어나지 않는 것이지. 어느 고대 동양 사상가는 사람을 대할 때 가장 중요한 덕목을 서(恕)라고 말했는데, 이것은 자신이 하고 싶지 않은 것을 남에게도 시키지 않는 자세란다. 그러니까 친구와 의견이 부딪치게 되면 먼저 자신을 돌아보고 상대방의 입장을 헤아려 보는 노력을 해보렴. ……(후략)……

① 타인과의 갈등은 법적 절차에 따라 해결해야 한다.
② 자신에 대한 성찰을 바탕으로 타인을 존중해야 한다.
③ 인간관계에서는 유용함을 우선적으로 고려해야 한다.
④ 남과 나를 분명하게 구분하는 이분법적 사고를 지녀야 한다.
⑤ 서로의 의견을 이해타산적으로 조율하는 태도를 가져야 한다.

| 교육청 기출 응용 |

16 다음 사상가의 입장으로 가장 적절한 것은?

> 지혜를 얻기 위한 대화를 하지 않으면서 조용히 살아갈 수는 없다. 그렇게 하는 것은 오히려 신에게 복종하지 않는 것이다. 늘 자신을 성찰하고, 덕(德)과 타인의 언행을 진지하게 검토하는 것이 중요하다. 이것이 최대의 선(善)이며, 검토하지 않는 삶은 인간다운 삶이 아니다.

① 다른 사람과의 대화는 진리 탐구의 방법이 될 수 없다.
② 인간답게 살기 위해 자신의 부족함을 살펴 개선해야 한다.
③ 자기 삶에 대한 반성이 없어도 최대의 선을 실현할 수 있다.
④ 공동체를 벗어나 은둔의 삶을 살아야 최고선을 얻을 수 있다.
⑤ 좋은 인간관계를 유지하기 위해 타인의 잘못을 묵인해야 한다.

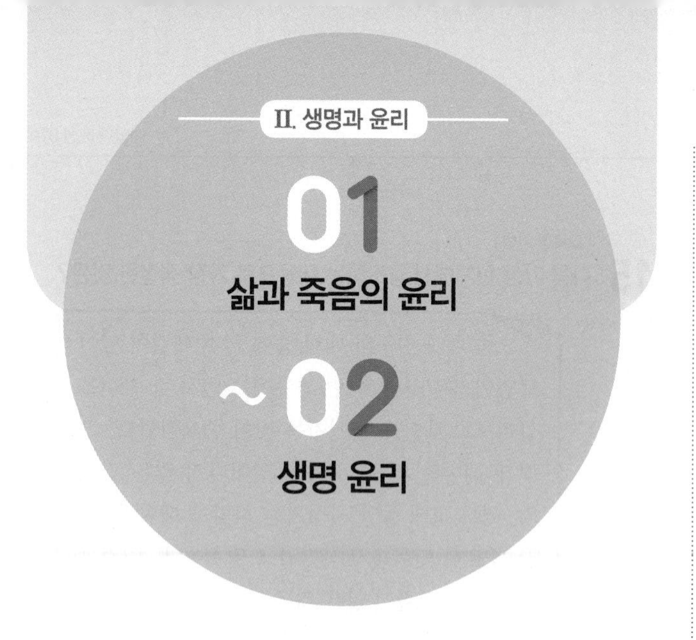

1 출생의 의미와 삶의 가치

1. 출생과 생명의 윤리적 의미

(1) 출생의 의미 태아가 모체로부터 분리되어 독립된 새로운 생명체가 되는 것 ➡ 인간의 출생은 도덕적 주체로서 삶의 출발점이자, 사회 구성원으로서 삶의 시작을 의미함

(2) 생명의 의미 대체 불가능한 본래적 가치를 지닌 것 ➡ 생명은 일회적이고, 고유하며, 유한함

2. 출생과 관련된 윤리적 쟁점

(1) 인공 임신 중절의 윤리적 쟁점

① 의미 태아가 모체 밖에서는 생명을 유지할 수 없는 시기에 태아를 인공적으로 모체에서 분리하여 임신을 종결하는 행위

반대 근거(생명 옹호주의)	찬성 근거(선택 옹호주의)
• 태아는 인간으로 성장할 잠재성이 있음 • 태아는 인간이므로 태아의 생명도 존엄함 • 태아는 무고한 인간이므로 해쳐서는 안 됨	• 태아는 여성 몸의 일부로 여성에게 소유권이 있음 • 여성은 태아를 생산하므로 태아에 대한 권리가 있음 • 여성은 자기 신체에 대해 자율적으로 선택할 권리가 있음 • 인간에게는 자기방어와 정당방위의 권리가 있음

② '어느 시점부터 인간으로 볼 수 있는가?'의 문제와 관련됨

(2) 생식 보조술의 도입과 윤리적 쟁점

① 인공 수정 모체 내에 정자를 주입하여 수정 및 임신을 유도하는 방법

② 시험관 아기 시술 정자와 난자를 체외에서 수정시킨 후 시험관에서 수정란을 배양하여 모체에 이식하고 임신을 유도하는 방법 ➡ 불임 부부의 고통을 덜어 줄 수 있으나, 비배우자 인공 수정, 대리모 출산, 친권 문제 등 발생

2 죽음과 관련된 윤리적 쟁점

1. 죽음의 윤리적 의미 → 죽음은 피할 수 없고, 모든 사람에게 찾아오며, 한 번 죽으면 다시 살아날 수 없고, 언제 찾아올지 알 수 없음

(1) 윤리적 의미 인간만이 죽음을 미리 생각하고 삶을 어떻게 살아가야 할지 생각함

(2) 죽음에 대한 철학적 견해

공자	• 죽음보다는 현실적 삶에 충실할 것을 강조 • "삶도 모르는데 죽음을 어찌 알겠느냐"
불교	• 고통 중 하나이며 다른 세계로 윤회하는 계기 • 전생에 행한 행위에 따라 다음 생이 결정
장자	• 삶과 죽음은 사계절의 운행처럼 자연스러운 현상 → 삶을 기뻐할 필요 을 슬퍼할 필요 • "삶은 기(氣)가 모이는 것이고, 죽음은 기가 흩어지는 것"
플라톤	• 영혼이 분리되어 이데아의 세계로 들어가는 것 • 순수한 인식을 방해하는 육체의 감옥에서 해방하는 것
에피쿠로스	• 경험할 수 없으므로 두려워할 필요가 없음 → 죽음은 원자로 구성된 다시 개별 원자로 돌아 • "살아 있으면 죽음이 없고, 죽으면 느끼는 내가 없으므로 죽음을 의식하거나 두려워할 필요가 없다."
하이데거	• 현존재가 삶의 의미와 자아를 성찰하는 계기

2. 죽음과 관련된 윤리적 쟁점

(1) 자살의 윤리적 문제

① 자살에 대한 입장

칸트	고통스러운 상황을 모면하기 위해 자신의 목숨을 끊는 것은 인간을 목적이 아닌 수단으로 이용하는 것 → 인간의 존엄성을 존중하라 정언 명령에 어긋남
아퀴나스	자신의 생명을 보존하라는 자연법에 어긋남
쇼펜하우어	문제를 해결하지 않고 회피하는 것 → 삶을 인위적으로 종결시켜 자신의 력을 발휘할 가능성을 파괴하는 것
유교	부모로부터 받은 자신의 신체를 훼손하는 불효
불교	생명을 해치지 말라는 불살생(不殺生)에 어긋남

② 자살 방지를 위해서는 개인적 차원뿐 아니라 사회적 차원의 노력이 요구됨

(2) 안락사의 윤리적 쟁점

① 안락사의 분류

• 환자의 동의 여부: 자발적/비자발적/반자발적 안락사 (비자발적 → 환자가 의사 표현을 못하는 경우; 반자발적 → 대체로 살인으로 본다.)

• 안락사의 방법: 적극적/소극적 안락사 (적극적 → 약물 투입; 소극적 → 연명 치료 중단)

② 안락사 찬반 논거

안락사 반대	안락사 찬성
• 인간 생명을 목적이 아닌 수단으로 볼 수 있음 • 다른 목적으로 오·남용될 수 있음 • 생명 경시 풍조를 심화할 수 있음	• 인간에게는 인간답게 죽을 권리가 있음 • 환자와 가족의 고통을 줄일 수 있음 • 의료 자원을 효율적으로 배분할 수 있음

(3) 뇌사의 윤리적 쟁점

① 뇌사와 심폐사

• 뇌사: 뇌간을 포함한 뇌의 활동이 회복할 수 없을 정도로 정지된 상태가 되면 사망한 것으로 인정

• 심폐사: 심장 박동이 멈추고 호흡이 정지해야 사망한 것으로 인정 → 죽음을 판정하는 전통적인 기준

② 우리나라의 뇌사 인정 장기 기증을 전제한 경우에 뇌사를 인정함

③ 뇌사 찬반 논거

뇌사 찬성	뇌사 반대
• 인간의 고유한 활동은 심장이 아닌 뇌에서 비롯됨 • 장기 이식을 통해 다른 생명을 살릴 수 있음 • 뇌사 상태에서의 생명 연장은 무의미함	• 실용주의적 관점은 인간의 가치를 위협할 수 있고, 사회적으로 악용될 수 있음 • 인간의 생명을 수단으로 여기는 것 • 오진·오판의 가능성

3 생명 복제와 유전자 치료 문제

1. 생명 복제의 윤리적 쟁점

(1) 인간 배아 복제의 윤리적 쟁점

① 배아 복제의 의미　배아 줄기세포를 얻기 위해 복제 후 배아 단계까지만 발생을 진행시키는 것 ➡ 핵을 제거한 난자와 사람의 체세포를 융합해 배아를 만드는 기술

② 배아 복제 찬반 논거

배아 복제 찬성	배아 복제 반대
• 배아는 인간이 될 가능성이 확정되지 않는 세포 덩어리 • 배아는 인간을 위한 수단으로 활용 가능함 • 배아 줄기세포 추출을 통해 인간의 난치병을 치료할 수 있음	• 배아는 인간으로서의 잠재 가능성을 가진 존엄한 존재 • 줄기세포 추출을 위해 배아를 수단으로 사용해서는 안 됨 • 배아 복제를 위해 사용되는 난자 채취를 위해 여성의 권리가 침해됨

③ 배아 복제의 부분적 허용　배아 연구를 통한 의료 성과와 배아의 도덕적 지위를 함께 고려하여 일정한 기준을 마련하면 배아 복제는 부분적으로 허용 가능 → 배아는 인간으로서의 잠재성은 있으나 이미 태어난 인간과는 정도의 차이가 있음

(2) 인간 개체 복제의 윤리적 쟁점

① 의미　복제를 통해 새로운 인간 개체를 탄생시키는 것

② 개체 복제 찬반 논거

개체 복제 찬성	개체 복제 반대
• 불임 부부에게 희망 • 기술 발전으로 부작용 해소 • 복제 인간도 독자적인 삶을 살아갈 수 있음	• 인간의 존엄성 훼손 • 인간의 고유성 위협 • 가족 관계에 혼란 • 인간의 모를 권리 침해 (자신의 미래가 자신이나 타인에게 알려지지 않은 채로 태어나 생활할 수 있는 권리)

2. 유전자 치료의 윤리적 쟁점

① 의미　원하는 유전자를 세포 안에 넣어 새로운 형질을 발현하게 하여 이상 유전자를 대신하거나 유전자를 바꾸어 유전적 질병을 치료하는 것

② 유전자 치료 찬반 논거

유전자 치료 찬성	유전자 치료 반대
• 다음 세대의 질병 예방 • 유전 질환을 물려주지 않으려는 부모의 선택 존중 • 의학적 효용 가치가 높아 사회적인 유용성 증진	• 유전자 치료로 인한 부작용 • 인간 성향을 개선하려는 우생학으로 확대될 가능성이 있음 • 인간의 유전적 다양성 상실이 우려됨

4 동물 실험과 동물 권리의 문제

1. 동물 실험의 윤리적 쟁점

① 의미　의학 및 생명 과학 연구 과정에서 살아 있는 동물을 대상으로 수행하는 실험

② 동물 실험 찬반 논거

동물 실험 찬성	동물 실험 반대
• 동물과 인간은 유사하므로 동물 실험 결과를 인간에게 적용 가능 • 인체 실험으로 인한 위험성 제거 • 다양한 치료제나 치료법을 개발하여 인간의 질병 치료 • 인간과 동물은 근본적으로 존재 지위가 다름	• 인간과 동물이 공유하는 질병이 적으며, 동물 실험 결과가 인간에게 적용되지 않을 수 있음 • 동물을 인간을 위한 수단으로만 사용하는 것 • 인간과 동물은 존재 지위에서 차이가 없음 • 동물 실험의 대안이 존재함

2. 동물 권리 논쟁

① 동물 권리에 대한 다양한 입장

데카르트	동물은 단순히 움직이는 기계이므로 인간의 필요에 의해 사용될 수 있음
칸트	동물은 인간의 목적을 위한 수단이지만, 인간성을 훼손하지 않기 위해 동물을 간접적으로 고려할 도덕적 의무가 있음
싱어	• 동물은 쾌고 감수 능력을 지니므로 동물의 이익 또한 인간의 이익처럼 평등하게 고려해야 함 ➡ 인간과 동물을 차별하는 것은 종차별주의임 • 동물 실험은 동물에게 고통을 유발하므로 부당함
레건	• 삶의 주체인 동물은 인간과 동일하게 존중받을 권리가 있음 (믿음, 욕구, 지각, 기억, 미래 의식, 쾌고 감수 능력을 가진 한 살 정도의 포유류) • 동물 실험은 동물의 권리를 존중하지 않고 단지 동물을 인간을 위한 수단으로 이용하는 것이므로 부당함 ➡ 삶의 주체인 동물의 내재적 가치를 존중해야 함

핵심 기출 자료 분석　**싱어의 동물 해방론과 레건의 동물 권리론**

• 만약 한 존재가 고통이나 행복이나 즐거움을 느낄 수 없다면 고려해야 할 것은 아무것도 없다. 쾌고 감수 능력이 누군가의 이익을 고려할 때 유일한 기준이 된다. 고통과 즐거움을 느낄 수 있는 능력은 어떤 존재가 이익 관심을 갖는다고 말할 수 있기 위한 필요조건일 뿐만 아니라 충분조건이기도 하다. - 싱어, 『동물 해방』 -

• '삶의 주체'라는 것은 믿음, 욕구, 지각, 기억, 자신의 미래를 포함한 미래에 관한 의식, 쾌락과 고통 등의 감정을 느낄 수 있다는 것, 즉 선호와 복지에 관한 이익 관심, 자기의 욕구와 목표를 위해 행위할 수 있는 능력, 자신의 정체성을 느낄 수 있고, 타자와는 별개로 자신의 삶이 좋을 수도 나쁠 수도 있다는 의미에서 자신의 복지를 갖고 있다는 것이다. - 레건, 『동물의 권리』 -

분석 | 싱어와 레건은 모두 인간 중심주의적 사고에서 벗어나 동물에 대한 도덕적 고려와 존중을 주장했으나, 동물 개체에만 관심을 가질 뿐 식물이나 생태계 전체를 고려하지는 못한다는 비판을 받음

② 동물 권리에 관한 다양한 문제들

• 인간의 의복, 음식, 유희 등을 위한 동물 사육의 문제
• 애완동물 학대 및 유기
• 야생 동물의 생존권 문제 등

개념 암기

1 괄호 안의 내용 중 알맞은 말을 골라 ○표 하시오.

(1) 태아는 여성의 몸의 일부이므로 여성에게 소유권이 있다는 것은 (생명 옹호주의, 선택 옹호주의)에 해당되는 주장이다.

(2) 칸트는 자살이 인간을 (수단, 목적)으로 대우하는 행위이기 때문에 바람직하지 않다고 본다.

(3) 죽음을 판정하는 전통적인 기준은 (뇌사, 심폐사)였다.

2 죽음에 대한 사상가의 견해로 알맞은 것을 〈보기〉에서 고르시오.

보기
ㄱ. 죽음보다는 현실의 도덕적 삶이 더 중요하다.
ㄴ. 죽음은 삶의 의미와 가치를 성찰하는 계기가 된다.
ㄷ. 죽음은 경험할 수 없으므로 두려움의 대상이 아니다.
ㄹ. 죽음은 영혼이 육체에서 분리되어 이데아의 세계로 들어가는 것이다.

(1) 공자 (   )
(2) 플라톤 (   )
(3) 하이데거 (   )
(4) 에피쿠로스 (   )

3 배아 복제에 대한 입장의 논거로 옳은 것을 〈보기〉에서 고르시오.

보기
ㄱ. 인간의 지위는 발달 과정에 따라 달라지지 않는다.
ㄴ. 배아 줄기 세포로 인간의 난치병을 치료할 수 있다.
ㄷ. 배아는 인간이 될 가능성이 확정되지 않은 세포이다.
ㄹ. 배아 복제를 위한 난자 채취는 여성의 권리를 침해한다.

(1) 배아 복제 찬성 (   )
(2) 배아 복제 반대 (   )

4 빈칸에 들어갈 알맞은 말을 쓰시오.

(1) 자신의 미래가 자신이나 타인에게 알려지지 않은 채로 태어날 권리를 (   )라고 한다.

(2) 유전자 치료에 반대하는 사람들은 유전자 치료가 인간의 성향을 개선하는 학문인 (   )으로 발전하는 것을 우려한다.

(3) 레건은 욕구, 의식, 기억 등을 지닌 동물을 (   )라고 보고, 이들의 권리를 강조할 것을 주장한다.

(4) 싱어는 (   )이 있는 동물의 이익을 평등하게 고려해야 한다고 본다.

내신 기출

1 출생의 의미와 삶의 가치

01 갑, 을의 입장으로 옳지 않은 것은?

① 갑: 무고한 인간인 태아를 해쳐서는 안 된다.
② 갑: 여성의 선택권보다 태아의 생명권이 우선한다.
③ 을: 여성에게는 자기방어와 정당방위의 권리가 있다.
④ 을: 여성은 태아를 생산하므로 태아에 대한 권리가 있다.
⑤ 갑, 을: 태아는 미성숙할 뿐, 성인과 다르지 않은 인간이다.

02 갑이 을에게 제기할 수 있는 비판으로 가장 적절한 것은?

갑: 태아는 일정한 발생 과정을 거쳐 성숙한 인간으로 발달할 잠재성을 가지고 있으므로 인간과 동일한 존재이다.
을: 태아는 완전한 인간이 아니라 인간 몸의 일부인 세포 조직이라 부르는 것이 적합하다.

① 태아는 성인과 달리 제한적인 지위만을 갖는다.
② 태아의 생명권보다 여성의 선택권을 존중해야 한다.
③ 태아를 발생 단계에 따라 다르게 판단해서는 안 된다.
④ 태아가 가진 조건은 인간에 포함시키기에 불충분하다.
⑤ 태아는 출생 이후에야 비로소 인간의 특성을 갖게 된다.

03 ㉠에 들어갈 내용으로 가장 적절한 것은?

> 갑: 인공 임신 중절은 금지되어야 할까요?
> 을: 아닙니다. 태아는 여성의 신체의 일부로서만 존재하므로 아직 인간이라 보기 어렵습니다.
> 갑: 그렇다면 당신은 (㉠)(라)고 보는군요.

① 태아는 전적으로 무고한 생명이다
② 여성에게 태아에 대한 소유권이 있다
③ 태아가 완전한 인격체로서 지위를 갖는다
④ 임신의 지속 여부는 선택의 영역이 아니다
⑤ 임신 중절은 하나의 인간을 해치는 것이다

주관식

04 ㉠에 들어갈 알맞은 말을 쓰시오.

> (㉠)은/는 분만 전에 산모의 신체에서 태아를 인공적으로 분리하는 것인데, 임신을 인공적으로 종결한다는 의미이다.

05 다음 주장을 반박할 내용으로 적절한 것을 <보기>에서 고른 것은?

> 생식 보조술은 불임 부부가 자녀를 임신할 수 있도록 돕는 의료 시술이다. 생식 보조술은 불임 부부의 고통을 덜어 주고 출산율을 높여 사회에 긍정적 영향을 미친다.

보기
ㄱ. 인간이 생명 탄생 과정에 개입하는 것은 부당하다.
ㄴ. 사회적 행복을 증진시키는 행위는 도덕적으로 옳다.
ㄷ. 부부의 행복 추구권보다 배아의 생명권이 우선한다.
ㄹ. 생식 보조술의 전 과정은 생명을 존중하며 이루어진다.

① ㄱ, ㄷ ② ㄱ, ㄹ ③ ㄴ, ㄷ
④ ㄴ, ㄹ ⑤ ㄷ, ㄹ

2 죽음과 관련된 윤리적 쟁점

06 (가), (나) 사상의 입장에 대한 설명으로 가장 적절한 것은?

> (가) 삶도 잘 모르는데 어찌 죽음을 알겠는가. 어진 사람은 생명을 보존하기 위해서 인(仁)을 해치지 않으며, 몸을 죽여서라도 인을 이룬다.
> (나) 사람의 삶은 기(氣)가 모이는 것이니, 모이면 삶이 되고 흩어지면 죽음이 된다.

① (가)는 현실의 도덕적 삶보다 죽음 이후 세계를 중시한다.
② (가)는 죽음보다 도덕성이 더 중요한 가치라 인식한다.
③ (나)는 삶과 죽음을 구별하며 삶의 가치를 중시한다.
④ (나)는 죽음을 인간이 피해야 할 가장 큰 고통이라 본다.
⑤ (가), (나)는 죽음이 또 다른 세계로 윤회하는 계기라 본다.

07 다음 서양 사상가가 부정의 대답을 할 질문으로 옳은 것은?

> 살아 있으면 죽음이 없고, 죽으면 느끼는 내가 없으므로 죽음을 의식하거나 두려워할 필요가 없다.

① 죽음은 인간을 이루던 원자가 분리되는 현상인가?
② 죽음 이후에 인간은 참된 진리를 인식할 수 있는가?
③ 죽음은 경험할 수 없으므로 두려워할 필요가 없는가?
④ 인간은 세계의 다른 존재처럼 원자로 구성되어 있는가?
⑤ 죽음에 대한 공포에서 벗어나 현실에 충실해야 하는가?

08 표는 어느 서양 사상가를 상대로 한 가상 설문 조사 결과이다. A에 들어갈 질문으로 가장 적절한 것은?

질문	응답	
	예	아니요
죽음으로 달려가 보는 것은 현존재의 가장 고유한 과제인가?	✓	
죽음에 대한 성찰이 현실의 삶에 영향을 주는가?	✓	
죽음 이후에 참된 실존을 발견할 수 있는가?		✓
A	✓	

① 죽음은 영혼이 참된 진리를 찾는 과정인가?
② 삶과 죽음은 기가 모였다 흩어지는 현상인가?
③ 죽음은 인간이 또 다른 세계로 윤회하는 계기인가?
④ 죽음에 대한 자각을 통해 자아를 발견할 수 있는가?
⑤ 죽음에 대한 성찰보다 현실의 도덕적 삶이 중요한가?

09 서양 사상가 갑의 관점에서 〈문제 상황〉 속의 A에게 해 줄 수 있는 조언으로 가장 적절한 것은?

> 갑: 너 자신과 다른 모든 사람의 인격을 단순히 한낱 수단으로 대우하지 말고 언제나 동시에 목적으로 대우하도록 행위하라.
>
> 〈문제 상황〉
>
> A는 사랑하는 사람에게 이별을 통보받고, 회사에서는 큰 실수를 저질러서 해고 위기에 놓여 있다. A는 자신의 힘으로는 문제를 해결할 수 없다고 생각하고 극단적 선택을 해야 할지 고민하고 있다.

① 자신의 고통을 최소화할 수 있는 선택을 해야 한다.
② 부모가 물려주신 신체를 보존하는 선택을 해야 한다.
③ 사회적 영향력을 최소화할 수 있는 결정을 해야 한다.
④ 생명을 보존하라는 자연법에 일치하는 결정을 해야 한다.
⑤ 자신이 지닌 고유한 인격적 가치를 존중할 수 있어야 한다.

10 갑이 을에게 제기할 수 있는 비판으로 적절한 것은?

> 갑: 불치병으로 극심한 고통을 겪고 있는 환자의 고통을 해소하기 위해 안락사를 허용해야 한다.
> 을: 모든 인간의 생명은 존엄하므로 함부로 죽음을 결정해서는 안 된다. 안락사는 금지되어야 한다.

① 안락사는 생명 경시 풍조를 심화시킬 수 있다.
② 인간에게는 자신의 죽음을 선택할 권리가 있다.
③ 안락사가 환자의 의사와 무관하게 오용될 수 있다.
④ 안락사는 인간을 목적이 아닌 수단으로 보는 것이다.
⑤ 인간의 생명을 인위적으로 단축시키는 것은 옳지 않다.

11 갑, 을의 입장에 대한 설명으로 적절하지 않은 것은?

> 갑: 뇌 기능의 정지는 인간 고유의 기능을 수행할 수 없음을 의미하므로 뇌사를 죽음으로 인정해야 한다.
> 을: 뇌 기능이 정지했더라도 호흡과 심장이 멈춘 것은 아니므로 심폐사를 죽음으로 인정해야 한다.

① 갑은 인간 생명에 핵심적인 기관을 뇌라고 이해한다.
② 갑은 뇌사 인정이 의료 자원의 분배에 기여한다고 본다.
③ 을은 심폐사가 장기 이식을 활성화할 수 있다고 본다.
④ 을은 심폐사가 인간 존엄성을 존중하는 것이라고 본다.
⑤ 갑, 을은 죽음의 기준을 세우는 것이 중요하다고 본다.

3 생명 복제와 유전자 치료 문제

12 갑의 입장에서 을에게 제시할 비판으로 가장 적절한 것은?

① 배아는 인간과 달리 쾌락과 고통을 느끼지 못한다.
② 배아의 가치는 사회적 유용성의 측면에서 찾아야 한다.
③ 인간의 행복 추구권보다 배아의 생명권이 더 중요하다.
④ 배아는 완성된 생명체가 아니므로 생명권을 갖지 않는다.
⑤ 인간 삶의 질 향상을 위해 배아를 수단으로 활용할 수 있다.

13 다음은 신문 칼럼이다. ㉠에 들어갈 제목으로 가장 적절한 것은?

> ○○ 신문 ○○○○년○○월○○일
>
> ㉠
>
> 미국의 한 인공 수정 전문의는 자신이 운영하는 연구소의 사이트에서 태어날 아기의 눈 색깔, 머리 색깔 등을 선택할 수 있는 서비스를 제공하겠다는 내용의 광고를 냈다. 그러나 우리는 인간이 존엄한 존재임을 잊어서는 안 되며, 인간 생명 탄생에 인위적 조작을 가해서는 안 됨을 명심해야 한다. …(후략)…

① 생명 탄생을 실용적인 측면에서 고려해야
② 인간 성향의 개선을 위한 우생학을 확대해야
③ 난치병 치료를 위한 유전자 치료만을 허용해야
④ 더 나은 인간의 삶을 위해 유전자 치료를 활용해야
⑤ 유전자 치료의 유용성보다 인간의 존엄성을 우선해야

14 다음의 입장으로 적절한 내용만을 〈보기〉에서 있는 대로 고른 것은?

> 유전자 치료 연구는 다음과 같은 조건 하에서 허용된다.
> 첫째, 유전 질환, 암, 후천성 면역 결핍증, 그 밖에 생명을 위협하거나 심각한 장애를 불러일으키는 질병을 치료하기 위한 연구이어야 한다. 둘째, 현재 이용 가능한 치료법이 없거나 유전자 치료의 효과가 다른 치료법과 비교하여 현저히 우수할 것으로 예측되는 치료를 위한 연구이어야 한다.

보기
ㄱ. 유전자 치료 연구는 불가피한 경우에만 허용해야 한다.
ㄴ. 인간 성향 개선을 위한 유전자 치료를 허용해야 한다.
ㄷ. 치료법이 없는 질병에 대한 유전자 치료는 가능하다.
ㄹ. 유전자 치료 연구는 질병 치료 분야로만 한정해야 한다.

① ㄱ, ㄴ ② ㄱ, ㄷ ③ ㄴ, ㄹ
④ ㄱ, ㄷ, ㄹ ⑤ ㄴ, ㄷ, ㄹ

15 다음을 주장한 사상가의 입장으로 옳지 않은 것은?

> 자연적 생식을 통해 만들어진 유전자형은 누구도 알 수 없는 것이며, 삶을 살아가면서 당사자와 주변 사람들에게 비로소 그 정체가 밝혀지기 시작한다. 이러한 무지야말로 자유의 전제 조건이 된다. 새롭게 던져진 주사위처럼 존재하는 인간은 아무런 인도자도 없이 스스로 자신을 발견하고, 독자적인 삶을 살아가기 위해 노력해야 한다.

① 인간에게는 유전자에 대해 모를 권리가 있다.
② 인간은 삶을 성취하는 것을 방해받아서는 안 된다.
③ 인간의 자유는 자신의 미래에 대한 무지에서 비롯된다.
④ 인간은 자유 의지에 따라 자신의 삶을 만들어 가야 한다.
⑤ 인간은 자신의 유전 정보를 앎으로써 자유를 누릴 수 있다.

4 동물 실험과 동물 권리의 문제

16 (가)의 갑, 을의 입장을 (나) 그림으로 표현할 때, A~C에 해당하는 적절한 진술만을 〈보기〉에서 있는 대로 고른 것은?

(가)
갑: 고통과 즐거움을 느낄 수 있는 능력은 어떤 존재가 이익 관심을 갖는다고 말할 수 있기 위한 필요조건일 뿐만 아니라 충분조건이기도 하다.
을: '삶의 주체'라는 것은 믿음, 욕구, 지각, 기억, 자신의 미래를 포함한 미래에 관한 의식, 쾌락과 고통 등의 감정을 느낄 수 있다는 것을 의미한다.

(나)
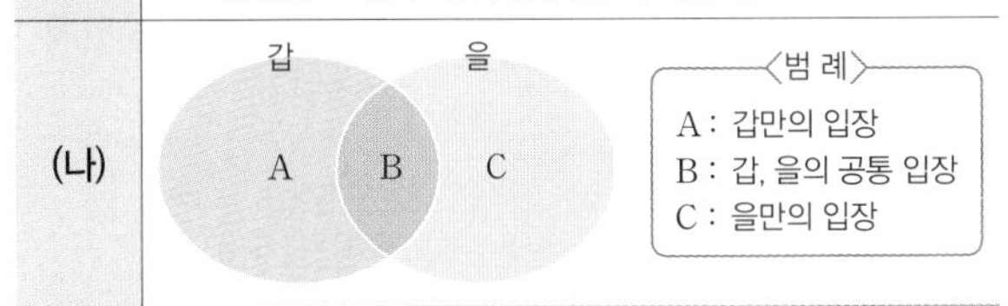

보기
ㄱ. A: 인간과 동물의 이익 관심을 평등하게 고려해야 한다.
ㄴ. B: 쾌고 감수 능력을 지닌 동물을 존중해야 한다.
ㄷ. B: 의무론적 관점에서 동물의 권리를 침해해서는 안 된다.
ㄹ. C: 인간뿐 아니라 동물도 도덕적 고려의 대상이 된다.

① ㄱ, ㄴ ② ㄱ, ㄷ ③ ㄴ, ㄹ
④ ㄱ, ㄴ, ㄹ ⑤ ㄴ, ㄷ, ㄹ

17 다음 글의 입장으로 가장 적절한 것은?

> 인간과 동물을 구분 짓는 생각은 사람도 특정 기준에 따라 구분 짓게 한다. 인간성의 본질을 완전하게 갖추지 못한 사람은 '인간 이하'가 된다. 동물의 노예화와 사육화를 토대로 형성된 위계적 사고는 동물이나 '동물처럼 여겨지는 사람들'에 대한 억압을 조장한다.

① 생명 존중의 대상은 인간으로 국한해야 한다.
② 인간 중 일부는 동물과 동일한 지위를 갖는다.
③ 동물에 대한 인식과 인간에 대한 인식은 무관하다.
④ 동물에 대한 억압은 불가피한 경우로 한정해야 한다.
⑤ 동물에 대한 부정적 시각은 인간에게도 영향을 미친다.

18 그림은 인터넷 게시판 화면이다. 게시된 글을 지지하는 적절한 댓글을 ㉠~㉣ 중에서 고른 것은?

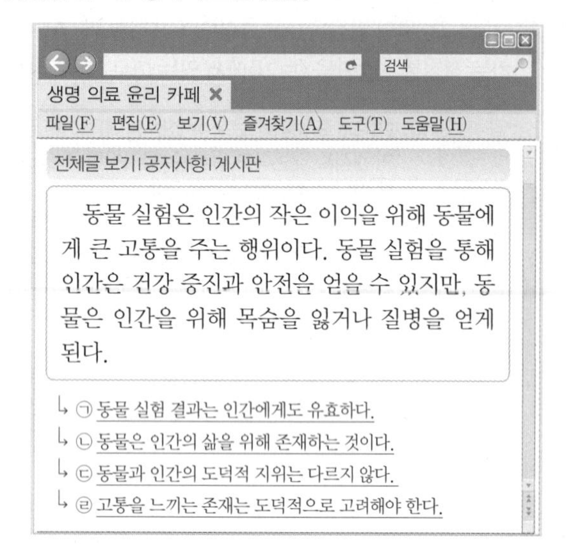

① ㉠, ㉡ ② ㉠, ㉢ ③ ㉡, ㉢
④ ㉡, ㉣ ⑤ ㉢, ㉣

19 다음 주장에 대한 반론으로 가장 적절한 것은?

> 동물 실험은 의약품의 부작용과 위험성을 파악하고, 질병의 치료법을 발견하는 데 도움이 된다. 또한 동물 실험을 통해 생명 현상의 기본 원리를 이해할 수 있으므로 동물 실험은 반드시 필요하다.

① 인간과 동물은 생물학적으로 유사하다.
② 동물 실험은 인간의 건강 증진에 기여한다.
③ 인체 실험으로 인한 위험성을 줄일 수 있다.
④ 동물 실험 결과는 인간에게도 적용될 수 있다.
⑤ 인간과 동물이 공유하는 질병은 극히 일부이다.

20 다음 사례를 통해 추론할 수 있는 내용으로 가장 적절한 것은?

> 입덧 치료를 위한 약이 1950년대 동물 실험을 거쳐 시판되었다. 그러나 약을 먹은 임신부들이 기형아를 출산하게 되면서 1962년 판매가 금지되었다. 동물 실험에서는 나타나지 않았던 부작용이 나타난 것이다.

① 인간과 동물의 도덕적 지위는 동일하지 않다.
② 동물 실험으로 인해 의학 발전이 가능한 것이다.
③ 실험의 부작용에도 불구하고 동물 실험은 필요하다.
④ 인간과 동물 사이에는 생물학적 유사성이 존재한다.
⑤ 동물 실험 결과를 인간에게 적용하는 데 한계가 있다.

서술형 문제

21 다음을 읽고 물음에 답하시오.

> 갑: 기(氣)가 변해서 형체가 생기며, 형체가 변해서 생명을 갖추게 된다. 이제 다시 생명이 죽음으로 변한 것뿐이다. 마치 춘하추동이 서로 되풀이하며 운행함과 같다.
> 을: 죽음은 우리에게 아무것도 아니다. 우리가 살아 있을 때 죽음은 우리에게 아직 오지 않았으며, 죽음이 왔을 때 우리는 이미 존재하지 않기 때문이다.

(1) 갑, 을에 해당하는 사상가를 쓰시오.

(2) 죽음에 대해 갑과 을이 가진 공통적 입장을 서술하시오.

22 갑의 입장에서 〈문제 상황〉 속의 토끼 실험이 정당하지 않은 이유를 서술하시오.

> 갑: 고통과 즐거움을 느낄 수 있는 능력은 어떤 존재가 최소한 고통 당하지 않을 이익 관심을 가진다고 말할 수 있는 필요조건일 뿐만 아니라 충분조건이다. 돌멩이는 고통을 느낄 수 없기 때문에 이익 관심을 가졌다고 말할 수 없지만, 쥐는 발에 채이지 않을 이익 관심을 갖는다. 발에 채인다면 쥐는 고통을 느낄 것이기 때문이다.
>
> 〈문제 상황〉
>
> 화장품이나 생활용품의 화학적 자극성을 확인하기 위해서 '드레이즈 테스트'라 불리는 토끼 실험을 한다. 이 실험은 토끼의 목만 나오는 감금 틀에 토끼를 가둔 후, 토끼 눈에 화학 물질을 몇 시간 간격으로 떨어뜨리고 시간의 경과에 따라 토끼 눈에 나타나는 반응을 관찰하는 것이다. 며칠 후 토끼를 안락사시키고 눈을 적출하여 반응을 재확인한다.

01 (가), (나)의 입장으로 가장 적절한 것은?

> (가) 죽음이라는 공포는 우리에게 가장 고통스러운 악이다. 하지만 죽음은 우리에게 아무것도 아니라는 것에 익숙해져야 한다. 좋고 나쁨은 감각에 달려 있는데 죽음은 바로 모든 감각의 상실을 의미하기 때문이다.
> (나) 우리가 무엇인가를 순수하게 인식하고자 한다면, 우리는 육체로부터 떠나야 하며 오로지 영혼만을 사용하여 사물 그 자체를 보아야 한다. 죽었을 때에야 비로소 우리는 간절히 바라는 지혜를 얻을 수 있다.

① (가): 죽음은 또 다른 세계로 윤회하는 계기가 된다.
② (가): 죽음을 통해 영혼에서 벗어나 참된 지혜를 얻는다.
③ (나): 죽음에 대한 공포에서 벗어나 행복을 추구해야 한다.
④ (나): 죽음을 통해 영혼이 영원불변하는 세계로 갈 수 있다.
⑤ (가), (나): 죽음 이후에 인간은 어떤 것도 인식하지 못한다.

02 갑, 을의 입장에 대한 옳은 설명만을 〈보기〉에서 있는 대로 고른 것은?

> 갑: 무고한 생명을 해치는 행위는 도덕적으로 옳지 않습니다. 태아는 하나의 인격체이며 무고한 생명입니다. 따라서 어떤 순간에도 태아의 생명권은 존중받아야 합니다.
> 을: 태아는 생명체이기는 하지만 인격체라 볼 수는 없습니다. 아직 태어나지도 않은 태아를 위해 여성이 자신의 삶을 선택할 수 있는 권리를 포기하는 것은 도덕적으로 옳지 않습니다.

보기
ㄱ. 갑: 발달 정도에 따라 인간의 지위는 달라지지 않는다.
ㄴ. 갑: 태아는 출산 이후부터 인간으로서 지위를 갖는다.
ㄷ. 을: 임신 지속 여부는 여성의 자율적 선택에 따라야 한다.
ㄹ. 갑, 을: 태아는 살아 움직이는 하나의 생명체이다.

① ㄱ, ㄴ　② ㄱ, ㄹ　③ ㄴ, ㄷ
④ ㄱ, ㄷ, ㄹ　⑤ ㄴ, ㄷ, ㄹ

03 그림은 수행 평가 문제와 학생 답안이다. 학생 답안의 ㉠~㉤ 중 옳지 않은 것은?

> 수행 평가
> ◎ 문제: 다음과 같이 주장한 사상가의 동물에 대한 관점을 설명하시오.
>
> 동물은 비록 이성은 없지만 살아 있는 존재임을 고려할 때, 동물을 폭력적으로 잔인하게 대하는 것은 인간 자신에 대한 의무를 거스르는 것과 같다.
>
> ◎ 학생 답안
> 위의 사상가에 의하면, ㉠ 동물은 이성이 없으므로 인간과는 다른 존재이지만, ㉡ 인간에게는 동물에 대한 직접적 의무가 있다. 또한 동물을 고려해야 하는 이유는 ㉢ 동물에 대한 폭력은 인간성을 훼손하며, ㉣ 도덕성과 관련된 자연적 소질을 약화시키기 때문이다. 따라서 그는 ㉤ 인간을 위해서라도 동물에게 불필요한 고통을 주는 일을 삼가야 한다고 보았다.

① ㉠　② ㉡　③ ㉢
④ ㉣　⑤ ㉤

04 (가)의 갑, 을의 입장을 (나) 그림으로 탐구할 때, A~C에 들어갈 질문으로 옳은 것은?

(가)	갑: 삶의 주체는 미래 의식, 선호와 복지에 대한 이익 관심, 정체성 등을 지니므로 존중받을 도덕적 권리를 갖는다. 을: 이익 평등 고려의 원리는 어떤 존재의 고통을 다른 존재의 고통과 동등하게 취급하는 것이다. 도덕적 고려의 유일한 기준은 쾌고 감수 능력 여부이다.
(나)	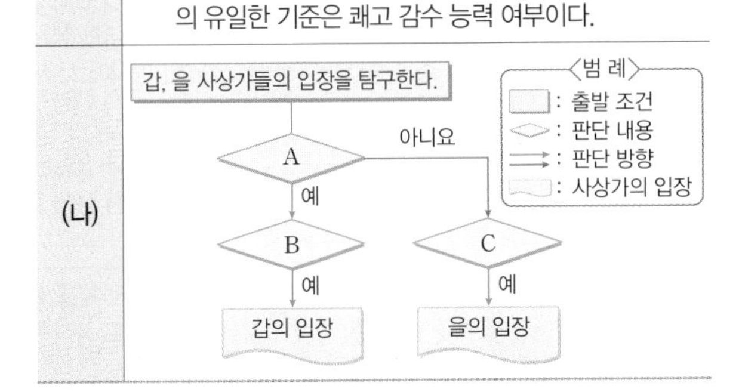

① A: 동물을 도덕적 고려의 대상으로 존중해야 하는가?
② B: 성장한 일부 포유류만이 도덕적 권리를 갖는가?
③ B: 쾌고 감수 능력은 도덕적 고려를 위한 필요충분조건인가?
④ C: 인간과 동물을 동일한 방식으로 대우해야 하는가?
⑤ C: 쾌고 감수 능력이 없는 동물도 도덕적 고려 대상인가?

사랑과 성 윤리

1 사랑과 성의 관계

1. 사랑과 성의 의미

(1) 사랑　어떤 사람이나 존재를 아끼고 소중히 여기는 마음
➡ 사람과 인격적인 관계를 맺으려는 노력 → 성과 밀접하게 관련됨

핵심 기출 자료 분석 사랑에 대한 프롬의 입장

인간에게 사랑은 능동적인 힘이다. 사랑은 인간의 고립을 극복하게 하면서도 각자의 특성을 유지할 수 있게 하는 힘이다.

- 책임: 상대의 요구에 책임 있게 반응하는 것
- 이해: 상대의 독특한 개성을 알며 그를 깊이 이해하는 것
- 존경: 지배하고 소유하는 것이 아니라 상대를 있는 그대로 보는 것
- 보호, 관심: 사랑하는 사람의 생명과 성장에 적극적 관심을 갖고 보호하는 것

(2) 성　사랑이 가지는 인격적 가치가 성을 통해 실현될 수 있음
① 생식적 가치　종족 보존, 생명을 탄생시키는 원천
② 쾌락적 가치　인간의 감각적 욕구 충족
③ 인격적 가치　상호 간의 존중과 배려 실현

2. 사랑과 성의 관계

보수주의	결혼이라는 합법적 제도 안에서 출산, 양육에 대한 책임을 질 수 있는 성을 추구 ➡ 성은 개인적 영역인 동시에 사회 안정, 질서 유지와 밀접한 관련 → 부부 간의 신뢰와 사랑이 전제된 성(性)만이 정당함
중도주의	인간의 고유한 인격을 유지할 수 있도록 사랑과 결합된 성을 추구 ➡ 결혼과 결부되지 않아도 사랑을 동반한 성적 관계는 허용 → 성이 가진 인격적 가치 강조
자유주의	성숙한 사람들의 상호 동의를 전제로 타인에게 해를 끼치지 않는 성을 추구 ➡ 결혼, 사랑과 결부되지 않아도 성적 관계는 정당화될 수 있음 → 성이 가진 쾌락적 가치 강조

3. 성과 관련된 윤리적 문제

성차별	• 의미: 여성 혹은 남성이라는 이유로 사회적·문화적·경제적으로 부당한 대우를 하는 것 • 남녀 간 차이 인정, 다양성과 개성을 인정하는 양성평등을 실현해야 함 → 배려 윤리: 정의, 권리를 중시하는 남성 중심 윤리에서 배려, 관계성을 중시하는 여성 중심 윤리로 → 정의 윤리와 배려 윤리의 조화
성적 자기 결정권	인간이 자신의 성적 행동을 스스로 결정할 수 있는 권리 → 외부의 부당한 압력, 타인의 강요 없이 스스로의 의지와 판단으로 자신의 성적 행동을 결정함
성 상품화	• 성을 상품처럼 사고팔거나, 다른 상품을 팔기 위해 성을 수단으로 이용하는 것 • 찬성: 합법적으로 성을 상품화하여 이윤을 추구하는 것은 자본주의적 가치에 부합함 → 자신의 성 상품화는 정당한 성적 자기 결정권의 행사 • 반대: 인간을 목적이 아닌 수단으로만 대우하는 행위 → 인간 존엄성 훼손

2 결혼과 가족의 윤리

1. 결혼의 윤리적 의미

(1) 결혼　남녀가 정식으로 부부가 되는 것을 사회적으로 인정하는 제도
(2) 윤리적 의미　개인의 행복 증진, 사회의 유지·발전

2. 부부간의 윤리

음양론	음양은 서로 다르지만 서로 없어서는 안 될 존재이듯, 부부는 상호 보완적이며 대등한 관계 → 음양의 상호 작용을 통해 만물이 생성되고 번영함
부부유별, 부부상경	• 부부유별(夫婦有別): 부부간에는 해야 할 역할이 구분되어 있으므로 상호 존중해야 함 • 부부상경(夫婦相敬): 부부는 서로 공경하기를 손님같이 대해야 함
보부아르	남성뿐만 아니라 여성도 한 주체로서 존중해야 하며, 부부는 각 주체로서 평등한 관계를 유지해야 함 → 남성과 여성 모두 자유를 통해 자신을 실현하는 주체적 존재
길리건	배려의 관계는 나와 다른 사람의 상호 의존성을 존중하면서 성립 ➡ 부부도 서로 배려와 보살핌을 주고 받는 관계를 유지해야 함

3. 가족의 의미와 가족 해체의 문제

(가족 → 사회를 이루는 가장 기본적인 공동체)

(1) 의미　혼인, 혈연, 입양 등으로 이루어지는 공동체
(2) 역할
① 개인을 안정되게 양육하는 토대 제공
② 사회의 규범과 예절을 습득할 수 있도록 사회화
③ 바람직한 인격을 형성할 수 있는 기반 제공
(3) 가족 해체의 원인과 극복 방안으로서의 가족 윤리
① 원인　사회 구조의 변화와 의학 기술의 발전 등으로 혼인율과 출산율 급격한 감소, 홀로 사는 노인층과 젊은층의 1인 가구 증가
② 전통적 가족 윤리 → 불감훼상(不敢毁傷), 봉양(奉養), 양지(養志), 공대(恭待), 불욕(不辱), 혼정신성(昏定晨省), 입신양명(立身揚名)

부모 자녀 관계	• 부자유친(父子有親): 부모와 자녀 간에는 친밀함이 있어야 함 • 부자자효(父子慈孝): 부모는 자녀에게 자애를 실천하고, 자녀는 부모에게 효를 실천해야 함
부부 관계	부부유별, 부부상경의 실천 ➡ 부부는 차별적 관계가 아닌 구별된 역할 속에서 서로의 인격을 존중해야 함
형제 관계	• 형우제공(兄友弟恭): 형은 동생에게 우애를 실천하고, 동생은 형을 공경해야 함 • 수족지의(手足之義): 형제 관계는 손과 발처럼 세상에서 가장 가까운 사이

개념 암기

1 괄호 안의 내용 중 알맞은 말을 골라 ○표 하시오.

(1) 성에 대한 중도주의 관점에서는 성의 (생식적 가치, 인격적 가치)를 중시한다.

(2) 성에 대한 보수주의 관점에서는 정당한 성의 기준을 (쾌락, 결혼)이라고 본다.

(3) 성에 대한 자유주의 관점에서는 (사랑, 합의)을/를 정당한 성의 기준으로 본다.

2 가족에 대한 전통 윤리의 개념으로 알맞은 것을 〈보기〉에서 고르시오.

보기

ㄱ. 부모와 자녀 사이에는 친밀함이 있어야 함

ㄴ. 부부는 서로 공경하기를 손님같이 대해야 함

ㄷ. 형은 동생을 우애 있게 대하고, 동생은 형을 공경해야 함

(1) 형우제공 ( )

(2) 부자유친 ( )

(3) 부부상경 ( )

3 설명이 맞으면 ○표, 틀리면 X표 하시오.

(1) 프롬은 사랑이 상대방의 성장에 관심을 가지는 것이라고 보았다. ( )

(2) 성에 대한 자유주의적 관점에서는 모든 성적 행위는 정당화될 수 있다고 본다. ( )

4 빈칸에 들어갈 알맞은 말을 쓰시오.

(1) 여성 혹은 남성이라는 이유로 사회적·문화적·경제적으로 부당하게 대우하는 것을 ( )이라 한다.

(2) 인간이 외부의 부당한 압력 없이 자신의 성적 행동을 스스로 결정할 수 있는 권리를 ( )이라고 한다.

(3) 성을 상품처럼 사고팔거나 다른 상품을 팔기 위해 성을 수단으로 이용하는 것을 ( )라고 한다.

5 개념과 의미를 바르게 연결하시오.

(1) 결혼 • • ㉠ 혈연, 혼인, 입양으로 이루어지는 공동체

(2) 가족 • • ㉡ 남녀가 정식으로 부부가 되는 것을 인정하는 사회 제도

내신 기출

1 사랑과 성의 관계

01 ㉠의 특징으로 가장 적절한 것은?

성은 여러 가지 의미를 지닌다. 남자와 여자를 생물학적으로 구분할 때는 생물학적 성의 의미로 사용하고, 사회적·문화적으로 구성되는 남성다움과 여성다움을 의미할 때는 ㉠ 사회·문화적 성으로 사용한다. 그리고 인간의 성적 욕망에 관련된 심리나 행위 등을 포괄적으로 의미할 때는 욕망으로서의 성의 의미로 사용한다.

① 주로 성의 쾌락적 가치를 추구할 때 사용된다.
② 사회나 문화의 차이에 따라 상이하게 나타난다.
③ 남녀의 신체적 다름을 이해하는 성의 개념이다.
④ 남녀에 대한 성차별 문제와는 전혀 관련이 없다.
⑤ 시대가 변해도 성이 가지는 의미는 변하지 않는다.

(가), (나)의 입장으로 적절한 것만을 〈보기〉에서 있는 대로 고른 것은?

(가) 성(性)은 부부간의 신뢰와 사랑을 전제로 할 때만 도덕적이므로 결혼을 통해 이루어지는 성적 관계만이 정당하다.

(나) 성은 사랑을 토대에 둘 때만 도덕적이므로 남녀 간에 사랑을 동반하여 이루어지는 성적 관계만이 정당하다.

보기

ㄱ. (가): 결혼과 출산을 중심으로 하는 성만이 정당하다.

ㄴ. (가): 자발적 동의에 따른 모든 형태의 성은 정당하다.

ㄷ. (나): 성의 인격적 가치를 통해 인간 존엄성이 실현된다.

ㄹ. (가),(나): 성은 상호 간의 사랑을 전제로 이루어져야 한다.

① ㄱ, ㄴ ② ㄱ, ㄹ ③ ㄴ, ㄷ
④ ㄱ, ㄷ, ㄹ ⑤ ㄴ, ㄷ, ㄹ

03 갑, 을의 입장으로 가장 적절한 것은?

① 갑: 인간의 성적 자유를 제한해서는 안 된다.
② 갑: 성은 개인적 영역인 동시에 사회 안정과도 관련된다.
③ 을: 성이 가진 생식적 가치를 가장 우선해야 한다.
④ 을: 사랑이 없는 성은 인간과 동물의 구분을 어렵게 한다.
⑤ 갑, 을: 성적 관계에서 인격적 교감은 중요하지 않다.

다음을 주장한 사상가가 긍정의 대답을 할 질문으로 옳은 것은?

> 사랑의 능동적 성격은 준다는 요소 외에도, 언제나 모든 사랑의 형태에 공통된 어떤 기본적 요소들을 내포하고 있다는 사실에서 분명해진다. 이러한 요소들은 보호, 책임, 존경, 이해 등이다. 책임은 다른 존재의 요구에 대한 나의 반응이며, 존경은 어떤 사람을 있는 그대로 보고 그의 독특한 개성을 아는 능력이다.

① 사랑은 주는 행위가 아니라 받는 행위인가?
② 사랑은 상대적이므로 사랑의 공통된 요소는 없는가?
③ 존경은 상대가 성장하고 발전하기를 바라는 마음인가?
④ 책임은 타인과는 무관하게 나타나는 사랑의 요소인가?
⑤ 존경은 잘 알지 못하는 사람들 사이에서도 나타나는가?

주관식

다음에서 설명하는 전통 윤리 이론을 쓰시오.

> 음양은 서로 다르지만 서로 없어서는 안 될 존재이듯, 부부는 상호 보완적이며 대등한 관계이다. 음양이 서로 합일하여 만물이 화육되고 번영되며, 남녀의 정기가 결합되어 만물이 화생한다.

06 다음 자료의 내용을 바르게 이해한 사람은?

> 유리 천장 지수는 임금 격차, 고등 교육 참여율, 여성 국회 의원 비율, 기업의 여성 임원 비율 등을 종합하여 만든 것으로, 한 나라의 남녀 성 평등 정도를 가늠할 수 있는 지표이다.
>
> OECD 유리 천장 지수
>
> 아일랜드 / 노르웨이 / 스웨덴 / OECD 평균 / 일본 / 터키 / 대한민국

① 갑: 수치가 낮을수록 양성평등 실현 정도가 높다.
② 을: 대한민국의 유리 천장 지수는 국제 평균보다 높다.
③ 병: 아일랜드보다 터키의 남녀 임금 격차가 적을 것이다.
④ 정: 일본은 노르웨이보다 여성 국회 의원 비율이 높을 것이다.
⑤ 무: 스웨덴보다 대한민국에서 성 불평등이 심각할 것이다.

07 다음은 신문 칼럼이다. ㉠에 들어갈 내용으로 가장 적절한 것은?

> ○○ 신문 ○○○○년○○월○○일
>
> **양성평등은 모두를 위한 것임을 인식해야**
>
> 남성들은 스스로가 강인해야 하고, 여성보다 우월해야 하며, 분노 이외의 슬픔이나 두려움 등의 감정을 드러내지 않아야 한다는 고정 관념을 가지고 있다. 반면 여성들은 얌전해야 하고, 연약해야 하며, 분노를 참아야 하고, 슬픔이나 두려움 등의 감정을 가져야 한다는 고정 관념을 가지고 있다. 우리는 이제 이러한 고정 관념의 틀에서 벗어나 성(性)에 대한 잘못된 인식을 돌아봐야 한다. 이러한 측면에서 양성평등은 [㉠]

① 억압된 남성의 감정을 존중하는 것에서 시작된다.
② 여성의 자유와 권리 신장을 위해 반드시 필요하다.
③ 왜곡된 여성성과 남성성을 바로잡도록 돕는 것이다.
④ 존중받지 못했던 남성에 대한 수용을 핵심으로 한다.
⑤ 남성 중심에서 여성 중심으로 가치관이 변하는 것이다.

08 다음의 가상 대화에서 ㉠에 들어갈 내용으로 가장 적절한 것은?

> 갑: 인간이 존엄한 존재이듯, 성(性)도 인격적 가치를 담고 있음을 알아야 합니다. 이러한 관점에서 성 상품화는 인간을 목적이 아닌 수단으로 대우하는 행위입니다.
> 을: 아닙니다. 성 상품화는 합법적 테두리 내에서 정당한 방법으로 이윤을 추구하는 하나의 방식입니다. 자신의 성적 매력을 상품화하는 것은 성적 자기 결정권에 해당됩니다.
> 갑: 제 생각에 당신의 주장은 [㉠]

① 성 상품화가 자본주의적 가치에 부합함을 모르고 있습니다.
② 성에 관한 표현의 자유를 존중해야 함을 모르고 있습니다.
③ 성 상품화는 소비자의 선호를 반영한 것임을 모르고 있습니다.
④ 성 상품화가 인간의 존엄성을 훼손할 수 있음을 모르고 있습니다.
⑤ 성적 자기 결정권은 어떤 상황에서도 존중되어야 함을 모르고 있습니다.

09 그림에서 학생들이 모두 옳은 대답을 했다고 할 때, A에 대한 설명으로 적절하지 않은 것은?

① 성이 가진 인격적 가치에 대한 존중과 관련된다.
② 자신의 결정에 대해서는 윤리적 책임을 져야 한다.
③ 잘못된 선택으로 생명 윤리적 문제를 유발할 수 있다.
④ 자율적으로 선택한 모든 성(性)적 결정은 존중되어야 한다.
⑤ 자신의 인격을 손상시키지 않는 범위에서 행사해야 한다.

2 결혼과 가족의 윤리

10 다음 글을 통해 유추할 수 있는 내용으로 가장 적절한 것은?

> 전국 초·중·고 학부모를 대상으로 조사한 결과에 따르면 자녀와 부모의 하루 대화 시간은 매우 저조하며, 특히 고등학생의 경우 2명 중 1명은 하루 평균 가족과 대화 시간이 30분도 안 되는 것으로 나타났다. 놀라운 사실은 부모님과 거의 매일 대화를 한다고 응답한 학생의 비율이 높은 학교일수록 성적 향상도가 높게 나타났다.

① 가족의 역할은 가족 내에서만 영향을 미친다.
② 가족 간의 친밀감과 성적 향상은 상호 무관하다.
③ 가족과의 정서적 유대가 사회생활에 영향을 미친다.
④ 대부분의 가족이 정서적 안정을 적절하게 제공한다.
⑤ 가족과의 대화가 반드시 성적 향상으로 연결되는 것은 아니다.

11 ㉠에 해당하는 사례로 적절한 것을 <보기>에서 고른 것은?

> 가족 해체 현상을 극복하기 위해서는 가족 간의 갈등을 대화로 해소하고, 가족 간의 이해와 소통을 통해 가족 간의 문제를 해결하고자 노력해야 한다. 그러나 개인적인 노력만으로는 해결될 수 없는 부분도 있다. 따라서 이를 해결할 수 있는 ㉠ 사회와 국가의 노력이 필요하다.

보기
ㄱ. 이웃과 가정에 대한 관심과 사랑을 가진다.
ㄴ. 소외 가정에 대한 다양한 복지 혜택을 제공한다.
ㄷ. 가족 간에 신뢰를 회복하고 유대 의식을 함양한다.
ㄹ. 맞벌이 가정을 위해 아이 돌봄 서비스를 시행한다.

① ㄱ, ㄴ　② ㄱ, ㄷ　③ ㄴ, ㄷ
④ ㄴ, ㄹ　⑤ ㄷ, ㄹ

12 다음 사상의 입장으로 가장 적절한 것은?

> 음은 그늘, 양은 햇볕이니, 음양은 서로 다르지만 우주의 두 원리 또는 원동력이다. 음양이 서로 합일하여 만물이 화육되고 번영되며, 남녀의 정기가 결합되어 만물이 화생한다.

① 남녀는 상호 의존적이며 보완적인 관계이다.
② 양이 음에 우선하듯 남성이 여성에 우선한다.
③ 자연의 음양 관계는 남녀 관계와는 무관하다.
④ 남녀에게는 변하지 않는 고정적인 역할이 있다.
⑤ 남녀는 대등한 관계이므로 차이를 인정해서는 안 된다.

13 (가)를 주장한 사상가의 입장에서 볼 때, (나)의 ㉠에 들어갈 진술로 가장 적절한 것은?

(가)	남성과 여성은 도덕적 딜레마에 접근할 때, 남성은 권리 혹은 정의의 관점에서, 여성은 배려의 관점에서 각각 다르게 접근한다.
(나)	___㉠___ 그러면 올바른 부부 관계가 확립될 것이다.

① 서로가 가진 가치관을 포기하지 말아야 한다.
② 상대를 위해 자신의 것을 포기하고 헌신해야 한다.
③ 부부 관계에서 배려보다 정의를 더 우선해야 한다.
④ 부부가 서로 보살핌을 주고받는 관계를 형성해야 한다.
⑤ 남성성과 여성성을 모두 버리고 관계를 유지해야 한다.

주관식

14 다음에 해당하는 전통적인 효의 실천 방법을 각각 쓰시오.

> (1) 효의 시작으로, 부모로부터 물려받은 몸을 깨끗하고 온전하게 하는 것
> (2) 효의 끝으로, 후세에 이름을 떨쳐 부모를 영광되게 해 드리는 것

서술형 문제

15 다음 사상가의 입장에서 성 상품화 반대 이유를 서술하시오.

> 우리는 실천 이성을 통하여 "너 자신의 인격에서 인간을 단지 수단으로서만 대하지 말고 항상 동시에 목적으로 대하도록 그렇게 행위하라."라는 정언 명령에 이르게 되고, 이에 따라 무엇이 도덕적 의무가 되는지를 알 수 있다.

16 다음 사상가의 입장에서 ㉠의 의미를 서술하시오.

> 남성은 단 한 번도 자기 자신을 특정한 성의 한 개체로서 생각하지 않는다. 그가 남성이라는 사실은 자명한 것이다. 프랑스어에서 남성을 뜻하는 'homme'란 말은 동시에 인간을 가리키는 말이다. 반면 여성은 음극으로 간주되며, 이러한 개념 규정은 제한을 의미한다. ㉠ 여성은 태어나는 것이 아니라 여성으로 만들어지는 것이다.

17 ㉠이 사회에 미치는 영향을 두 가지 서술하시오.

> ㉠ 가족이란 사회를 이루는 가장 기본적인 공동체로서 주로 혼인, 혈연, 입양으로 구성되며, 개인에게 정서적 안정을 주는 토대가 된다.

01 갑, 을의 입장에 대한 옳은 설명만을 〈보기〉에서 있는 대로 고른 것은?

> 갑: 성(性)은 결혼과 출산을 전제로 할 때만 도덕적이다. 성은 새로운 생명의 탄생을 가져오는 성스러운 것이므로 엄격한 기준이 필요하다.
> 을: 성은 사랑을 전제로 할 때만 도덕적이다. 사랑이 전제된 성은 인간의 정신적·육체적 교감을 가능하게 하므로 반드시 결혼과 결부될 필요가 없다.

보기

ㄱ. 갑: 성은 부부간의 신뢰와 사랑을 바탕으로 한다.
ㄴ. 을: 성은 인격적 가치 실현을 가능하게 해야 한다.
ㄷ. 을: 타인에게 해를 가하지 않는 한 모든 성은 정당하다.
ㄹ. 갑, 을: 혼인 여부와 관계없이 정당한 성적 관계도 있다.

① ㄱ, ㄴ ② ㄱ, ㄷ ③ ㄴ, ㄷ
④ ㄴ, ㄹ ⑤ ㄷ, ㄹ

02 다음은 수업의 한 장면이다. ㉠에 들어갈 적절한 진술만을 〈보기〉에서 있는 대로 고른 것은?

보기

ㄱ. 인간이 지니는 성의 인격적 가치를 훼손합니다.
ㄴ. 성적 표현의 자유 또한 침해되어서는 안 됩니다.
ㄷ. 인간의 성은 물질적 가치로 환산될 수 없습니다.
ㄹ. 성 상품화는 성적 자기 결정권의 정당한 행사입니다.

① ㄱ, ㄴ ② ㄱ, ㄷ ③ ㄴ, ㄷ
④ ㄴ, ㄹ ⑤ ㄷ, ㄹ

03 다음 토론의 핵심 쟁점으로 가장 적절한 것은?

> 갑: 효는 실현되어야 할 중요한 가치입니다. 그런데 부모에게 재산을 상속받고도 부양의 의무를 다하지 않는 자식들이 증가하고 있습니다. 효도법을 제정하여 이들을 처벌해야 합니다.
> 을: 효의 중요성은 인정하지만, 정신적인 가치인 효를 법으로 강제하는 것은 옳지 않습니다. 효는 개인적인 영역이므로 효도법 제정은 적절하지 않습니다.
> 갑: 효는 개인적인 영역이기도 하지만, 동시에 사회적인 영역이기도 합니다. 자식이 돌보지 않는 노인들로 인한 사회 문제는 더 이상 개인의 문제가 아닙니다.
> 을: 효의 여부가 사회적 영향을 끼치는 것은 사실입니다. 그러나 불효는 도의적인 비난의 대상일 뿐, 법적인 비난의 대상이 될 수는 없습니다.

① 효는 개인적 영역의 행위에 속하는가?
② 효는 실현되어야 할 중요한 가치인가?
③ 효는 법적 판단의 대상이 될 수 있는가?
④ 효의 실천은 사회적인 영향을 끼치는가?
⑤ 불효로 인해 사회 문제가 발생할 수 있는가?

04 (가)의 관점에서 〈문제 상황〉에 대해 내릴 해결책으로 가장 적절한 것은?

> (가) 공정성과 정의를 중시하던 기존의 남성 중심의 정의 윤리는 그동안 여성의 목소리를 간과해 왔다. 이제는 정서적 돌봄, 보살핌을 특징으로 하는 여성의 도덕성에 주목해야 한다.
>
> 〈문제 상황〉
>
> 무연고 사망은 경제적 능력을 상실한 가장이 설 자리를 잃고 외롭게 죽음을 맞이하는 것을 의미한다. 무연고 사망은 가부장적 질서 파괴와 가족 해체가 동시에 발생하면서 나타나는 현상이다.

① 가족 구성원에 대한 공감과 배려를 실천해야 한다.
② 무연고 사망자를 수습할 법적 대책을 마련해야 한다.
③ 인간을 목적으로 대우하라는 정언 명령에 따라야 한다.
④ 사회 공리 증진을 위해 가족 해체 현상을 해결해야 한다.
⑤ 무연고 사망을 방지하기 위해 경제적 대책을 수립해야 한다.

수능·평가원·교육청 기출

| 평가원 기출 |

01 다음 사상가의 입장으로 가장 적절한 것은?

> 삶과 죽음은 기(氣)가 모였다 흩어지는 자연의 과정이다. 생명을 얻음은 때를 만나서 태어난 것이요, 생명을 잃음은 운명에 순응하는 것이다. 때에 맡겨 마음을 편안히 가지고 운명에 순응한다면 슬픔과 즐거움이 들어올 수 없으니, 이것이 옛사람이 말한 '거꾸로 매달린 고통을 풀어 줌'이다.

① 연기(緣起)의 이치를 깨달아 고락에서 벗어나야 한다.
② 삶에 집착하지 않고 자연스러운 도(道)를 따라야 한다.
③ 내세의 행복을 위해 선업(善業)을 쌓는 삶을 살아야 한다.
④ 삶과 죽음의 이치를 깨달아 인의(仁義)의 삶에 힘써야 한다.
⑤ 죽음은 자연의 과정이지만 상례(喪禮)를 통해 애도해야 한다.

| 평가원 기출 |

02 갑, 을의 입장으로 적절한 것만을 〈보기〉에서 있는 대로 고른 것은?

갑: 태아는 인간 생명체이지만 완전한 인격체는 아니기에 부분적인 도덕적 지위만을 가집니다. 따라서 태아를 함부로 죽이는 것은 안 되지만, 임산부의 질병 등으로 현재 상황이 좋지 않고 나중에 더 좋은 상황에서 임신하려는 경우라면 임신 중절은 허용됩니다.

을: 태아가 잠재적인 인간이라는 사실을 부정될 수 없습니다. 잠재성이 중요한 이유는 태아를 죽이는 것이 미래의 합리적이고 자의식적인 존재를 죽이는 것이기 때문입니다. 따라서 인간으로서의 잠재성을 지닌 태아를 해치는 것은 옳지 않습니다.

갑

을

보기
ㄱ. 갑: 태아의 권리와 임신부의 권리를 동등하게 대우해야 한다.
ㄴ. 을: 태아는 특별한 방해가 없는 한 하나의 인격체로 자랄 것이다.
ㄷ. 을: 태아는 합리적·자의식적인 존재이기에 해쳐서는 안 된다.
ㄹ. 갑, 을: 태아를 단순한 세포 조직처럼 함부로 대우해서는 안 된다.

① ㄱ, ㄷ　② ㄱ, ㄹ　③ ㄴ, ㄹ
④ ㄱ, ㄴ, ㄷ　⑤ ㄴ, ㄷ, ㄹ

| 교육청 기출 |

03 다음 사상가의 입장을 〈보기〉에서 고른 것은?

> 죽음은 현존재 자신의 가장 고유한 가능성으로, 이는 몰교섭적인 가능성이다. 현존재는 이 가능성을 자기 자신이 능동적으로 떠맡아야 한다는 점을 깨달아야 한다. 또한 죽음은 현존재를 단순히 '속해 있기만' 하는 존재가 아니라 '개별적' 현존재로 만든다. 죽음의 몰교섭적인 특성은 현존재 자신을 고독하게 만들며 현존재가 '본래적 자기 자신'으로서 존재할 수 있게 한다.

보기
ㄱ. 죽음을 직시함으로써 보다 의미 있는 삶을 살 수 있다.
ㄴ. 죽음 이후에야 인간은 자신의 고유성을 회복할 수 있다.
ㄷ. 죽음에 대한 참된 인식은 실존에 대한 자각으로 이어진다.
ㄹ. 죽음은 인간의 개별성을 해치므로 두려움의 대상이어야 한다.

① ㄱ, ㄴ　② ㄱ, ㄷ　③ ㄴ, ㄷ
④ ㄴ, ㄹ　⑤ ㄷ, ㄹ

| 평가원 기출 |

04 갑, 을 사상가들의 입장으로 가장 적절한 것은?

> 갑: 아침에 도(道)를 들으면 저녁에 죽어도 괜찮다. 뜻이 있는 선비와 인(仁)을 갖춘 사람은 삶에 집착하다가 인을 해치는 경우는 없지만, 자신을 희생하여 인을 이루는 경우는 있다.
> 을: 성인(聖人)의 삶은 자연의 운행과 같고, 죽음은 만물의 변화와 같다. 그는 행복을 추구하지 않으며, 불행을 자초하지 않는다. 그의 삶은 물에 떠 있는 것과 같고, 죽음은 휴식과 같다.

① 갑: 죽음은 반복되는 윤회에서 벗어날 수 있는 방법이다.
② 갑: 죽음은 내세(來世)에서의 도덕적 완성을 위한 과정이다.
③ 을: 죽음은 모든 만물의 근원인 도(道)와 연관된 현상이다.
④ 을: 죽음은 상례(喪禮)를 통해 애도해야만 하는 슬픈 일이다.
⑤ 갑, 을: 죽음이 아쉽지 않도록 도덕적으로 충실하게 살아야 한다.

| 교육청 기출 |

05 갑, 을의 입장에 대한 설명으로 가장 적절한 것은?

> 갑: 원치 않는 임신을 한 여성들의 낙태는 허용되어야 한다. 태아는 잠재적 인간에 불과하므로 임신부와 달리 태아가 지니는 생명의 가치는 절대적이지 않다.
> 을: 무고한 인간인 태아를 죽이는 낙태는 금지되어야 한다. 인간 생명은 그 자체로 절대적 가치를 지닌다는 점을 명심해야 한다.

① 갑은 태아와 임신부의 생명은 동등한 가치를 갖지 않는다고 본다.
② 을은 임신 중단에 대한 여성의 선택권을 보장해야 한다고 본다.
③ 갑은 을과 달리 태아를 존엄성을 지닌 인간으로 본다.
④ 을은 갑과 달리 낙태가 법적으로 허용되어야 한다고 본다.
⑤ 갑, 을은 무고한 태아의 생명권이 제한될 수 없다고 본다.

| 평가원 기출 |

06 다음 가상 대담의 사상가가 지지할 입장으로 적절하지 <u>않은</u> 것은?

① 자녀의 능력 강화를 위한 유전자 조작은 인간을 도구화한다.
② 유전학적 치료에 대해서는 담론을 통한 보편적 합의가 가능하다.
③ 인간에 대한 모든 형태의 유전학적 개입을 거부하는 것은 아니다.
④ 유전학적 강화를 통해 태어난 사람은 온전한 자율성을 지닐 수 없다.
⑤ 자질 강화를 위한 배아 유전자 조작은 세대 간의 균형을 회복시킨다.

| 교육청 기출 |

07 ㉠에 들어갈 내용으로 가장 적절한 것은?

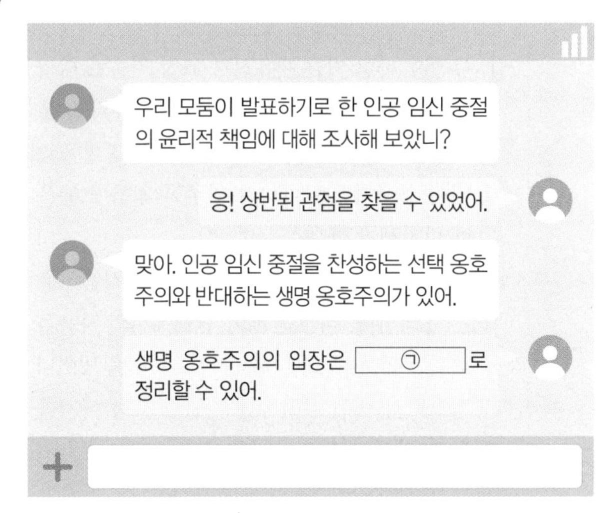

① 여성의 사생활에 대한 권리를 존중해야 한다
② 여성은 자신의 삶을 자율적으로 선택할 수 있다
③ 태아는 존엄성을 가진 인간이기 때문에 보호해야 한다
④ 태아는 여성 몸의 일부이므로 태아에 대한 권리는 임신한 여성에게 있다
⑤ 여성은 자기방어와 정당방위의 권리에 따라 인공 임신 중절을 선택할 수 있다

| 교육청 기출 응용 |

08 다음에서 강조하는 내용으로 가장 적절한 것은?

> 체세포 유전자 치료는 질병 치료만을 목적으로 하기에 허용되어야 하지만, 생식 세포 유전자 치료는 정상적인 능력을 강화하려는 우생학으로 이어질 수 있으니 주의해야 한다. 유전학적 강화를 위한 우생학은 부모가 자녀의 능력과 미래의 삶을 일방적으로 규정한다는 점에서 자녀가 스스로를 자신의 삶에 대한 유일한 저자로 이해할 기회를 박탈하며 이러한 우생학은 부모의 선호에 따라 자녀의 삶을 계획하는 부당한 간섭으로 세대 간의 평등성을 훼손한다.

① 체세포 유전자 치료는 인격체인 인간의 자율성을 침해한다.
② 인간을 대상으로 행해지는 모든 유전자 치료를 거부해야 한다.
③ 유전학적 강화를 위한 우생학은 자녀의 주체적 삶을 훼손한다.
④ 유전학적 강화를 위한 우생학은 세대 간 불평등을 약화시킨다.
⑤ 자녀의 능력 강화를 위한 생식 세포 유전자 치료를 권장해야 한다.

| 교육청 기출 |

09 갑, 을의 입장만을 〈보기〉에서 있는 대로 고른 것은?

> 갑: 유전자 가위 기술은 유전자 교정 기술로 다양한 난치병에 대한 치료 가능성이 속속 입증되고 있다. 이 기술을 배아 단계부터 허용하여 유전병을 가지고 태어날 아기뿐만 아니라 가족이 겪을 고통을 미연에 방지해야 한다.
> 을: 유전자 가위 기술을 난치병 치료에 사용하는 것에는 동의한다. 하지만 배아 단계에서의 사용을 허용해서는 안 된다. 왜냐하면 치료 목적을 벗어나 인위적으로 선택된 유전자를 지닌 맞춤형 아기를 만드는 데 악용될 수 있기 때문이다.

보기
ㄱ. 갑: 유전병 예방을 위한 유전자 가위 기술은 허용해야 한다.
ㄴ. 을: 유전자 가위 기술의 사용에 제한을 두지 말아야 한다.
ㄷ. 을: 배아 단계에서 인위적 유전자 교정을 허용해서는 안 된다.
ㄹ. 갑, 을: 난치병 치료를 위한 유전자 가위 기술은 허용할 수 있다.

① ㄱ, ㄴ ② ㄱ, ㄷ ③ ㄴ, ㄹ
④ ㄱ, ㄷ, ㄹ ⑤ ㄴ, ㄷ, ㄹ

| 교육청 기출 응용 |

10 다음을 주장한 사상가가 긍정의 대답을 할 질문만을 〈보기〉에서 있는 대로 고른 것은?

> 만약 어떤 존재가 고통을 느낀다면, 그와 같은 고통을 고려하지 않는 것은 도덕적으로 정당화될 수 없다. 이익 평등 고려의 원리는 그 존재가 어떤 특성을 갖든지 그 존재의 고통을 다른 존재의 고통과 동등하게 취급할 것을 요구한다.

보기
ㄱ. 동물의 이익 관심을 고려하지 않는 동물 실험은 부당한가?
ㄴ. 실험실 동물을 착취하는 것은 종 차별주의적 행위인가?
ㄷ. 동물에게 불필요한 고통을 주는 실험을 금지해야 하는가?
ㄹ. 인간과 동일한 권리들을 지닌 동물을 실험하면 안 되는가?

① ㄱ, ㄴ ② ㄱ, ㄹ ③ ㄷ, ㄹ
④ ㄱ, ㄴ, ㄷ ⑤ ㄴ, ㄷ, ㄹ

| 교육청 기출 |

11 갑 사상가의 입장에서 〈사례〉에 대해 제시할 적절한 견해만을 〈보기〉에서 있는 대로 고른 것은?

> 갑: 삶의 주체는 믿음과 욕구를 가지며 지각과 기억을 하고, 미래에 대한 감각을 가지며, 즐거움과 고통을 느끼는 정서적 생활을 한다. …(중략)… 그들은 다른 존재에게 유용하다는 것에 논리적으로 독립하여 그들의 삶이 자신에게 이롭거나 해롭다는 의미에서 개별적 복지를 갖는다.
>
> 〈사례〉
>
> 개, 원숭이, 토끼 등 많은 정상적인 동물들이 꼭 필요하지도 않은 실험임에도 불구하고 인간의 이익을 위해서 실험 대상이 되어 희생당하고 있다.

보기
ㄱ. 삶의 주체인 동물의 도덕적 권리를 침해하지 말아야 한다.
ㄴ. 내재적 가치를 지닌 동물은 실험 대상으로 삼지 말아야 한다.
ㄷ. 쾌고 감수 능력을 지닌 모든 존재를 동일하게 대우해야 한다.
ㄹ. 모든 동물은 인간과 평등한 내재적 가치를 지님을 알아야 한다.

① ㄱ, ㄴ ② ㄱ, ㄷ ③ ㄷ, ㄹ
④ ㄱ, ㄴ, ㄹ ⑤ ㄴ, ㄷ, ㄹ

| 평가원 기출 |

12 갑, 을의 입장으로 옳은 것은?

① 갑: 성적 관계는 도덕적 가치 판단의 대상이 아니다.
② 갑: 성의 생식적 가치보다 쾌락적 가치가 더 중요하다.
③ 을: 결혼을 전제로 하지 않는 성적 관계는 모두 비도덕적이다.
④ 을: 상호 동의만 전제되면 성적 관계는 도덕으로 허용될 수 있다.
⑤ 갑, 을: 사랑이 결여된 성적 관계는 도덕으로 정당화될 수 없다.

| 교육청 기출 |

13 그림의 강연자가 지지할 입장만을 〈보기〉에서 있는 대로 고른 것은?

사랑은 인간으로 하여금 고립감과 분리감을 극복하게 하면서도 각자의 특성을 허용하고 각자의 통합성을 유지하게 합니다. 또한 사랑은 수동적 감정이 아니라 능동적 활동입니다. 사랑의 능동적 성격을 말한다면, 사랑은 주는 것이지 받는 것이 아니라고 설명할 수 있습니다. 준다고 하는 행위는 활동성을 표현하고 있기 때문에 주는 것이 받는 것보다 더 즐겁습니다.

보기

ㄱ. 사랑은 서로의 개성을 긍정하는 합일을 지향한다.
ㄴ. 사랑은 상대방을 자신의 입장에서 이해하는 것이다.
ㄷ. 사랑은 자신뿐만 아니라 상대의 생동감도 고양시킨다.
ㄹ. 사랑은 참여하는 것이 아니라 상대에게 빠지는 것이다.

① ㄱ, ㄷ　② ㄴ, ㄷ　③ ㄴ, ㄹ
④ ㄱ, ㄴ, ㄹ　⑤ ㄱ, ㄷ, ㄹ

| 교육청 기출 |

14 다음 사상의 입장으로 가장 적절한 것은?

천지가 화합해야 만물이 생성된다. 이와 마찬가지로 남녀가 결혼해야 자손이 태어나고 번영해서 만세에까지 이어진다. …(중략)… 남자가 친히 아내를 맞이할 때 선물을 가지고 상견(相見)하는 것은 공경을 통해 부부유별을 밝히려는 것이다. 이처럼 남녀가 유별한 뒤라야 부자가 친하게 되고, 그런 다음에야 도의가 성립되며, 도의에 의해 예의가 제정되고, 그런 다음에야 만사가 안정된다. 만일 남녀의 구별이 분명하지 않고 도의가 성립하지 않는다면, 그것은 금수(禽獸)의 도(道)다.

① 부부의 예절은 성 역할의 차이를 해소하는 데서 시작한다.
② 금수에게도 사람의 남녀에게 볼 수 있는 분별적 도리가 있다.
③ 남녀가 부부의 연을 맺을 때 일정한 절차가 필요한 것은 아니다.
④ 부부간에도 공경하는 마음을 담아 예절의 형식을 따라야 한다.
⑤ 부부의 도리는 두 사람의 관계보다 각자의 개별성을 중시해야 한다.

| 교육청 기출 |

15 ㉠에 들어갈 진술로 가장 적절한 것은?

세상 만물은 음양(陰陽)의 대립, 통일, 순환의 과정을 통해 균형을 이루게 된다. 예를 들어 하늘, 태양, 남성, 오전 등이 양이라면, 땅, 달, 여성, 오후 등은 음이라고 할 수 있다. 이들은 서로 대립 관계에 있으면서도 의존관계에 있다. 그런데 어떤 사람들은 "하늘과 남성은 양으로서 존엄하고, 땅과 여성은 음으로서 비천하다."라고 주장한다. 나는 이 사람들이 [　㉠　] 고 생각한다.

① 남존여비가 인간관계의 기본 원칙임을 간과하고 있다
② 음양은 구별되지만 차등 관계가 아님을 간과하고 있다
③ 남녀는 서로 존중해야 할 혈연관계임을 간과하고 있다
④ 음양의 논리로 남녀를 설명할 수 없음을 간과하고 있다
⑤ 남녀는 음양의 조화로 형성된 종적 관계임을 간과하고 있다

| 수능 기출 |

16 다음 사상가의 입장으로 옳지 <u>않은</u> 것은?

사랑은 본래 '주는 것'이다. 시장형 성격의 사람은 사랑을 받는 것에 대한 교환의 의미로만 주어야 한다고 본다. 비생산적인 성격의 사람은 주는 것을 가난해지는 것으로 생각해서 대부분은 주려고 하지 않는다. 다만 어떤 사람은 환희의 경험보다 고통을 감수하는 희생이라는 의미에서 사랑을 주는 것을 덕으로 삼는다. 그들은 모두 사랑에 대해 오해하고 있다. 생산적인 성격의 사람은 사랑을 주는 것이 잠재적인 능력의 최고 표현이며 생산적인 활동이라고 본다. 이것은 상대방의 생명과 성장에 적극적인 관심을 가지는 것이고, 자발적으로 책임지는 것이며, 착취 없이 존경하는 것이다.

① 사랑은 자신을 희생하여 상대방이 원하는 것을 들어주는 것이다.
② 사랑은 상대방의 요청에 성실하게 응답할 준비를 갖추는 것이다.
③ 사랑은 상대방이 자기 능력을 최대한 발휘하도록 돌보는 것이다.
④ 사랑은 상대방을 지배하는 것이 아니라 있는 그대로 보는 것이다.
⑤ 사랑은 능동적으로 활동하여 자신의 생동감을 고양하는 것이다.

1 직업 생활과 행복한 삶

1. 직업의 의미와 기능

(1) 의미 생계를 유지하기 위해 자신의 적성과 능력에 따라 일정 기간 계속하여 종사하는 일

(2) 경제적 보상, 자발성, 지속성의 특징을 지님

(3) 기능

개인적	• 경제적으로 안정된 삶을 영위하게 함 • 잠재력을 발휘함으로써 자아를 실현하게 함
사회적	사회생활에 참여함으로써 사회 발전에 기여함

2. 동서양의 직업관

(1) 동양 사상가들의 직업관

맹자	일정한 생업[恒産]이 있어야 바른 마음[恒心]을 지닐 수 있음
순자	각자의 적성과 능력에 따라 직업을 맡아야 한다는 역할 분담론 주장
실학자	신분적 질서에서 벗어나, 사회 분업에 따라 직업을 직능적으로 파악

핵심 기출 자료 분석 맹자의 직업관

대인이 할 일이 있고 소인이 할 일이 따로 있으며, 어떤 사람은 마음을 수고롭게 하고, 어떤 사람은 몸을 수고롭게 한다.

분석 | 맹자는 정신노동과 육체노동을 구분하며, 양자의 상보성과 노력자(勞力者)에 대한 노심자(勞心者)의 배려를 강조한다.

(2) 서양 사상가들의 직업관

플라톤	각 계층이 고유한 덕(德)을 발휘하여 직분에 충실해야 함
칼뱅	직업은 신이 부여한 소명(김命)이며, 직업적 성공을 거두고 부를 축적하는 것은 구원의 징표임
마르크스	• 인간은 노동을 통해 자기 본질을 실현해야 함 • 자본주의 체제에서는 분업화된 노동으로 노동자가 노동으로부터 소외됨

3. 현대 직업 생활과 행복

(1) 행복과 직업 삶의 목적인 행복은 인생의 많은 부분을 차지하고 있는 직업 생활을 통해 달성될 수 있음

(2) 현대 직업 생활의 문제

① 직업을 부의 획득과 과시의 수단으로만 여겨 귀천을 구분함

② 자본주의적 분업 방식을 통한 소외 발생

2 직업윤리와 청렴

1. 직업윤리

(1) 직업윤리의 의미 직업인으로서 자신이 맡은 일에서 지켜야 할 마땅한 도리

(2) 직업윤리의 필요성 부정부패를 막고 개인의 자아실현과 공동체 발전에 기여함

2. 다양한 직업윤리

(1) 전문직 윤리와 공직자 윤리

전문직 윤리	전문직은 고도의 전문적 교육을 거쳐서 일정한 자격 또는 면허를 취득해야만 종사할 수 있음 ➡ 직업적 양심과 수준 높은 책임 의식이 요구됨
공직자 윤리	공직자는 국가 기관이나 정부의 예산에 의해 운영되는 공공 단체의 일을 맡아 보는 사람 ➡ 청렴, 봉공, 봉사의 자세를 지녀야 함

(2) 기업가 윤리와 근로자 윤리

기업가 윤리	근로자의 권리를 존중하고 합법적인 이윤 추구와 동시에 기업의 사회적 책임을 다해야 함
근로자 윤리	자신의 분야에서 최대의 잠재력을 발휘하고, 기업가와 협력을 추구해야 함

3. 부패 방지와 청렴 문화

(1) 부패의 문제

개인적 측면	시민 의식 발달 저하, 개인 권리의 부당한 침해 등
사회적 측면	사회적 비용의 낭비, 공정한 경쟁의 틀 파괴, 국민 간 위화감 조성, 국가 신인도의 하락 등

(2) 청렴한 사회 실현

① 청렴의 의미 뜻과 행동이 맑고[淸] 염치를 알아[廉] 탐욕을 부리지 않음

② 청렴의 자세 견리사의(見利思義), 멸사봉공(滅私奉公)

③ 청렴한 사회를 위한 제도적 노력 투명성이 담보되는 절차 마련 예 청렴도 측정 제도, 청렴 계약제 등

핵심 기출 자료 분석 정약용의 청렴

청렴함은 천하에서 '큰 장사'이다. 그러므로 크게 장사하려는 사람은 반드시 청렴해야 한다. 청렴한 자는 청렴함을 편안하게 여기고 지혜로운 자는 청렴함을 이롭게 여긴다.

분석 | 정약용은 『목민심서』에서 공직자는 자신의 사사로운 이익을 넘어선 청렴의 자세를 지닐 것을 강조하고 있다.

개념 암기

1 설명이 맞으면 ○표, 틀리면 X표 하시오.

(1) 칼뱅은 직업을 '신으로부터 부름 받은 자기 몫의 일'이라고 보았다. ( )

(2) 맹자는 도덕적 삶을 지속하기 위해서 경제적 안정을 위한 일정한 생업이 필요하다고 보았다. ( )

(3) 플라톤은 모든 계층의 사회적 역할은 개인의 선택에 따라 결정된다고 보았다. ( )

2 빈칸에 들어갈 알맞은 말을 쓰시오.

(1) 순자는 ( )의 제도와 규범으로 적성과 능력에 따라 사회적 직분을 분담하여 역할을 수행하도록 하였다.

(2) 마르크스는 인간은 ( )을 통해 자신의 본질을 실현하는 존재라고 보았다.

(3) 칼뱅은 직업적 성공을 거두고 부를 축적하는 것은 ( )의 징표라고 보았다.

3 행복한 직업 선택의 조건으로 적절한 것을 〈보기〉에서 있는 대로 고르시오.

보기
ㄱ. 바람직한 직업관을 지녀야 한다.
ㄴ. 소질, 적성, 가치관에 맞는 직업을 선택해야 한다.
ㄷ. 소명 의식, 연대 의식 등을 바탕으로 직업을 수행해야 한다.
ㄹ. 직업 자체가 목적이기보다 돈을 얻기 위한 수단으로 보아야 한다.

( )

4 직업윤리와 그 내용을 바르게 연결하시오.

(1) 기업가 윤리 • • ㉠ 건전한 이윤 추구, 소비자와 근로자의 권리 존중

(2) 근로자 윤리 • • ㉡ 공익 실현을 위한 노력, 국민에게 봉사하는 자세

(3) 전문직 윤리 • • ㉢ 근로 계약 준수, 업무의 성실한 수행

(4) 공직자 윤리 • • ㉣ 노블레스 오블리주, 직업적 양심과 책임 의식

내신 기출

1 직업 생활과 행복한 삶

01 갑, 을 사상가들의 입장을 〈보기〉에서 있는 대로 고른 것은?

갑: 대인의 일과 소인의 일은 구분된다. 그렇기 때문에 어떤 사람은 마음을 수고롭게 하고, 어떤 사람은 몸을 수고롭게 한다.
을: 선왕(先王)이 제정한 예에 따라 사람들의 직분을 구분하고, 하는 일에 질서를 마련하며, 재능과 기술을 따져 능력 있는 사람들에게 벼슬을 내려야 한다.

보기
ㄱ. 갑: 직업을 통한 생계유지는 중요하다.
ㄴ. 갑: 육체노동과 정신노동은 동일한 것이다.
ㄷ. 을: 인위적인 규범에 따라 직분을 구분해야 한다.
ㄹ. 갑, 을: 직업을 통한 부의 축적은 바람직하지 않다.

① ㄱ, ㄴ ② ㄱ, ㄷ ③ ㄴ, ㄷ
④ ㄱ, ㄴ, ㄹ ⑤ ㄱ, ㄷ, ㄹ

02 다음을 주장한 사상가가 긍정의 대답을 할 질문으로 옳은 것은?

저마다 타고난 성향에 따라 한 가지 일에 배치되어야만 된다. 이는 각자가 한 가지 일에 종사함으로써 여럿이 아닌 하나가 되도록 하고, 나라 전체가 자연적으로 여럿이 아닌 '한 나라'로 되도록 하기 위해서이다. 따라서 국가는 구성원 각자가 자신의 직분에 충실하면서 서로 조화를 이룰 때 정의롭게 되며, 사물의 참모습을 인식한 철학자가 통치해야 한다.

① 분업의 원리에 따르는 것이 바람직한가?
② 국가의 모든 계층이 재산을 공유해야 하는가?
③ 구성원들 간에 자유로운 역할 교환이 가능한가?
④ 개인들에게 스스로 직업을 선택할 자유가 있는가?
⑤ 모든 직업인들이 지켜야 할 도덕적 덕목은 없는가?

[03~04] 다음을 읽고 물음에 답하시오.

> 갑: 임금은 임금다워야 하고 신하는 신하다워야 하며, 부모는 부모다워야 하고 자식은 자식다워야 한다.
> 을: 각각의 것이 더 많이, 더 훌륭하게, 그리고 더 쉽게 이루어지는 것은 한 사람이 한 가지 일을 타고난 성향에 따라 적합한 시기에 하되 다른 일에 대해서는 한가로이 대할 때이다.

03 갑, 을 사상가들의 입장에 대한 설명으로 옳지 않은 것은?

① 갑은 자기 직분에 충실한 정명의 자세를 지녀야 한다고 본다.
② 갑은 통치자는 자신의 사적 소유물을 지녀서는 안 된다고 본다.
③ 을은 구성원 각자가 자기 직분을 충실히 이행해야 한다고 본다.
④ 을은 각자의 덕을 발휘하여 국가에 헌신하는 삶을 살아야 한다고 본다.
⑤ 갑, 을은 사회적 분업을 토대로 한 사회 질서 유지가 중요하다고 본다.

주관식

04 윗글에서 갑이 주장한 사상을 일컫는 말을 쓰시오.

05 직업윤리의 일반성에 대한 설명을 〈보기〉에서 고른 것은?

보기
ㄱ. 각자 직업에서 지켜야 하는 특수한 행동 규범이다.
ㄴ. 모든 직업에서 공통적으로 지켜야 하는 행동 규범이다.
ㄷ. 직업인이 정직, 성실, 책임 등의 덕목을 준수해야 함을 의미한다.
ㄹ. 환자의 비밀을 누설해서는 안 된다는 의사 윤리를 예로 들 수 있다.

① ㄱ, ㄴ ② ㄱ, ㄷ ③ ㄴ, ㄷ
④ ㄴ, ㄹ ⑤ ㄷ, ㄹ

06 다음 사상가의 입장에서 긍정의 대답을 할 질문으로 가장 적절한 것은?

> 대인이 할 일이 있고, 소인이 할 일이 따로 있으며, 어떤 사람은 마음을 수고롭게 하고, 어떤 사람은 몸을 수고롭게 한다. 한 사람이 모든 일을 하게 하는 것은 모두를 지치게 만든다.

① 정신노동과 육체노동을 구분할 필요가 없는가?
② 정신노동보다 육체노동의 가치를 더 강조해야 하는가?
③ 모든 사람에게 선택의 자유가 보장될 때 직업의 사회적 의미가 실현되는가?
④ 직업을 통한 사회적 역할 분담은 국가가 아닌 개인이 결정해야 할 사항인가?
⑤ 사회 구성원 각자가 역할을 충실히 수행할 때 사회가 안정적으로 유지되는가?

07 다음을 주장한 사상가의 입장에만 '✓' 표시를 한 학생은?

> 노동자는 그가 부(富)를 더 많이 생산할수록, 또 그의 생산의 힘과 범위가 증대될수록 그만큼 더 가난해진다. 노동자는 그가 더 많은 산물을 만들면 만들수록 그만큼 더 저렴한 상품이 되어 버린다. 사물화된 상품 세계의 가치 증식이 곧바로 인간 세계의 가치 절하를 가져온다.

구분	갑	을	병	정	무
노동은 본래 자연을 변형하는 주체적이고 능동적인 활동이다.	✓		✓	✓	
노동의 소외를 극복하기 위해 자본가에 예속된 노동을 해야 한다.		✓		✓	✓
분업화된 노동으로 인해 소외 문제와 노동력의 착취가 발생한다.	✓	✓			✓
자본의 지휘와 규율의 강화는 노동자의 자아실현에 도움이 된다.			✓	✓	✓

① 갑 ② 을 ③ 병
④ 정 ⑤ 무

갑, 을 사상가의 입장으로 옳은 것을 〈보기〉에서 있는 대로 고른 것은?

> 갑: 신은 사람들에게 각자 해야 할 일들을 정해 주셨다. 사람은 충실한 직업 생활을 통해 신에게 영광을 돌려야 하며, 자신의 부를 가난한 사람들과 나눌 수 있어야 한다.
> 을: 노동의 사회적 생산력을 증대시키는 매뉴팩처의 분업은 개별 노동자를 기형적 불구자로 만들고 노동에 대한 자본의 지배력을 강화한다. 이 때문에 생산 수단이 노동자를 사용하는 왜곡이 일어난다.

보기
ㄱ. 갑: 직업은 오직 원죄를 속죄하기 위해 행해져야 하는 일이다.
ㄴ. 을: 자본주의 사회에서 노동은 인간 본질 실현을 어렵게 한다.
ㄷ. 을: 자본주의 사회에서 분업화된 노동은 인간 소외 문제를 해소한다.
ㄹ. 갑, 을: 노동이 가진 생계 수단 이상의 가치를 중시해야 한다.

① ㄱ, ㄴ ② ㄴ, ㄹ ③ ㄷ, ㄹ
④ ㄱ, ㄴ, ㄷ ⑤ ㄴ, ㄷ, ㄹ

2 직업윤리와 청렴

09 전문직에게 더 높은 윤리적 자세가 요청되는 이유를 〈보기〉에서 고른 것은?

보기
ㄱ. 전문직은 업무의 효율성만 중시하기 때문이다.
ㄴ. 전문적인 기술을 통해 부를 더 많이 축적해야 하기 때문이다.
ㄷ. 사회 지도층에게 사회에 대한 더 높은 도덕성을 요구하기 때문이다.
ㄹ. 전문직은 사회적 영향력이 크며, 그에 따른 책임 의식이 요구되기 때문이다.

① ㄱ, ㄴ ② ㄱ, ㄷ ③ ㄴ, ㄷ
④ ㄴ, ㄹ ⑤ ㄷ, ㄹ

10 (가)의 갑, 을의 입장을 (나) 그림으로 표현할 때, A~D에 해당하는 옳은 내용을 〈보기〉에서 있는 대로 고른 것은?

(가)
갑: 기업은 법을 준수하는 가운데 이윤 극대화라는 최소한의 사회적 책임만 완수하면 된다. 이윤 극대화 이상의 다른 책임을 요구하는 것은 자유 시장 경제 체제의 근간을 뒤흔드는 행위이다.
을: 기업은 이윤의 극대화만을 추구해서는 안 되며, 환경 오염 발생 행위와 같이 사회에 해악을 끼쳐서는 안 된다. 나아가 적극적 자선과 기부 행위를 통해 사회적 책무를 다해야 한다.

(나)
갑 을
A B C D

〈범 례〉
A : 갑만의 입장
B : 갑, 을의 공통 입장
C : 을만의 입장
D : 갑, 을이 모두 취하지 않은 입장

보기
ㄱ. A: 기업은 이윤 극대화 이외의 사회적 책임을 수행할 필요가 없다.
ㄴ. B: 법을 어기는 행위를 내포한 기업의 이윤 추구는 규제되어야 한다.
ㄷ. C: 자유 시장 경제 체제가 아닌 계획 경제를 추구해야 한다.
ㄹ. D: 기업은 공공선을 추구하기 위해 이윤 추구를 지양해야 한다.

① ㄱ, ㄴ ② ㄱ, ㄹ ③ ㄷ, ㄹ
④ ㄱ, ㄴ, ㄹ ⑤ ㄴ, ㄷ, ㄹ

다음 한국 사상가가 강조하는 내용으로 적절하지 않은 것은?

> 목민관은 왕을 대신해 백성의 삶을 직접 보고 들을 뿐만 아니라 왕의 뜻을 백성에게 직접 전하기 때문에 다른 관직보다 그 임무가 중요하다. 그러므로 목민관은 청렴으로 자신을 다스리고, 백성을 받들고, 백성을 사랑하는 것을 기본 덕목으로 삼아야 한다.

① 목민관은 백성을 사랑으로 보살펴야 한다.
② 목민관은 백성들의 이익을 위해 일해야 한다.
③ 목민관은 권한을 남용하지 않고 공익을 추구해야 한다.
④ 목민관은 사치하지 않고 검소한 삶의 자세를 유지해야 한다.
⑤ 목민관은 정책 마련에서 민의를 반영하기보다 사익을 추구해야 한다.

12 (가)의 입장에서 (나)의 문제 상황을 해결하기 위해 제시할 방안으로 적절하지 않은 것은?

(가)	사회 구조나 질서 제도는 단지 개인들의 행위로 환원시키기 어려운 나름대로의 구성 원리나 전개 논리를 지닌다. 따라서 사회 문제의 원인과 처방을 개인의 심정, 양심에서 찾아서는 안 되며, 사회 구조, 제도의 관점에서 접근함으로써 질서 체계의 도덕성을 문제 삼아야 한다.
(나)	국제 투명성 기구의 국가별 부패 인식 지수에 따르면, 우리나라의 국가 청렴도는 경제 협력 개발 기구의 국가 중에서도 하위권에 머물러 있어 부패가 심각한 상태이다.

① 개인의 윤리 의식 함양과 함께 제도적 노력을 병행한다.
② 부패에 관대한 사회 관행을 바꾸기 위해 부패 방지법을 제정한다.
③ 부패를 통해 얻은 부당한 이익을 환수하기 위한 법률적 개선을 시행한다.
④ 임용 시 연고주의 문제를 해결하기 위해 인사 검증을 보완할 제도를 마련한다.
⑤ 사회적 자본으로 작용하는 시민 의식 개선을 촉구하기 위한 캠페인 활동을 한다.

13 다음 입장에서 지지할 주장만을 〈보기〉에서 있는 대로 고른 것은?

기업의 주된 목적은 이윤 추구라는 사실은 변함이 없지만 기업이 전체 사회의 일원으로서 사회 구성원들 없이는 이윤을 창출할 수 없다는 사실에 주목해야 한다. 기업은 지역 복지 사업, 사회적 약자에 대한 경제적 지원 등과 같은 사회적 책임을 이행해야 한다. 이를 통해 기업은 사회로부터 많은 신뢰를 얻음으로써 기업의 주된 목적을 효과적으로 달성할 수 있다.

보기
ㄱ. 기업은 공공선을 위해 이윤 추구를 금지해야 한다.
ㄴ. 기업은 준법 이상의 도덕적 의무를 이행해야 한다.
ㄷ. 기업은 사회로부터 얻은 이윤의 환원 방안을 모색해야 한다.
ㄹ. 기업은 사회적 약자의 삶의 수준 향상에 관심을 지녀야 한다.

① ㄱ, ㄴ ② ㄱ, ㄷ ③ ㄴ, ㄷ
④ ㄱ, ㄴ, ㄹ ⑤ ㄴ, ㄷ, ㄹ

서술형 문제

14 다음 글의 인물들이 공통적으로 보여 준 직업 정신을 서술하시오.

- 조선 시대 중인 출신인 허준은 전국에 전염병이 돌자 직접 수많은 환자를 헌신적으로 치료하고 돌보면서 전염병 치료에 관한 체계적인 의학서를 펴냈다.
- 조선 시대 노비 출신인 장영실은 세종에게 발탁되어 우리나라 최초의 물시계인 자격루를 만들었으며, 세계 최초의 우량계인 측우기를 발명하였다.

15 다음 대화를 읽고 물음에 답하시오.

갑: 우리나라는 헌법 제33조에서 노동 삼권을 보장하고 있어. 이러한 노동 삼권은 (㉠), (㉡), 단체 교섭권이야.
을: (㉠)은 근로자의 지위 향상을 위해 노동자의 단체를 결성할 권리이고, (㉡)은 근로자가 사용자에 대항하여 단체적인 행동을 할 수 있는 권리야.
갑: 그렇다면 헌법에서 이런 권리를 보장하는 이유는 무엇일까?
을: [㉢]

(1) ㉠, ㉡에 들어갈 명칭을 쓰시오.

(2) ㉢에 들어갈 내용을 문장으로 서술하시오.

01 다음을 주장한 사상가의 직업관에만 '✓' 표시를 한 학생은?

> 인간의 구원 여부는 신에 의해 예정되어 있다. 인간은 신의 명령에 충실해야 하는데, 중요한 것은 자신의 직업에 최선을 다하는 것이다. 직업은 신이 맡긴 것이므로 귀천이 없고, 직업을 통해 얻은 이익은 신의 선물이므로 죄악이 아니다.

구분	갑	을	병	정	무
누구나 지니는 원죄(原罪)를 속죄하는 유일한 수단이다.	✓		✓	✓	
부의 축적을 궁극적 목적으로 삼지 않는다.		✓		✓	✓
신에 의해 주어진 거룩한 소명(召命)이다.	✓	✓			✓
신으로부터 구원이 확정된 사람만이 참여하는 활동이다.			✓	✓	✓

① 갑 ② 을 ③ 병
④ 정 ⑤ 무

02 (가)의 갑의 입장이 을의 입장에 비해 갖는 상대적 특징을 (나)의 ㉠~㉤ 중에서 고른 것은?

(가)
갑: 직업을 단순히 물질적 욕구를 충족시키는 수단으로 삼아서는 안 된다. 직업이 부의 획득을 위한 수단이 되면, 직업 활동을 통해 느낄 수 있는 보람과 자기만족이 과소평가되기 때문이다.
을: 직업은 물질적 욕구를 충족시켜 과시하기 위해 존재하는 것이다. 인간의 삶에서 가장 중요한 것은 물질적 욕구를 충족시키는 것이며 다른 정신적 가치를 우선할 수 없다.

(나)
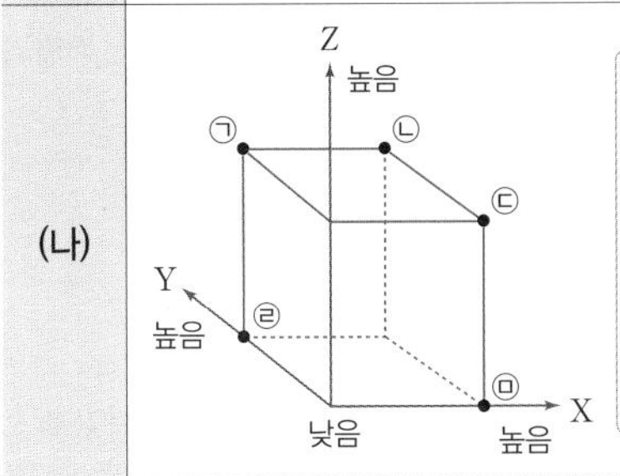

X축: 직업에서 자아실현을 강조하는 정도
Y축: 직업을 자기 과시의 수단으로 강조하는 정도
Z축: 직업을 물질적 욕구 충족을 기준으로 평가하는 정도

① ㉠ ② ㉡ ③ ㉢
④ ㉣ ⑤ ㉤

03 다음 글은 신문 칼럼이다. ㉠에 들어갈 적절한 내용만을 〈보기〉에서 있는 대로 고른 것은?

ㅇㅇ 신문 ㅇㅇㅇㅇ년ㅇㅇ월ㅇㅇ일

칼럼

미국에서 ◯◯사의 해열 진통제를 복용한 사람이 사망한 사건이 발생했다. 조사 결과 진통제에 독극물이 들어 있음이 밝혀지자 ◯◯사는 즉각 소비자에게 제품을 먹지 말 것을 권고했다. 또한 문제없는 제품까지 수거해 손해를 입었지만, ◯◯사는 소비자의 안전을 위한 즉각적인 대응을 보였다. 이에 소비자들은 ◯◯사를 지속적으로 신뢰하게 되었다. 이 사례는 [㉠]을 보여 준다.

보기
ㄱ. 기업에 이윤 추구 외의 사회적 책임을 강요하는 것은 시장 원리에 어긋남
ㄴ. 기업이 적극적 책임을 이행할 때 소비자로부터 좋은 기업으로 인정받을 수 있음
ㄷ. 기업의 윤리적 경영은 공익뿐만 아니라 기업의 장기적 이익 증가에 도움이 됨
ㄹ. 기업은 주주의 이익만이 아니라 기업 활동과 관련된 사회 구성원의 이익을 고려해야 함

① ㄱ, ㄷ ② ㄱ, ㄹ ③ ㄴ, ㄹ
④ ㄱ, ㄴ, ㄷ ⑤ ㄴ, ㄷ, ㄹ

04 다음 사상가의 입장으로 적절하지 않은 것은?

> 사람들이 청렴하지 못하는 것은 그 지혜가 짧기 때문이다. 청렴한 자는 청렴함을 편안히 여기고 지혜로운 자는 청렴함을 이롭게 여긴다. 재물이란 우리 사람들이 크게 욕심내는 바이다. 그러나 욕심내는 것에 재물보다 더 큰 것이 있으므로 재물을 버리고 취하지 않기도 한다.

① 목민관의 으뜸 되는 임무는 절용(節用)이다.
② 목민관은 애민의 정신으로 백성의 삶을 보살펴야 한다.
③ 목민관은 공사를 구분하지 않고 국가의 일을 맡아야 한다.
④ 목민관은 청빈한 삶을 살면서 국가의 일에 정성을 다해야 한다.
⑤ 목민관은 공직을 이용하여 사익을 취하는 행동을 해서는 안 된다.

1 분배 정의의 의미와 윤리적 쟁점들

1. 사회 윤리와 사회 정의

(1) 개인 윤리와 사회 윤리

개인 윤리	개인의 양심과 합리성 등의 회복을 통한 사회 문제 해결 강조
사회 윤리	개인의 도덕성뿐만 아니라 사회 구조와 제도의 개선을 통한 사회 문제 해결 주장

(2) 니부어의 사회 윤리　개인의 도덕성보다 사회 집단의 도덕성이 현저하게 떨어짐 ➡ 사회 문제 해결을 위해서 정치적인 강제력에 의한 방법이 병행되어야 함

(3) 사회 정의　대체로 사회적 재화의 분배와 관련되어 있음

→ 분배적 정의, 교정적 정의

2. 분배 정의

(1) 분배 정의의 의미　'각자에게 자신의 정당한 몫'을 돌려주는 것 ➡ 공정한 분배의 기준 마련

(2) 분배의 다양한 기준　절대적 평등, 필요, 능력, 업적

(3) 분배 정의에 관한 다양한 입장

롤스	• 공정한 절차를 통해 합의한 것이라면 정의롭다고 봄 ➡ 공정으로서의 정의 • 무지의 베일을 쓴 원초적 입장에서 도출된 정의의 두 원칙을 따라야 함 ➡ 평등한 자유의 원칙, 차등의 원칙, 공정한 기회 균등의 원칙
노직	• 개인의 원리를 보호하고 존중하는 것을 정의롭다고 봄 ➡ 재화의 취득, 양도, 이전의 절차가 정당하면 그로부터 얻은 소유물은 개인이 절대적 소유 권리를 지님 • 타인의 침해로부터 개인을 보호하기 위한 역할을 수행하는 최소 국가만이 정당함
왈처	• 다양한 분배 영역에서 상이한 기준에 따라 상이한 사회적 가치가 분배되어야 함
마르크스	• 능력에 따라 일하고 필요에 따라 분배할 것을 주장함 • 능력에 따른 분배는 경제적 불평등을 발생시킴 ➡ 경제적 불평등의 해소를 주장함

핵심 기출 자료 분석　롤스와 노직의 입장 비교

• 롤스: 재산과 권력의 차이와 같은 사회적·경제적 불평등은 그것이 모든 사람, 그 중에서도 특히 사회의 최소 수혜자에게 그 불평등을 보상할 만한 이득을 가져오는 경우에만 정당하다.

• 노직: 한 사람의 소유물은 취득과 이전에서의 정의의 원리 또는 불의의 교정의 원리에 의해 그가 그 소유물의 권리를 부여받았다면, 정당하다.

분석 | 롤스는 최소 수혜자들을 배려하는 분배를 정의롭다고 본다. 이와 달리 노직은 롤스의 최소 수혜자를 배려하는 분배 방식은 개인의 정당한 소유권을 침해한다고 본다.

3. 소수자 우대 정책에 대한 찬반 입장

찬성 근거	• 과거 부당한 차별에 대한 교정과 보상 • 사회적 약자의 처지 개선 ➡ 사회적 다양성과 공동선 실현 • 사회적 격차의 감소
반대 근거	• 과거 차별을 현세대에 보상하는 보상 대상에 대한 부적절함 • 사회적 약자의 자존감 손상 • 역차별로 인한 다수 집단의 분노 발생

2 교정적 정의의 의미와 윤리적 쟁점들

1. 교정적 정의와 공정한 처벌

응보주의	처벌은 범죄에 상응하여야 하며, 도덕적 형평성 회복을 목적으로 함
공리주의	처벌은 범죄자를 교화하고 범죄를 예방하는 것으로, 사회적 이익 증진을 목적으로 함

2. 사형 제도의 윤리적 쟁점

(1) 사형 제도에 대한 다양한 입장

칸트	사형제 존치: 사형은 동등성의 원리에 근거한 것이며, 사형은 살인한 범죄자의 인격을 존중하는 것임
루소	사형제 존치: 사회 계약에 따르면 계약자는 자신의 생명 보존을 위해 살인자의 사형에 동의한 것임
베카리아	사형제 폐지: 사형은 공익에 이바지하는 바가 적으며, 사형보다 종신 노역형이 사회 이익에 부합함

핵심 기출 자료 분석　칸트와 베카리아의 입장 비교

• 칸트: 모든 인간은 목적으로 대우받아야 한다. 사형은 살인범의 인간성을 훼손할 수 있는 모든 가혹 행위로부터 살인범의 인격을 존중하는 것이다.

• 베카리아: 모든 인간에게 살인범의 끝없는 비참한 상태를 보여 주는 것이 사형보다 범죄 예방에 더 효과적이다. 형벌의 강도보다 지속성이 사람들에게 더 큰 영향을 준다.

분석 | 칸트는 응보론의 관점에서 사형제를 옹호하였으며, 베카리아는 범죄 예방 효과 측면에서 사형제 폐지를 주장하였다.

(3) 사형 제도에 관한 찬반 입장

찬성	• 사형제는 범죄 억제 효과가 매우 큼 • 국민의 법 감정은 사형제를 지지하고 있음 • 종신형 제도는 경제적인 부담이 크고 비인간적일 수 있음
반대	• 사형제의 범죄 억제 효과가 미미함 • 사형제는 범죄자의 교화 가능성 부정, 오판 가능성 있음 • 정치적으로 악용될 가능성이 있음

개념 암기

1 빈칸에 들어갈 알맞은 말을 쓰시오.

(1) 개인의 도덕성 회복을 통한 윤리 문제 해결을 강조하는 입장은 (　　　　　)에 해당한다.

(2) 사회 구조와 제도의 개선을 통해 윤리 문제 해결을 강조하는 입장은 (　　　　　)에 해당한다.

(3) (　　　　　)는 사회 집단 간 힘의 불균형과 집단 이기주의로 인한 갈등은 개인의 도덕성에만 호소해서는 해결이 불가능하다고 본다.

2 괄호 안의 내용 중 알맞은 말을 골라 ○표 하시오.

(1) 사회적 재화의 이익과 부담에 대한 공정한 분배를 강조하는 것을 (분배적 정의, 교정적 정의)라고 한다.

(2) (업적, 필요)에 의한 분배는 약자를 보호하고 사회 안정성을 향상시킨다는 장점이 있다.

(3) 롤스는 분배의 공정한 합의를 위해 (가상, 현실)적 상황에서 정의의 원칙을 세워야 한다고 본다.

3 사상가가 주장한 분배 정의를 바르게 연결하시오

(1) 롤스 • 　　　　• ㉠ 소유 권리로서의 정의

(2) 노직 • 　　　　• ㉡ 복합 평등의 다원적 정의

(3) 왈처 • 　　　　• ㉢ 공정으로서의 정의

4 설명이 맞으면 ○표, 틀리면 X표 하시오.

(1) 칸트는 사형을 통해 살인에 대한 응보주의적 정의가 실현된다고 본다. (　　　)

(2) 베카리아는 사형은 살인을 예방하기 위한 가장 효과적인 수단이라고 본다. (　　　)

5 사형 제도에 대한 반대 근거를 〈보기〉에서 있는 대로 고르시오.

보기

ㄱ. 사형의 범죄 예방 효과에 대한 확실한 증거가 없음

ㄴ. 사회 방위를 위한 흉악범의 완전한 격리가 필요함

ㄷ. 정치적으로 악용 가능성이 있음

ㄹ. 범죄자의 교화 기회를 박탈함

(　　　　　)

내신 기출

1 분배 정의의 의미와 윤리적 쟁점들

01 다음을 주장한 사상가의 입장을 〈보기〉에서 있는 대로 고른 것은?

> 사회의 전체 구조가 잘못되어 있는데 개인에게만 올바르게 살아가라고 요구할 수 있는가? 개인에게 선하게 살아가라고 요구하기 전에 우선 잘못된 사회적 관행이나 제도를 고쳐야 할 것이 아닌가?

보기

ㄱ. 사회 문제를 해결하기 위해서 정치적 강제력은 최대화되어야 한다.

ㄴ. 집단은 개인에 비해 이기적인 충동을 극복할만한 이성적 능력이 적다.

ㄷ. 집단의 도덕성은 개인의 도덕성보다 열등하지 않고 오히려 우월하다.

ㄹ. 집단의 영향을 받는 개인은 도덕성을 유지하려는 노력을 해야 한다.

① ㄱ, ㄴ　② ㄱ, ㄷ　③ ㄴ, ㄹ
④ ㄱ, ㄷ, ㄹ　⑤ ㄴ, ㄷ, ㄹ

02 (가), (나)의 입장에 대한 설명으로 옳은 것은?

> (가) 개인과 집단은 합리성과 선의지를 통해 언제나 이기적 충동을 억제할 수 있다. 이기적 충동들은 합리성과 선의지의 고양에 의해 견제되어 결국 모든 집단이 조화를 이루게 된다.
>
> (나) 개인에서 집단으로 이행할수록 이기적 충동들에 비해 합리성과 선의지의 비중이 줄어든다. 이기적 충동들이 심각하게 확대될 경우 이에 대항할 수 있는 사회적 억제력이 필요하다.

① (가): 사회 집단의 도덕성은 개인의 도덕성보다 높다.
② (가): 개인 양심의 회복만으로 사회 문제가 해결되기 어렵다.
③ (나): 개인의 도덕적 양심은 사회 정의에 기여할 수 없다.
④ (나): 사회 제도 개선을 통한 사회 문제 해결이 필요하다.
⑤ (가), (나): 개인의 도덕성이 사회의 도덕성을 결정한다.

03 다음은 분배 정의의 장단점을 정리한 내용이다. 적절하지 않은 것은?

	기준	장점	단점
①	절대적 평등	모두에게 기회와 혜택을 골고루 분배함	생산 의욕과 책임 의식이 약화됨
②	필요	사회적 약자를 보호하는 도덕의식에 부합함	효율성이 저하됨
③	능력	생산성이 향상됨	우연적이고 선천적인 영향의 배제가 어려움
④	업적	객관적 평가와 측정이 용이함	사회적 약자를 배려하기 어려움
⑤	노력	책임 의식이 향상됨	생산 의욕이 저하됨

04 다음을 주장한 사상가가 긍정의 대답을 할 질문으로 옳은 것은?

> 시민 X가 정치적 공직에 있어 시민 Y보다 우선하여 선택될 경우에 두 사람은 정치 영역에서 불평등하게 된다. 하지만 X가 자신의 공직으로 인해 다른 영역들에 있어서 Y보다 유리하게 되지 않는 한, 그들은 전체적으로 불평등하지 않다.

① 정의의 각 영역 사이에 존재하는 영역 간 경계를 허물어야 하는가?
② 가상적 상황에서 분배의 원칙을 도출해야 한다고 보는 것은 잘못인가?
③ 개인의 소유 권리를 보호하기만 하는 최소 국가가 바람직한 국가인가?
④ 분배에서 공동체의 문화적 특수성에 따른 가치의 차이를 부정해야 하는가?
⑤ 어느 사회에서도 적용되는 보편타당한 의미를 지닌 가치가 존재한다고 보는가?

05 다음 사상가가 지지할 입장에 모두 '✓' 표시를 한 학생은?

> 아무도 자신보다 더 큰 천부적 능력이나 공적을 사회에서 보다 유리한 출발 지점으로 이용할 자격은 없다. 하지만 그렇다고 해서 이런 차이들을 없애야 하는 것은 아니다. 사회의 기본 구조를 이러한 우연성이 최소 수혜자의 선을 위하여 작용할 수 있도록 만들면 된다.

입장	갑	을	병	정	무
개인의 기본적 자유가 복지를 위해 제한되어서는 안 된다.	✓	✓		✓	
사회 전체의 효용이 증대될 때 불평등이 정당화될 수 있다.	✓		✓		✓
사회 구조는 사회적 약자의 협력을 이끌 수 있게 구성되어야 한다.		✓		✓	✓
분배 결과에 비추어 분배의 공정성을 판단해서는 안 된다.			✓	✓	✓

① 갑 ② 을 ③ 병
④ 정 ⑤ 무

06 갑이 을에게 제기할 비판으로 옳지 않은 것은?

> 갑: 고용에 있어 성별, 인종 등 우연한 요인으로 인해 실질적으로 평등한 기회를 부여받지 못하는 것은 부당하다. 이를 바로잡기 위해 상대적으로 기회가 적은 여성에게 고용에서 일정 비율을 여성으로 채우는 여성 고용 할당제가 실시되어야 한다.
> 을: 고용의 기회는 모두에게 형식적으로 동등해야 정당하다. 채용과 고용에 있어 성별의 차이는 고려할 필요가 없으며, 이는 능력과 업적으로 채용 여부를 결정해야 한다. 따라서 일정 비율을 여성으로 채우는 여성 고용 할당제는 부당하다.

① 여성 고용 할당제가 사회 정의 실현에 기여함을 간과하고 있다.
② 과거의 여성 차별에 대한 현재의 보상이 정당함을 간과하고 있다.
③ 여성을 우대하는 정책으로 또 다른 차별이 발생할 수 있음을 간과하고 있다.
④ 사회적 약자인 여성에게 유리한 기회를 부여하는 것이 필요함을 간과하고 있다.
⑤ 사회적 약자에 대한 배려를 통해 사회 행복을 증진할 수 있음을 간과하고 있다.

07 다음 사상가가 부정의 대답을 할 질문으로 가장 적절한 것은?

> 누군가의 노동의 결과를 강탈한다면 그 사람에게서 시간을 강탈하고 그에게 다양한 활동을 명령하는 것이나 마찬가지이다. 누군가 당신에게 일정한 시간 동안 특정한 일 또는 보수가 없는 일을 하라고 강요한다면 그 사람은 당신이 무엇을 해야 하며, 그 일로 어떤 목적을 달성해야 하는가를 직접 정하는 꼴이다. 이러한 행위는 부분적으로나마 그들을 당신의 소유자로 만들며, 그들에게 당신에 대한 소유권을 넘기는 행위이다.

① 개인의 천부적 재능은 공유 자산으로 여겨야 하는가?
② 최소 국가를 소득 재분배의 주체로 여겨서는 안 되는가?
③ 개인이 지닌 소유 권리에 최고 가치를 부여해야 하는가?
④ 개인을 전체를 위한 수단으로 이용될 수 있다고 보는 것은 잘못인가?
⑤ 취득과 양도 과정에서의 잘못에 대해 국가가 개입하여 교정할 수 있는가?

08 ㉠에 들어갈 옳은 내용만을 〈보기〉에서 있는 대로 고른 것은?

> 고대의 어떤 사상가는 "정의는 일종의 비례이며, 비례는 비율의 동등성이다. 사람들이 나누어야 하는 몫은 그들의 관계에 비례할 때 정의롭다."라고 주장하였다. 재화를 나눌 때 어떤 사람이 응분의 몫보다 더 많이 취하고, 어떤 사람은 그의 몫보다 더 적게 취하는 경우에 대해 이 사상가는 [㉠]고 볼 것이다.

보기
ㄱ. 기하학적 비례에 따라 몫을 분배하지 않으므로 옳지 않다
ㄴ. 사회 전체의 행복 극대화에 도움이 되지 않으므로 옳지 않다
ㄷ. 가치에 비례하는 몫을 누리지 못하는 상황이 발생하므로 옳지 않다
ㄹ. 산술적 비례에 따라 모두가 동등한 몫을 누리지 못하므로 옳지 않다

① ㄱ, ㄴ ② ㄱ, ㄷ ③ ㄴ, ㄷ
④ ㄴ, ㄹ ⑤ ㄷ, ㄹ

09 갑, 을 사상가들의 입장에 대한 설명으로 적절한 것은?

> 갑: 타고난 재능이나 사회적 지위로 인해 불이익을 받거나 혜택을 받는 것은 불합리하다. 그것은 자연적 운이나 사회적 운에 해당하는 것이기 때문이다.
> 을: 이성의 능력과 같은 자연적 자산은 마땅히 그에게 속한 것이므로 그로 인해 갖게 된 모든 소유물도 당연히 그의 것이 되어야 한다.

① 갑은 소득 재분배는 공리의 원리에 따라 실시되어야 한다고 본다.
② 갑은 최소 국가에 의해서만 경제적 정의가 실현될 수 있다고 본다.
③ 을은 개인의 천부적 자질을 사회적 자산으로 여겨야 한다고 본다.
④ 을은 국가가 개인의 권리를 보호하는 최소한의 역할만 해야 한다고 본다.
⑤ 갑, 을은 사회적 약자의 삶의 질 개선을 기본적 자유 보장보다 우선해야 한다고 본다.

2 교정적 정의의 의미와 윤리적 쟁점들

10 갑, 을 사상가들의 입장으로 옳은 것은?

> 갑: 모든 인간은 목적으로 대우받아야 한다. 사형은 살인범의 인간성을 훼손할 수 있는 모든 가혹 행위로부터 살인범의 인격을 존중하는 것이다.
> 을: 모든 사람들에게 살인범의 끝없는 비참한 상태를 보여 주는 것이 사형보다 범죄 예방에 더 효과적이다. 형벌의 강도보다 지속성이 사람들에게 더 큰 영향을 준다.

① 갑: 사형은 범죄 억제를 위한 수단이다.
② 갑: 사형은 살인죄에 대한 정당한 처벌이 아니다.
③ 을: 사형은 살인범의 인격을 존중하는 형벌이다.
④ 을: 사형은 종신형에 비해 사회적 효용이 낮은 형벌이다.
⑤ 갑, 을: 사형은 국가가 저지르는 범죄 행위이므로 폐지되어야 한다.

11 갑, 을 사상가들의 입장에 대한 옳은 설명만을 〈보기〉에서 있는 대로 고른 것은?

> 갑: 사회 계약은 시민의 생명을 처분하는 것이 아니라 시민의 생명을 보전하는 것이다. 그 누구도 살해당하기를 원치 않기 때문에 각자는 생명 보전을 목적으로 하는 계약에 동의한다. 그래서 각자는 자신을 공동체에 양도하여 일반의 의지 감독 아래에 둔다.
> 을: 일반 의사를 대표하는 법은 살인을 증오하고 그 행위를 처벌한다. 범죄 억제에 가장 확실한 효과를 위해서는 사형보다 살인범에게 지속적인 고통을 주는 형벌을 집행해야 한다.

보기
ㄱ. 갑은 사형 제도가 계약자인 시민의 생명과 안전을 확보하기에 정당하다고 본다.
ㄴ. 을은 범죄 억제력 측면에서 사형보다 우월한 형벌은 존재하지 않는다고 본다.
ㄷ. 갑은 을과 달리 사형제는 살인범의 인간 존엄성의 존중을 전제한 것으로 본다.
ㄹ. 갑과 을은 국가가 범죄에 대해 내리는 형벌을 사회 계약의 위반에 대한 배상이라고 본다.

① ㄱ, ㄴ　② ㄱ, ㄹ　③ ㄴ, ㄷ
④ ㄱ, ㄷ, ㄹ　⑤ ㄴ, ㄷ, ㄹ

사형에 대한 다음 사상가의 입장을 〈보기〉에서 고른 것은?

> 공적인 정의는 어떠한 종류의 처벌을 원리와 기준으로 삼는가? 그것은 분동을 사용하는 접시저울에서와 같은 등가성의 원리이다. 그러므로 만일 네가 다른 사람에게 아무런 이유 없이 악한 행위를 했을 경우 너는 너 자신에게도 같은 짓을 한 셈이 된다.

보기
ㄱ. 사형은 범죄자의 생명에 대한 권리를 침해하는 것이다.
ㄴ. 사형은 범죄의 가볍고 무거움에 비례하는 보복의 수단이다.
ㄷ. 사형은 살인범의 인간성을 훼손할 가혹으로부터 살인범의 인격을 존중하는 것이다.
ㄹ. 사형은 범죄자가 살아있는 것이 국가 전체를 위험에 처하게 할 경우에나 적합한 형벌이다.

① ㄱ, ㄴ　② ㄱ, ㄷ　③ ㄴ, ㄷ
④ ㄴ, ㄹ　⑤ ㄷ, ㄹ

13 그림은 형성 평가 문제지에 학생이 답을 표시한 것이다. ㉠~㉣ 중에서 옳게 표시된 것을 고른 것은?

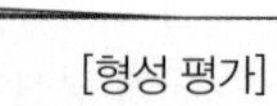

※ 다음 사상가가 지지할 주장으로 옳으면 '예', 틀리면 '아니요'에 '✓' 표시를 하시오.

> 법의 일반적 목적은 해악을 방지하는 것이다. 그러나 모든 형벌은 악이다. 공리의 원칙에 의하면, 형벌이 허용될 수 있는 경우는 그것을 통해 더 큰 악을 제거하는 것이 보장될 때 뿐이다.

- 주장1: 형벌은 동등성의 원리에 따라 이루어져야 한다. 예☑ 아니요☐ …… ㉠
- 주장2: 형벌의 긍정적 결과는 형벌의 수단을 정당화한다. 예☑ 아니요☐ …… ㉡
- 주장3: 형벌의 부과는 공리성에 의거하여 결정되어야 한다. 예☐ 아니요☑ …… ㉢
- 주장4: 형벌은 시민 사회의 선을 증진시키는 수단으로 행해져서는 안 된다. 예☐ 아니요☑ …… ㉣

① ㉠, ㉡　② ㉠, ㉢　③ ㉡, ㉢
④ ㉡, ㉣　⑤ ㉢, ㉣

14 ㉠에 들어갈 말로 가장 적절한 것은?

> 갑: 사형 제도의 존폐 여부는 동등성의 원리에 따라 결정해야 합니다. 타인의 생명을 빼앗은 사람은 똑같이 자신의 생명을 바쳐 응분의 처벌을 받아야 합니다.
> 을: 그렇지 않습니다. 사형 제도의 존폐 여부는 유용성의 원리에 근거해 판단해야 합니다.
> 갑: 아닙니다. 저는 당신의 견해가 [　㉠　]는 점을 간과하고 있다고 생각합니다.

① 사회 방위를 위해 사형 제도가 존치되어야 한다
② 범죄 예방의 효과가 없다면 사형 제도가 폐지되어야 한다
③ 응보적 처벌이 이루어지도록 사형 제도가 존치되어야 한다
④ 공익보다 생명권이 우선하므로 사형 제도가 폐지되어야 한다
⑤ 인간 존엄성을 실현하기 위해 사형 제도가 폐지되어야 한다

15 (가)의 갑, 을 사상가들의 입장을 (나) 그림으로 표현할 때, A~C에 해당하는 옳은 진술만을 〈보기〉에서 있는 대로 고른 것은?

(가)	갑: 법정에서는 오직 접시저울에서와 같은 동등성의 원리에 따라 처벌의 질과 양을 결정할 수 있다. 다른 사람을 죽이면 똑같이 자신도 죽임을 당해야 한다. 을: 형벌의 선한 결과가 형벌 자체의 악보다 크다면 형벌을 부과해야 한다. 사형과 같은 형벌의 남용은 인간을 개선시키지 못한다. 사형보다는 종신 노역형이 범죄 억제력이 더 크다.
(나)	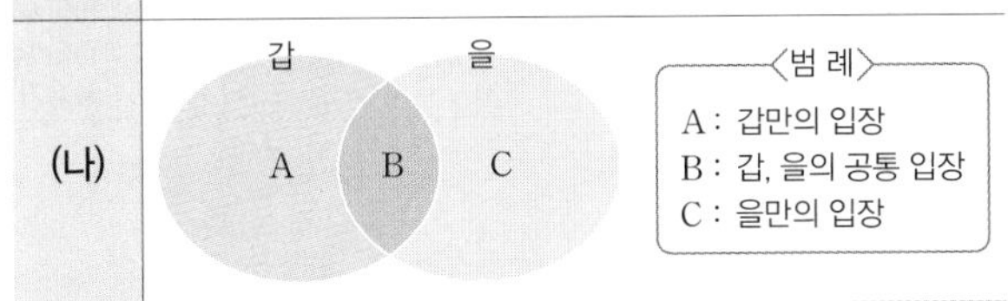

보기
ㄱ. A: 사형은 동해 보복의 차원에서 이루어지는 형벌이다.
ㄴ. B: 사형은 사적 정의가 아닌 공적 정의를 실현하는 것이어야 한다.
ㄷ. B: 형벌의 목적은 범죄 예방이 아닌 응분의 보복이다.
ㄹ. C: 형벌은 공리성보다 동등성에 따라 부과되어야 한다.

① ㄱ, ㄴ ② ㄱ, ㄷ ③ ㄴ, ㄷ
④ ㄴ, ㄹ ⑤ ㄷ, ㄹ

16 다음 사상가의 입장으로 가장 적절한 것은?

사회 계약의 목적은 계약자의 생명 보존에 있다. 이를 위해 각자는 모든 것을 공동체에 양도함으로써 일반 의지의 감독 하에 둔다. 살인을 저질러 계약을 위반한 자는 공공의 적으로 간주되어야 한다.

① 사형의 목적은 살인범에 대한 응당한 보복이다.
② 사형제는 인간 존엄성을 훼손하는 부당한 제도이다.
③ 살인범을 사형하는 것은 공적으로 정의를 침해하는 것이다.
④ 살인범을 사형하는 것은 그를 국가의 적으로 간주하는 것이다.
⑤ 사형을 사회 계약의 목적 달성을 위한 수단으로 보아서는 안 된다.

서술형 문제

17 다음을 읽고 물음에 답하시오.

갑: 집단들 간의 관계는 도덕적이고 합리적인 판단이 아니라 각 집단이 가지고 있는 힘의 비율에 따라 형성된다. 왜냐하면 개인과 달리 집단 속에서는 개인들의 이기적 충동들이 합쳐져 훨씬 더 강력한 형태인 집단적 이기심으로 나타나기 때문이다. 집단들 간의 관계는 항상 도덕적이기보다는 지극히 정치적이다.

〈문제 상황〉

A국은 빈부 격차가 커져가면서 계층 갈등이 심각해지고 있다. 또한 사회 전반의 사회 부정의의 문제가 심화되고 있다. A국의 정책 결정자는 계층 간 갈등을 줄이고 정의를 실현하기 위한 방법을 고민하고 있다.

(1) 갑 사상가의 이름을 쓰시오.

(2) 갑 사상가의 관점에서 〈문제 상황〉의 A국의 정책 결정자에게 제시할 적절한 조언을 제시하시오.

18 다음 대화를 읽고, ㉠의 논거를 두 가지 이상 서술하시오.

갑: 오늘날 많은 나라에서 사형 제도가 폐지되고 있어. 인도적 차원에서 잔혹한 형벌인 사형 제도를 폐지하는 것이 마땅하다고 봐.
을: 나는 사형 제도가 폐지되어서는 안 된다고 생각해. 사형 제도는 [㉠]

01 다음 사상가가 긍정의 대답을 할 질문으로 가장 적절한 것은?

> 개별적인 개인들은 그들이 서로 사랑하고 봉사해야 할 것과 서로 간 정의를 확립해야 함을 알고 있다. 그러나 집단 속 개인은 집단의 힘이 명령하는 것이면 맹목적으로 따른다. 가장 높은 수준의 종교적 선의지를 지닌 개인들로 이루어진 국가도 사랑을 실천하지 못하고 이기성을 확대하는 경향을 지닌다.

① 개인의 도덕적 행위가 사회 구조의 도덕성을 결정하는가?
② 집단 이기주의는 개인의 도덕적 성찰만으로는 극복되기 어려운가?
③ 집단의 이기적인 요구와 개인의 도덕성 간에 갈등은 존재하지 않는가?
④ 개인의 도덕적 선의지 고양이 정의 실현에 기여한다고 보는 것은 잘못인가?
⑤ 사회를 정의롭게 만들기 위해서는 제도의 개선이 아닌 개인의 양심을 계발해야 하는가?

02 갑, 을의 입장에 대한 설명으로 옳지 않은 것은?

> 갑: 개인이 타고난 자연적 재능이 운의 문제라는 것은 사실이다. 하지만 그 사실로부터 개인의 자연적 재능이 공동의 자산이라는 결론은 나오지 않는다. 정의는 개인의 자연적 재능을 그 자신의 소유로 간주한다.
> 을: 개인이 어떤 재능을 가지고 태어나는가는 자연적 운일 뿐이다. 단지 이러한 운 때문에 사람들이 더 잘 살고 못사는 것은 공정하지 않다. 정의는 자연적 재능의 분포를 공동의 자산으로 간주한다.

① 갑은 공정한 절차에 의한 불평등을 정당하다고 본다.
② 갑은 국가가 사적 소유에 대한 기본적 자유를 보장해야 한다고 본다.
③ 을은 자연적 재능을 자신만을 위해 사용할 수 없다고 본다.
④ 을은 무지의 베일을 쓴 상황에서 사람들은 정의의 두 원칙에 합의할 것이라고 본다.
⑤ 갑, 을은 소득 재분배를 위한 과세를 강제 노동과 동등하다고 본다.

(가)의 사상가 갑, 을이 (나) 그림을 탐구할 때, A~C에 들어갈 질문으로 가장 적절한 것은?

(가)
갑: 원초적 입장에서 합의된 정의의 원칙에 따라 재화의 분배가 이루어져야 한다.
을: 구성원들의 이익을 평등하게 고려하여 사회 전체의 이익을 최대화해야 한다.

(나)
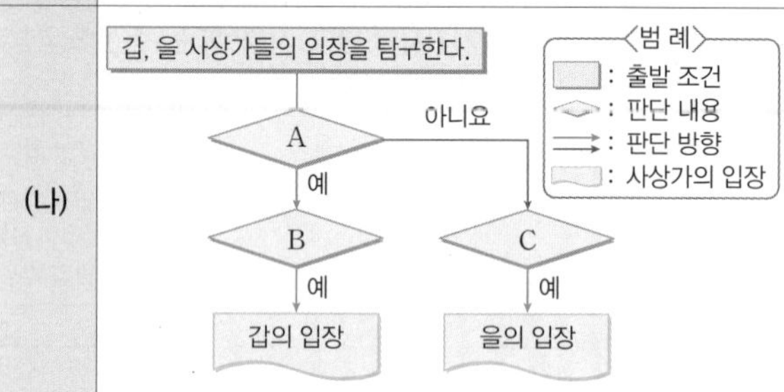

① A: 사회 전체를 위해 사회적 약자의 권리를 제한할 수 있는가?
② B: 사회적 부를 절대적 평등의 기준에 따라 분배해야 하는가?
③ B: 법과 제도가 효율적일지라도 정의롭지 못하면 폐기되어야 하는가?
④ C: 결과적 평등을 재화 분배의 목표로 삼아야 하는가?
⑤ C: 사회적·경제적 재화의 불균등한 분배는 정의롭지 못한 것인가?

다음을 주장한 사상가의 입장에만 '✓' 표시를 한 학생은?

> 상이한 사회적 가치들은 상이한 근거들에 따라 상이한 절차에 맞게 상이한 주체에 의해 분배되어야 한다. 사회적 가치들 그 자체에 대해 서로 다른 주체들이 상이한 방식으로 이해해야 하기 때문이다. 그리고 이러한 상이한 이해들은 역사적이고 문화적인 특수성의 필연적 산물이다.

구분	갑	을	병	정	무
모든 사회적 가치를 전제(專制)의 수단으로 이용해도 된다.	✓	✓		✓	
모든 사회적 재화는 구성원에게 균등하게 분배해야 한다.	✓			✓	✓
분배의 대상이 되는 모든 가치들은 사회적 가치들이다.		✓	✓		✓
서로 다른 영역의 가치는 서로 다른 기준에 의해 분배되어야 한다.			✓	✓	✓

① 갑 ② 을 ③ 병
④ 정 ⑤ 무

[05~06] 다음을 읽고 물음에 답하시오.

갑: 범죄 예방에서 무엇보다 큰 효과를 끼치는 것은 형벌의 강도가 아니라 그 지속성이다. 범죄자의 사형 장면을 보는 것은 종신형과 달리 범죄 억제에 일시적인 효과만을 갖는다.
을: 그가 살인을 했다면 그를 사형에 처해야 한다. 이 경우에 정의를 충족할 다른 방법은 없다. 시민 사회가 모든 구성원의 동의에 의해 해체될 때조차도 감옥에 있는 마지막 살인자는 처형되어야만 한다.

05 갑, 을 사상가들의 입장으로 옳은 것은?

① 갑: 국가는 사형을 집행할 권리를 가지고 있다.
② 갑: 형벌이 범죄 해악 방지를 위한 본보기로 작용해서는 안 된다.
③ 을: 살인범을 사형하지 않는 것은 공적으로 정의를 침해하는 것이다.
④ 갑, 을: 사형은 살인죄에 대해 법적으로 집행되는 응당한 보복의 방법이다.
⑤ 갑, 을: 형벌은 그 자체로 악이므로, 살인범에게 고통을 주는 사형은 허용될 수 없다.

06 다음 사상가가 갑에게 제기할 반론으로 가장 적절한 것은?

모든 인간은 생명의 위협을 무릅쓰고서라도 자신의 생명을 보전하려 한다. 그 누구도 살해당하기를 원하지 않기 때문에 각자 자신의 생명 보전을 목적으로 삼는 계약에 동의한다. 그래서 각자는 자신을 공동체에 양도하여 일반 의지의 감독 하에 둔다.

① 사형은 사회 계약의 목적 달성에 부합하는 형벌임을 간과한다.
② 사형은 종신 노역형보다 범죄 억제력이 낮은 형벌임을 간과한다.
③ 흉악한 살인범을 사회의 구성원에서 배제해서는 안 됨을 간과한다.
④ 자신의 생명에 대한 권리는 타인에게 양도가 불가능함을 간과한다.
⑤ 사형 제도의 존폐 여부는 사회 계약에 근거하여 논의되어야 함을 간과한다.

07 갑이 을에게 제기할 수 있는 비판으로 가장 적절한 것은?

갑: 사법적 처벌은 범죄에 상응하는 보복의 차원에서 이루어져야 한다. 왜냐하면 인간은 타인의 의도들을 위한 수단으로 취급될 수 없기 때문이다.
을: 모든 법의 일반적 목적은 공동체 전체의 행복이다. 모든 처벌은 그 자체로 악이지만, 공리성의 원리에 의해 더 큰 악을 제거하는 것을 보장하는 한에서 허용되어야 한다.

① 흉악 범죄를 예방하기 위해 사형 제도가 불가피하다.
② 사형 제도는 정치적 반대 세력에 대한 탄압 도구로 사용될 수 있다.
③ 인간의 생명은 계약을 통해 타인에게 위임할 수 있는 대상이 아니다.
④ 유용성 차원에서 사형 제도의 존폐를 논하는 것은 인격을 수단화하는 것이다.
⑤ 공동선이 개인의 권리보다 우선하므로 사회적 상황을 고려하여 사형 제도를 유지해야 한다.

08 다음을 주장한 사상가의 입장에만 '✓' 표시를 한 학생은?

자신의 생명을 빼앗을 권능을 타인에게 양도할 자가 세상에 있겠는가? 각 개인의 자유 가운데 최소한의 몫의 희생 속에 어떻게 모든 가치 중 최대한의 것인 생명 그 자체가 포함될 수 있겠는가? 인간이 자신을 죽일 권리가 없는 이상, 그 권리를 타인이나 일반 사회에 양도하는 것 역시 불가능하다. 사형을 대체한 종신 노역형만으로도 가장 완강한 자의 마음을 억제시키기에 충분한 정도의 엄격성을 지니고 있다.

구분	갑	을	병	정	무
형벌은 사회 계약의 위반에 대한 배상이다.	✓		✓		✓
형벌은 범죄 예방을 목적으로 하는 필요악이다.		✓		✓	✓
사형은 살인죄에 대한 동등한 원리에 부합하는 정당한 처벌이다.	✓	✓	✓		
유용성의 원리를 바탕으로 사형 제도의 존폐 여부를 결정해야 한다.		✓	✓	✓	✓

① 갑　② 을　③ 병
④ 정　⑤ 무

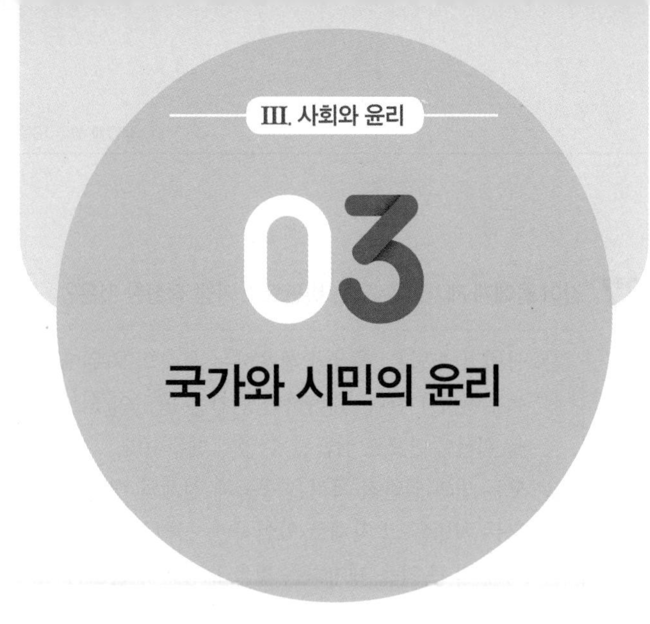

III. 사회와 윤리

03 국가와 시민의 윤리

1 국가의 권위와 시민에 대한 의무

1. 국가 권위의 정당성

(1) 국가에 대한 동서양의 관점

유교	가족 공동체가 확장된 정치적 공동체로 봄
아리스토텔레스	최고선을 가장 훌륭하게 추구할 최고의 공동체로 봄
루소	각 개인들이 자발적인 계약과 동의로써 만든 산물로 봄

(2) 국가 권위의 정당화 근거

동의론	시민이 국가에 복종하기로 동의했기 때문에 국가에 복종해야 할 의무가 성립함
혜택론	국가로부터 여러 가지 혜택을 받았기 때문에 국가에 복종해야 함

2. 시민에 대한 국가의 의무

(1) 동양의 관점

맹자	백성은 나라의 근본이니 백성이 튼튼해야 나라가 평안함 ➡ 위민과 민본주의를 강조
묵자	타인을 사랑하며 자신과 타인의 이익을 서로 높이는 겸애(兼愛)를 실천해야 함
한비자	군주는 이기적인 백성을 엄격한 법에 따라 적절한 상벌로 통제하여 질서를 유지해야 함
정약용	백성들의 건강한 삶을 위해 통치자가 헌신하고 백성을 배려해야 함

(2) 서양의 관점

소극적 국가관	개인의 권리와 자유를 최대한 보장하기 위해 국가의 간섭이나 개입을 최소화해야 함 ➡ 극심한 빈부 격차와 시민이 최소한의 인간다운 삶을 보장받지 못하는 문제 발생
적극적 국가관	국가의 개입을 확대함으로써 시민의 기본 욕구를 충족시키고 여러 영역에서 복지를 제공하여 소극적 국가관의 한계를 극복해야 함

핵심 기출 자료 분석 동양의 민본주의

하늘이 보고 듣는 것이 백성을 통해 보고 듣는 것이다. 하늘이 밝히고 두렵게 하는 것 또한 우리 백성들을 통해 밝히고 두렵게 하는 것이다. 하늘과 백성은 통하는 것이니 땅을 다스리는 사람은 백성을 공경해야 한다.

분석 | 동양에서 국가의 역할은 위민, 민본주의와 관련이 깊다. 군주가 먼저 덕으로 백성을 교화하고 재화를 고르게 분배하는 민본 정치를 실행해야 백성이 서로 신뢰하고 더불어 사는 사회가 실현된다고 본다.

2 민주 시민의 참여와 시민 불복종

1. 민주 시민의 참여

(1) 시민의 권리와 의무

권리	자유권, 평등권, 행복 추구권, 생존권
의무	국방, 납세, 교육, 근로, 준법 등

(2) 시민 참여의 의미 시민의 권리를 행사할 기회를 제공하고 시민으로서 정치적 의무를 수행하여 민주주의의 질을 높임

(3) 참여의 특징과 방법

특징	개인의 자아실현에 이바지, 공동체에 대한 소속감 형성, 개인의 권리 보장, 공공의 이익 증진, 대의 민주주의의 한계 보완
방법	투표, 주민 소환제, 주민 참여 예산제, 여론 형성, 시민 단체 활동, 국민 참여 재판

2. 시민 불복종

(1) 의미 부당한 법이나 정부 정책을 변화시키려는 목적으로 행하는 의도적인 위법 행위

(2) 시민 불복종에 대한 관점

드워킨	헌법 정신에 위배된 법률에 대해서 시민은 저항할 수 있음
소로	헌법을 넘어선 개인의 양심이 저항의 최종 판단 근거임
롤스	사회적 다수의 정의관이 저항의 기준이 되어야 함

핵심 기출 자료 분석 롤스의 시민 불복종

시민 불복종은 그것이 비록 법의 바깥 경계선에 있는 것이기는 하지만 법에 대한 충실성의 한계 내에서 법에 대한 불복종을 나타낸다. 따라서 그 법을 어기기는 하지만 법에 대한 충실성은 그 행위의 공공적이고 비폭력적인 성격과 그 행위의 법적인 결과들을 받아들이겠다는 의지에 의해 표현된다.

분석 | 롤스는 시민 불복종이 법에 대한 충실성의 한계 내에서 이루어져야 하며, 공개적이고 비폭력적인 방법으로 행해져야 한다고 본다.

(3) 롤스의 시민 불복종 정당화 조건

사회 정의 실현	특정 집단의 이익이 아닌 사회 정의를 실현하기 위한 목적일 것
공개성, 비폭력성	공개적이며 비폭력적인 방법일 것
최후의 수단	개선을 위한 합법적 시도가 효과 없을 때 시행할 것
처벌 감수	위법 행위에 대한 처벌을 감수할 것

개념 암기

1 괄호 안의 내용 중 알맞은 말을 골라 ○표 하시오.

(1) (유교, 불교)는 군주가 스스로 인격을 닦아 덕을 쌓아야 백성들이 자연스럽게 교화되어 사회 질서가 유지될 수 있다고 본다.

(2) 한비자는 (이타적인, 이기적인) 백성들을 효과적으로 통치하기 위해서는 엄격한 법에 따라 통치해야 한다고 보았다.

(3) 묵자는 타인을 사랑하며 자신과 타인의 이익을 높이는 (별애, 겸애)의 실천을 강조하였다.

2 시민에 대한 국가의 의무에 대한 서양의 관점을 〈보기〉에서 고르시오.

보기
ㄱ. 개인의 권리와 자유를 최대한 보장하기 위해 국가의 간섭이나 개입을 최소화해야 함
ㄴ. 국가의 개입을 확대함으로써 시민의 기본 욕구를 충족시키고 다양한 영역에서 복지를 제공해야 함

(1) 소극적 국가관 ( )

(2) 적극적 국가관 ( )

3 설명이 맞으면 ○표, 틀리면 X표 하시오.

(1) 롤스는 사회적 다수의 정의관이 시민 불복종의 최종 근거가 되어야 한다고 본다. ( )

(2) 소로는 모든 시민이 언제나 다수가 결정한 법을 충실히 준수해야 한다고 본다. ( )

(3) 소로는 정의보다 법에 대한 존경심이 더 중요하다고 본다. ( )

(4) 롤스는 시민 불복종을 법과 정책의 변화를 위해서 시민들이 전개하는 의도적인 위법 행위라고 규정한다. ( )

4 롤스의 시민 불복종 정당화 조건에 대한 설명이다. 빈칸에 알맞은 말을 쓰시오.

(1) 시민 불복종은 개선을 위한 합법적 시도가 더는 효과가 없을 때 실시되는 ( )이다.

(2) 시민 불복종은 법체계를 존중하기 때문에 위법 행위에 대한 ( )을 감수해야 한다.

(3) 시민 불복종은 ( )이어야 하며, 비폭력적인 방법으로 행해져야 한다.

(4) 시민 불복종은 특정 집단의 이익이 아닌 ( )의 보편적 가치를 추구해야 한다.

내신 기출

1 국가의 권위와 시민에 대한 의무

01 민본주의에 대한 설명으로 옳지 않은 것은?

① 군주의 정당성을 백성의 뜻에서 찾는다.
② 국가가 부모처럼 백성을 아끼고 돌보아야 한다.
③ 군주의 권위만을 내세워 형벌을 강화해야 한다.
④ 군주는 도덕성을 바탕으로 정치를 펼쳐야 한다.
⑤ 국가는 백성을 존중하고 백성을 위한 정치를 해야 한다.

02 다음 사상가의 입장을 〈보기〉에서 있는 대로 고른 것은?

인간은 자연스럽게 가족과 마을을 형성하고, 마지막으로 최종적이고 완전한 결사체에 도달하게 되는데, 그것이 바로 국가이다. 그러므로 인간은 본성적으로 국가에 속하도록 되어 있다. 국가에 속하지 않은 고립된 자는 동물이거나 아니면 신일 것이다.

보기
ㄱ. 국가는 인간의 자연적 본성으로부터 발생한다.
ㄴ. 인간은 국가 안에서만 행복한 삶을 실현할 수 있다.
ㄷ. 인간은 국가로부터 혜택을 누릴 때에만 복종해야 한다.
ㄹ. 국가는 자연의 창조물이며 자족적인 최고의 공동체이다.

① ㄱ, ㄴ ② ㄱ, ㄷ ③ ㄴ, ㄷ
④ ㄱ, ㄴ, ㄹ ⑤ ㄱ, ㄷ, ㄹ

03 다음을 주장한 사상가의 입장으로 옳은 것은?

정부는 인간이 이익을 위해 발명한 것일 뿐이다. 통치자의 정치 때문에 이 이익이 없어지면 통치자에 대해 신민이 복종할 책임도 없어진다. 이익이 정부에 대한 복종을 산출한다.

① 정치적 의무는 인간의 선한 본성에서 비롯된다.
② 정치적 의무는 영구히 지켜야 하는 자연법적 의무이다.
③ 정치적 의무는 정부로부터 얻는 혜택이 있을 때만 주어진다.
④ 정치적 의무는 조건 없이 준수해야 하는 무조건적 명령이다.
⑤ 정치적 의무는 준수하겠다고 명시적으로 동의할 때 발생한다.

04 갑, 을 사상가들의 입장으로 옳지 않은 것은?

> 갑: 국가는 자연적으로 존재하는 결사체의 최후 형태이자, 궁극적인 목적을 실현하는 것을 목표로 하는 최고의 단계이다. 그러므로 국가는 자연의 산물들 중 하나이며, 인간은 본성상 국가에 살도록 되어 있다.
> 을: 인간이 공동체를 결성하고 스스로를 정부의 지배하에 두고자 하는 주된 목적은 자신의 재산을 보존하기 위함이다. 국가에 대한 정치적 의무는 구성원들의 계약에서 비롯된다.

① 갑: 국가는 인간의 정치적인 본성에 따라 자연적으로 형성된다.
② 갑: 국가의 궁극적 목적은 시민들이 선한 생활을 하게 하는 것이다.
③ 을: 국가의 목적은 국민의 권리와 자유를 보호하는 데 있다.
④ 을: 국가에 복종할 의무는 구성원이 되겠다고 동의를 한 사람에게만 있다.
⑤ 갑, 을: 국가의 구성원으로서 갖는 권리와 의무는 천부적으로 주어지는 것이다.

05 갑, 을 사상가들의 입장으로 옳지 않은 것은?

> 갑: 모든 공동체는 선을 추구하는데, 모든 공동체들 중에서도 최고이며 다른 모든 공동체를 포괄하면서 최고선을 추구하는 공동체가 다름 아닌 국가 또는 정치 공동체이다.
> 을: 정부 수립의 근본 동기이자 우리가 정부에 복종하는 원천은 안전과 보호라는 이익이다. 이런 이익은 우리가 완전하게 자유롭고 독립적일 때에는 획득할 수 없다. 이익은 정부 수립의 근본 동기이므로 이익이 없는 곳에서는 정부도 있을 수 없다.

① 갑: 규모가 큰 공동체일수록 고귀한 선을 추구한다.
② 갑: 국가는 시민들이 선한 생활을 할 수 있는 토대가 된다.
③ 을: 동의가 없어도 정부의 혜택이 존재할 때 정치적 의무는 성립한다.
④ 을: 정부의 핵심적 역할은 시민의 안전한 삶을 보장하는 것에 있다.
⑤ 갑, 을: 국가에 대해 충성을 다해야 하는 것은 무조건적 의무이다.

06 다음 사상가의 입장으로 적절하지 않은 것은?

> 힘을 사용하면서 인(仁)을 행하는 양 가장하는 것은 패도(霸道)이다. 패도를 추구하는 자는 반드시 큰 나라를 소유하려고 한다. 덕으로써 인을 행하는 것은 왕도(王道)이다. 힘으로 사람을 복종시키려고 하면 마음으로부터 우러나오는 복종을 얻을 수 없지만, 덕으로 복종시키면 사람들은 기뻐하며 진심으로 복종한다.

① 천의(天意)를 어긴 군주는 교체될 수 있다.
② 나라의 군주를 나라의 근본으로 삼아야 한다.
③ 엄격한 형벌보다는 도덕으로 나라를 통치해야 한다.
④ 민의(民意)를 정치에 반영하기 위한 통로를 중시해야 한다.
⑤ 올바른 통치를 하기 위해서는 군주의 높은 도덕성이 중요하다.

갑, 을 사상가들에 대한 설명으로 옳지 않은 것은?

> 갑: 정부는 인간이 이익을 위해 발명한 것이다. 통치자의 전제 정치 때문에 이 이익이 없어진다면 통치자에 대해 신민이 복종할 책임도 없어진다. 이익이 정부에 대한 복종을 산출하므로 이익이 중단되면 복종의 책임도 중단된다.
> 을: 정부는 구성원들이 스스로의 생명과 자유, 재산을 보유하기 위해 만든 것이다. 사람들은 비교적 평화로운 자연 상태에서 권리를 향유하고 살아가는 것이 불확실하여 계약을 통해 정부를 수립하고 정치 권력의 지배와 통제 하에 자신을 복종시키려 하였다. 그러나 권력을 가진 자들이 실정한다면 국민은 저항할 권리가 있다.

① 갑은 국가에 대한 복종의 책임은 오직 이익에 대한 감각에서 비롯된다고 본다.
② 갑은 국가는 구성원 개개인의 이익을 실현하기 위한 수단에 불과하다고 본다.
③ 을은 국가는 구성원의 안정과 질서 유지를 위해 권력을 행사해야 한다고 본다.
④ 을은 국가에 복종하기로 명시적 동의를 한 사람만 정치적 의무를 지닌다고 본다.
⑤ 갑, 을은 제 역할을 하지 못하는 국가에 대해 시민은 복종하지 않아도 된다고 본다.

2 민주 시민의 참여와 시민 불복종

08 다음 글의 입장으로 가장 적절한 것은?

> 시민 개개인의 탈정치화를 조장하며 정치적 무관심을 부추기는 민주주의를 극복하는 유일한 방안은 참여에 있다. 이제 시민들은 정치인들의 억압과 시민들의 수동성이라는 악순환을 깨기 위해 공공 현안에 직접 참여해야 한다.

① 시민들의 정치 참여의 폭을 축소시켜야 한다.
② 선출된 대표는 국민의 의견을 충분히 반영한다.
③ 의회와 정당 중심의 국정 운영이 가장 바람직하다.
④ 시민들의 적극적인 정치 참여로 대의제를 보완해야 한다.
⑤ 모든 사람이 정책 결정에 참여하는 것은 비효율적이다.

09 다음은 롤스의 입장을 정리한 노트 필기이다. ㉠~㉤ 중 옳지 않은 것은?

> ※ 주제: 시민 불복종
> 1. 의미: 정의롭지 못한 법이나 정부 정책을 변혁시키려는 목적으로 행해지는 의도적인 위법 행위
> 2. 시민 불복종의 정당화 조건
>   - 공개적으로 이루어져야 함. … ㉠
>   - 비폭력적인 방법으로 전개해야 함. … ㉡
>   - 최후의 대책으로 시도되어야 함. … ㉢
>   - 부당한 법률로 인한 처벌은 거부되어야 함. … ㉣
>   - 정의의 원칙을 위반하는 사례에 국한해야 함. … ㉤

① ㉠　② ㉡　③ ㉢　④ ㉣　⑤ ㉤

10 갑, 을 사상가들의 입장에 대한 설명으로 가장 적절한 것은?

> 갑: 헌법은 정치·도덕의 근본을 형성하기 때문에 이를 어기는 법이 있다면 그와 같은 법은 헌법 정신에 비추어 그 정당성을 의심받을 수밖에 없다.
> 을: 시민 불복종은 법이나 정부의 정책에 변화를 주기 위해 공공적이고, 비폭력적이며, 평화적이기는 하지만, 법에 반하는 정치적 행위이다. 이것은 법에 대한 충실성의 한계 내에서 법에 대한 불복종을 표현한다.

① 갑: 다수가 지지하여 만든 법률은 무조건 준수해야 한다.
② 갑: 시민 불복종은 공리주의적 계산에 의한 편익 증진을 목적으로 한다.
③ 을: 시민 불복종의 근거를 개인이 옳다고 믿는 양심에 두어야 한다.
④ 을: 개인의 도덕 원칙이나 종교적 신념에 의해서는 시민 불복종이 정당화되지 않는다.
⑤ 갑, 을: 시민 불복종은 공유된 정의관이 아닌 양심에 호소해야 한다.

11 다음 사상가의 입장만을 〈보기〉에서 있는 대로 고른 것은?

> 시민은 한순간이라도 자신의 양심을 입법자에게 맡겨야 하는가? 우리는 먼저 인간이어야 하고 그 다음에 국민이어야 한다. 단 한 명의 사람이라도 부당하게 가두는 정부 밑에서 의로운 사람이 진정 있을 곳은 감옥이다.

보기
ㄱ. 시민 불복종은 공개적으로 이루어져야 한다.
ㄴ. 불의한 법은 법 개정이 성공할 때까지는 준수되어야 한다.
ㄷ. 정의롭지 못한 모든 법과 정책에 대해 불복종해야 한다.
ㄹ. 개인은 법에 우선하여 양심과 정의에 따라 행동해야 한다.

① ㄱ, ㄴ　② ㄱ, ㄷ　③ ㄴ, ㄹ　④ ㄱ, ㄷ, ㄹ　⑤ ㄴ, ㄷ, ㄹ

시민 불복종에 대한 설명으로 옳은 것은?

① 불의한 법률에 대한 시민의 저항 의식이 표현된 것이다.
② 불복종 행위로 인한 처벌을 거부하면서 공개적으로 이루어진 것이다.
③ 보다 큰 폭력을 방지하기 위한 폭력을 정당한 수단으로 인정하는 것이다.
④ 국가나 사회의 안전에 위협이 될지라도 불의한 법은 무조건 불복종해야 한다.
⑤ 부당한 법률을 개정하기보다 정치 체제를 변화시키기 위해 행해지는 것이다.

13 그림의 수업 장면에서 교사의 질문에 대해 옳게 대답한 학생을 있는 대로 고른 것은?

① 갑, 을 ② 을, 병 ③ 정, 무
④ 갑, 정, 무 ⑤ 병, 정, 무

서술형 문제

14 다음을 읽고 물음에 답하시오.

> (가) 국가는 사람들이 자연 상태에서 가졌던 자연권 일부를 입법부가 처리할 수 있도록 국가에 양도함으로써 평화적으로 수립된다. 이러한 국가는 구성원들의 생명과 자유, 재산을 보전하고 공공선의 실현을 추구한다.
> (나) 국가는 자연적으로 존재하는 것들에 속하며, 사람은 본성적으로 국가에서 살도록 되어 있는 동물이다. 이러한 국가는 구성원의 가족과 씨족들이 잘 살 수 있도록 하는 공동체이며, 완전하고 자족적인 삶을 목적으로 삼는다.

(1) (가), (나)의 국가 권위의 정당화 근거를 쓰시오.

(2) (가), (나)의 관점이 가진 한계를 각각 서술하시오.

15 다음을 읽고 물음에 답하시오.

> (가) 모든 권력은 국민의 동의에서 나와야 한다는 주권재민의 원리를 따라야 한다. 국민으로부터 권력을 위임받은 정부 관리자들은 국민을 위한 봉사자이다. 그들은 어떤 경우에도 국민에게 책임을 진다.
> (나) 하늘이 보시는 것은 우리 백성을 통해 보시고, 하늘이 들으시는 것은 우리 백성을 통해서 들으신다. 이처럼 하늘과 백성은 통하는 것이니 땅을 다스리는 자는 백성을 공경해야 한다.

(1) 국가에 대한 (가), (나) 사상을 쓰시오

(2) 국가에 대한 (가), (나) 사상의 공통점을 서술하시오.

01 갑, 을 사상가들의 입장으로 적절하지 않은 것은?

> 갑: 국가는 가족이나 마을과 같은 결사체의 최후 형태이자 궁극 목적의 실현을 목적으로 하는 최선의 단계이다. 인간은 본성상 국가에 살도록 되어 있는 동물이라는 점이 명백하다.
> 을: 국가가 유용하지 않은 것이라면 결코 발생할 수 없었을 것이다. 정치적 복종의 근본적 동기는 사회 구성원들이 국가를 통해 평화와 질서를 가져올 수 있다고 느끼는 이익 관념에 기초한다.

① 갑: 국가 공동체 밖에서 좋은 인간의 삶을 유지할 수 없다.
② 갑: 국가는 개인의 자아실현과 도덕적 능력 계발의 토대이다.
③ 을: 국가는 저절로 발생한 것이 아니라 이익을 위해 형성된 것이다.
④ 을: 국가의 법을 따라야 하는 이유는 국가로부터 혜택을 받았기 때문이다.
⑤ 갑, 을: 국가에 대한 복종의 의무는 국민 누구나 조건 없이 지녀야 한다.

02 다음을 주장한 사상가의 입장만을 〈보기〉에서 있는 대로 고른 것은?

> 인간 사회에서 누구든 다른 사람의 행동의 자유를 침해할 수 있는 경우는 자기 보호를 위해 필요할 때뿐이다. 다른 사람에게 해를 끼치는 것을 막기 위한 목적이라면 가해 당사자의 의지에 반해 권력이 사용되는 것도 정당하다. 이 유일한 경우를 제외하고 문명 사회에서 구성원의 자유를 침해하는 어떤 권력의 행사도 정당화될 수 없다.

보기
ㄱ. 자기 자신에 대해서는 각자가 주권자로 간주된다.
ㄴ. 국가는 시민의 기본권을 보장해야 할 의무가 있다.
ㄷ. 남에게 해를 입히는 행위에 대해서는 사회가 간섭할 수 있다.
ㄹ. 선한 목적의 실현을 위해 개인에 대한 사회의 개입은 모두 허용된다.

① ㄱ, ㄷ　② ㄱ, ㄹ　③ ㄴ, ㄹ
④ ㄱ, ㄴ, ㄷ　⑤ ㄴ, ㄷ, ㄹ

03 갑, 을 사상가가의 공통적인 입장으로 가장 적절한 것은?

> 갑: 법에 대한 존경심보다 먼저 정의에 대한 존경심을 기르는 것이 바람직하다. 내가 떠맡을 권리가 있는 나의 유일한 책무는, 어떤 때이고 간에 내가 옳다고 생각하는 일을 행하는 일이다.
> 을: 시민 불복종은 거의 정의로운 사회에서 법이나 정부의 정책에 변혁을 가져올 목적으로 행해지는, 공공적이고 비폭력적이며 양심적이기는 하지만 법에 반하는 정치적 행위이다.

① 시민 불복종은 체제 자체의 변혁으로 이어져야 한다.
② 정의롭지 못한 모든 법과 정책에 대해 불복종해야 한다.
③ 시민 불복종의 의도는 동료 시민들에게 공개되어야 한다.
④ 부정의한 법일지라도 개정되기 전까지는 준수해야 한다.
⑤ 시민 불복종은 다수의 정의감과 관계없이 양심에 따르는 행위이다.

04 갑, 을 사상가들의 입장으로 옳은 것을 〈보기〉에서 있는 대로 고른 것은?

> 갑: 어떤 사람이 자신의 권리를 입법부가 처리할 수 있도록 사회에 양도하고 정부의 권력 아래 놓이게 되는 것은 성인이 되어 개별적 동의를 통해 어떤 사회의 구성원이 될 때이다. 성인이 된다고 해서 저절로 시민이 되는 것은 아니다.
> 을: 시민 불복종은 거의 정의로운 사회에서 이루어지는 법에 대한 충실성의 경계에 있는 항의이다. 사회의 기본 구조가 아주 부정의하다면 우리는 극단적인 변화나 혁명적인 변화를 위한 방도까지도 마련하도록 노력해야 한다.

보기
ㄱ. 갑: 국가는 시민의 기본권을 지키기 위해 존재한다.
ㄴ. 갑: 국가가 시민의 기본권을 심각하게 침해할 경우 시민은 정부에 저항할 수 있다.
ㄷ. 을: 시민 불복종을 행사하는 것도 시민의 정치적 의무에 포함된다.
ㄹ. 갑, 을: 다수의 의사에 의해 정해진 법에 대해 무조건 복종해야 한다.

① ㄱ, ㄷ　② ㄱ, ㄹ　③ ㄴ, ㄹ
④ ㄱ, ㄴ, ㄷ　⑤ ㄴ, ㄷ, ㄹ

수능 · 평가원 · 교육청 기출

| 평가원 기출 응용 |

01 갑, 을의 입장으로 가장 적절한 것은?

> 갑: 프로테스탄트의 금욕은 향락과 낭비를 막는다. 이러한 금욕으로 인해 재화의 획득이 구원의 증표로 정당화되었다. 금욕을 바탕으로 한 영리 활동이 기업가의 소명이라면, 노동은 근대 노동자의 소명이다.
> 을: 임금은 임금답고 신하는 신하다워야 한다. 임금이 나라를 다스릴 때에는 백성들의 신뢰를 얻어야 하며, 씀씀이를 줄이고 백성들을 사랑해야 한다. 신하는 먼저 맡은 직분을 경건히 수행해야 한다.

① 갑: 경제적으로 부유하다면 일을 하지 않아도 된다.
② 갑: 금욕적 태도와 자본주의 정신은 양립 불가능하다.
③ 을: 직업을 통해 최대한의 이익을 추구해야 한다.
④ 을: 각자가 자기의 직분에 충실할 때 공동체가 유지된다.
⑤ 갑, 을: 부의 축적의 궁극적인 정당화 근거를 금욕에서 찾아야 한다.

| 수능 기출 |

02 갑, 을 사상가들의 입장에 대한 설명으로 옳지 않은 것은?

> 갑: 자본주의에서 노동은 노동 주체의 의지와 무관하게 자본을 위해 수행될 뿐이다. 분업은 생산성을 대폭 향상시켰지만, 노동자는 생산에 필요한 정신적 능력 이외의 다른 모든 정신적 능력들을 잃어버렸다. 이는 예외 없는 현상이다.
> 을: 노동은 은총 상태를 확신하기 위한 수단으로 파악한 청교도는 철저한 노동 의무의 수행을 통해 신의 나라에 도달하려고 시도하였다. 동시에 노동 계급에 강제된 엄격한 금욕이 자본주의의 노동 생산성을 강력히 촉진시켰다.

① 갑은 자본주의에서 정신적 능력의 회복으로 소외가 극복된다고 본다.
② 갑은 분업이 노동자의 정신적 능력 쇠퇴와 소외를 심화시킨다고 본다.
③ 을은 금욕과 결합된 노동 의무가 생산성을 향상시켰다고 본다.
④ 을은 청교도가 직업 노동을 종교적 실천으로 간주했다고 본다.
⑤ 갑, 을은 분업 노동, 을은 소명 의식이 자본주의의 발전에 기여했다고 본다.

| 교육청 기출 |

03 동양 사상가 갑, 을의 입장으로 옳은 것은?

> 갑: 선비는 일정한 생업이 없더라도 일정한 마음[恒心]을 가질 수 있다. 그러나 백성은 일정한 생업이 없으면 이로 인해 일정한 마음을 가질 수 없다.
> 을: 농부는 밭일에, 상인은 장사에, 목수는 그릇 만드는 일에 정통하지만 수장(首長)은 될 수 없다. 오직 예(禮)에 정통한 사람만이 수장이 될 수 있다.

① 갑: 군주는 백성의 생업 보장보다 법적 규제에 힘써야 한다.
② 갑: 직업 종사자는 누구도 일정한 마음[恒心]을 지닐 수 없다.
③ 을: 정신을 쓰는 노동보다 육체를 쓰는 노동이 우위에 있다.
④ 을: 무위자연의 도(道)를 본받아 직업을 차별하지 말아야 한다.
⑤ 갑, 을: 생산과 통치에 대한 역할 분담이 이루어져야 한다.

| 평가원 기출 응용 |

04 그림의 강연자가 부정의 대답을 할 질문으로 가장 적절한 것은?

"기업은 자유 시장에서 이윤 극대화 이외의 사회적 책임을 지지 않아도 된다."라는 주장은 시장 실패를 통해 그 부당성이 입증될 수 있습니다. 대표적 사례가 기업 활동으로 인한 환경 오염과 같은 부정적 외부 효과입니다. 이에 따른 문제의 핵심은 환경 오염의 처리 비용을 당사자인 기업이 아니라 일반 시민이나 미래 세대 같은 제삼자가 부담해야 한다는 사실입니다. 그러나 이는 분명 잘못입니다. 부정적 외부 효과 발생의 책임은 해당 기업이 져야 합니다. 설령 이윤이 감소하더라도 기업은 사회적 문제에 대한 적극적 책임을 지는 것이 마땅합니다.

① 기업은 외부 효과 방지를 위해 이윤 극대화 활동에 전념해야 하는가?
② 기업은 깨끗한 공기와 같은 공공재에 대한 책무를 인정해야 하는가?
③ 기업은 미래 세대의 생존과 삶의 질 문제에 관심을 기울여야 하는가?
④ 기업은 공공선을 위해 이윤 추구에 대한 제약을 승인해야 하는가?
⑤ 기업은 시장 실패가 지역 사회에 불이익을 초래한다고 보아야 하는가?

| 교육청 기출 |

05 다음을 주장한 사상가의 입장에만 모두 '✓'를 표시한 학생은?

친환경 상품 개발, 공정 무역은 기업의 가격 차별 및 상품 차별화 전략의 일부이다. 가격 차별은 환경에 관심이 많고 사회적 인식이 높은 소비자들에게 높은 가격을 받는 마케팅 전략이고, 상품 차별화는 다른 일반 제품과의 경쟁을 줄여 이윤을 증가시키는 마케팅 전략이다. 요컨대 기업의 사회적 책임은 마케팅 전략 차원에서 이해되어야 한다.

구분	갑	을	병	정	무
기업은 공동선 실현을 위해 마케팅 전략을 수정해야 한다.	✓			✓	✓
기업의 사회적 책임은 이윤 극대화의 관점에서 정당화될 수 있다.		✓	✓	✓	
기업은 소비자의 삶의 질 향상을 위해 사회적 책임을 이행해야 한다.	✓	✓			✓
기업에게 이윤 추구 이외의 사회적 책임을 강요하는 것은 시장 원리에 어긋난다.			✓	✓	✓

① 갑 ② 을 ③ 병
④ 정 ⑤ 무

| 수능 기출 |

06 다음 서양 사상가가 긍정의 대답을 할 질문으로 옳은 것은?

집단과 집단 사이의 관계는 항상 윤리적이기보다는 지극히 정치적이다. 모든 도덕주의자들은 인간의 집단 행동이 지닌 야수적 성격과 모든 집단적 관계들에 있는 집단적 이기주의의 힘에 대한 이해를 결여하고 있다. 그들은 사회적 갈등이 인류 역사에서 불가피한 것임을 제대로 인식하지 못한다.

① 개인 윤리적 이타성과 사회 윤리적 정의는 항상 상호 배타적인가?
② 개인들의 자발적 타협이 사회 정의를 실현하는 유일한 방법인가?
③ 개인의 도덕적 선의지 함양은 사회 정의 실현의 충분조건인가?
④ 개인 간 갈등은 도덕적이고 합리적인 방법으로 조정될 수 있는가?
⑤ 개인의 합리적 도덕성은 개인이 속한 집단의 도덕성보다 열등한가?

| 평가원 기출 |

07 서양 사상가 갑, 을의 입장에 대한 설명으로 옳은 것은?

갑: 개인은 타인의 이익을 존중할 수 있다는 점에서 도덕적이지만, 사회는 이기심을 합리적으로 통제하기 어려우므로 비도덕적이다.
을: 원초적 입장에서 타인의 이익에 무관심한 합리적 개인은 자신의 능력이나 사회적 지위 등을 모른 채 정의의 두 원칙을 선택하게 된다.

① 갑은 개인의 선의지가 없어도 사회 정의가 확립될 수 있다고 본다.
② 을은 취득 및 양도 절차가 공정하면 그 결과도 공정하다고 본다.
③ 갑은 을과 달리 개인보다 사회가 도덕성 측면에서 우월하다고 본다.
④ 을은 갑과 달리 정당한 강제력으로 사회 문제를 해결해야 한다고 본다.
⑤ 갑, 을은 정의를 사회가 추구해야 할 최고의 도덕적 이상으로 본다.

| 수능 기출 |

08 다음 사상가가 부정의 대답을 할 질문으로 옳은 것은?

최초의 정당한 취득 행위에 이어 자발적인 교환 행위로 재산의 정당한 이전(移轉)이 잇따르게 된다면, 사람들이 정확히 자신의 것만을 소유하게 되는 정당한 결과가 나온다. 하지만 현실의 역사는 강자가 약자의 소유물을 빼앗아 온 역사이기도 하다. 따라서 그간 부당하게 발생한 이전들을 보상함으로써 교정이 이루어지게 해야 한다. 이상의 내용을 하나의 원칙으로 표현하면, '각자는 자신이 선택한 대로 주고, 각자는 자신이 선택한 대로 받는다.'가 된다.

① 최소 국가만이 유일하게 정의로운 국가인가?
② 근로 소득에 대한 과세는 강제 노동과 동등한가?
③ 나의 천부적 재능은 공동 자산이 아니라 나의 소유인가?
④ 모든 우연성이 배제된 상태에서 계약이 이루어져야 하는가?
⑤ 사회적 약자를 위한 분배는 오직 개인의 자유에 맡겨야 하는가?

| 평가원 기출 응용 |

09 갑, 을, 병 사상가들의 입장으로 가장 적절한 것은?

> 갑: 개인의 타고난 자산이 도덕적 관점에서 볼 때 임의적이건 아니건 간에, 개인은 그 자산에 대한 소유 권리를 지닌다.
> 을: 생산 능력이 타고난 특권임을 승인하는 것은 부당하다. 생산은 각자의 능력에 따라, 분배는 각자의 필요에 따라 이루어져야 한다.
> 병: 개인의 타고난 재능은 응분의 것이 아닌 사회 공동의 자산으로 간주해야 한다. 더 불운한 자들의 선에 도움이 되는 한에서만 그 행운으로부터 이익을 취할 수 있다.

① 갑: 부의 소유와 거래 및 교정에 대한 국가의 개입은 배제된다.
② 을: 노동 분업은 소외된 노동을 해방시켜 필요에 따른 분배를 실현한다.
③ 병: 공정으로서의 정의관에서 사회는 상호 이익을 위한 협동 체제이다.
④ 갑, 병: 선천적 유불리의 영향을 줄여야 정의로운 분배가 가능하다.
⑤ 을, 병: 사적 소유권은 인간의 기본적인 권리로 승인될 수 없다.

| 교육청 기출 |

10 갑, 을 사상가들의 입장으로 가장 적절한 것은?

> 갑: 필요 이상의 잔혹한 형벌은 사회 계약의 본질과 상반된다. 사회에 끼친 손해를 노동으로 속죄하는 것을 오래 보여 주는 형벌이 사형보다 효과적인 범죄 억제책이다.
> 을: 살인범에게 법적으로 집행되는 사형 외에는 범죄와 보복의 동등성은 없다. 시민 사회가 모든 구성원들의 동의로 해체되었을 때에도 감옥에 있는 살인범은 처형되어야 한다.

① 갑: 종신형은 사형보다 형벌의 실효성이 적고 비인간적이다.
② 갑: 살인범에게 생명 박탈의 처벌 이외의 다른 대안은 없다.
③ 을: 사형은 살인범의 인격을 수단으로 대우하는 것이다.
④ 을: 평형의 원리에 입각해 처벌의 양과 질을 결정해야 한다.
⑤ 갑, 을: 처벌의 최종 목적을 범죄 예방과 교화에 두어야 한다.

| 수능 기출 |

11 (가)의 갑, 을, 병 사상가들의 입장을 (나) 그림으로 탐구할 때, A~D에 들어갈 옳은 질문만을 <보기>에서 있는 대로 고른 것은?

(가)	갑: 모든 형벌은 강도, 지속성, 보편성을 근거로 과도하지 않게 집행되어야 한다. 형벌의 가장 중요한 목적은 처벌을 본보기로 삼아 전체의 효용을 증진하는 것이다. 을: 모든 인간은 목적으로 대우받아야 한다. 사형은 살인범의 인간성을 훼손할 수 있는 모든 가혹 행위로부터 살인범의 인격을 존중하는 것이다. 병: 모든 사람들에게 살인범의 끝없는 비참한 상태를 보여 주는 것이 사형보다 범죄 예방에 더 효과적이다. 형벌의 강도보다 지속성이 사람들에게 더 큰 영향을 준다.
(나)	갑, 을, 병의 입장을 탐구한다. A → 예: 갑의 입장 / 아니요: B B → 예: C / 아니요: D C → 예: 을의 입장 D → 예: 병의 입장 <범 례> □: 출발 조건 ◇: 판단 내용 →: 판단 방향 ▭: 사상가의 입장

보기
ㄱ. A: 사회 전체의 이익보다 살인범의 생명권을 우선해야 하는가?
ㄴ. B: 사형은 범죄 억제 목적을 달성하기 위한 응보적 처벌인가?
ㄷ. C: 사형은 살인죄에 대한 동등성 원리에 부합하는 정당한 처벌인가?
ㄹ. D: 사형은 종신형에 비해 처벌의 사회적 효용이 낮은 형벌인가?

① ㄱ, ㄴ ② ㄱ, ㄷ ③ ㄷ, ㄹ
④ ㄱ, ㄴ, ㄹ ⑤ ㄴ, ㄷ, ㄹ

| 교육청 기출 응용 |

12 다음 사상가가 긍정의 대답을 할 질문으로 옳은 것은?

> 개개인의 행복은 사회 전체의 행복으로 연결된다. 더 많은 사람에게 더 많은 행복을 가져다주는 행위가 옳은 행위이다.

① 절차가 공정하면 결과도 평등한 것이 정의인가?
② 가치와 공적을 기준으로 하는 분배가 정의인가?
③ 국가에 의한 재분배를 부정하는 것이 정의인가?
④ 사회 전체의 효용을 극대화하는 것이 정의인가?
⑤ 소유에 관한 개인의 권리를 절대시하는 것이 정의인가?

| 평가원 기출 |

13 다음 근대 서양 사상가의 입장으로 가장 적절한 것은?

> 이익을 추구하는 본성으로 인해 인간은 정부에 복종한다. 안전과 보호라는 이익은 정부 제도 수립의 근원적 도리이자 우리가 정부에 복종하는 원천이다. 우리가 완전히 자유롭고 독립적일 때에는 결코 이러한 이익을 획득할 수 없다. 이 이익 때문에 우리는 자신이 정부에 저항하는 것에 반감을 느끼며, 다른 사람이 정부에 저항하는 것에도 불쾌감을 느낀다.

① 안전한 삶은 정치 공동체가 없더라도 항상 쉽게 향유할 수 있다.
② 정부가 제공하는 혜택에서 정부에 대한 복종의 의무가 생겨난다.
③ 국가에 거주하는 이유만으로 항구적인 복종의 의무가 부과된다.
④ 국민이 정부에 복종하는 것은 사회 질서의 유지와는 무관하다.
⑤ 정부에 복종하기로 명시적 동의를 한 사람만 정치적 의무가 있다.

| 교육청 기출 |

14 다음 사상가의 입장만을 〈보기〉에서 고른 것은?

> 시민 불복종은 법이나 정부의 정책에 변혁을 가져올 목적으로 행해지는, 공공적이고 비폭력적이며 양심적이기는 하지만 법에 반하는 정치적 행위이다. 시민 불복종은 거의 정의로운 국가 내에서 그 체제의 합법성을 인정하고 받아들이는 시민들에게만 생겨나는 문제이다. 시민 불복종 행위가 그 권리를 인정받으려면 대상과 수단이 적절해야 한다.

보기

ㄱ. 시민 불복종은 정치 체제를 변혁하기 위한 공개적인 행위이다.
ㄴ. 시민 불복종은 그 행위에 대한 법적 처분의 수용을 전제한다.
ㄷ. 의회가 합법적으로 제정한 법은 시민 불복종의 대상이 아니다.
ㄹ. 개인의 양심에 근거하더라도 정당한 시민 불복종이 아닐 수 있다.

① ㄱ, ㄴ ② ㄱ, ㄷ ③ ㄴ, ㄷ
④ ㄴ, ㄹ ⑤ ㄷ, ㄹ

| 수능 기출 |

15 갑, 을 사상가들의 입장만을 〈보기〉에서 있는 대로 고른 것은?

> 갑: 시민은 한 순간이라도 자신의 양심을 입법자에게 맡겨야 하는가? 우리는 먼저 인간이어야 하고 그 다음에 국민이어야 한다. 단 한 명의 사람이라도 부당하게 가두는 정부 밑에서 의로운 사람이 진정 있을 곳은 감옥이다.
> 을: 시민들의 부정의한 법에 대한 불복종은 공유된 정의관에 의해 정당화된다. 이러한 불복종은 거의 정의로운 국가에서 체제의 합법성을 인정하는 시민들에 의해서만 생긴다. 특히 평등한 기본적 자유 원칙의 침해는 굴종이 아니면 반항을 부른다.

보기

ㄱ. 갑: 개인은 법에 우선하여 양심과 정의에 따라 행동해야 한다.
ㄴ. 을: 시민 불복종은 법에 대한 충실성을 거부하는 정치 행위이다.
ㄷ. 을: 시민 불복종의 대상은 일부의 부정의한 법이나 정책들에 한정된다.
ㄹ. 갑, 을: 정의감에 호소하는 시민 불복종이 비폭력적일 필요는 없다.

① ㄱ, ㄷ ② ㄱ, ㄹ ③ ㄴ, ㄹ
④ ㄱ, ㄴ, ㄷ ⑤ ㄴ, ㄷ, ㄹ

| 교육청 기출 응용 |

16 갑, 을 사상가들의 입장으로 옳은 것은?

> 갑: 법이나 정책은 원초적 입장에서 합의한 정의의 원칙을 위반해서는 안 된다. 시민 불복종은 제1원칙인 평등한 자유의 원칙이나 제2원칙 중 공정한 기회 균등의 원칙에 대한 현저한 위반에 국한되어야 한다.
> 을: 법에 대한 존경심보다는 먼저 정의에 대한 존경심을 길러야 한다. 법에 대한 존경심 때문에 선량한 사람조차도 불의의 하수인이 될 상황이라면 그 법을 어겨라. 양심에 따라 그 법에 저항하라.

① 갑: 불복종이 공개적으로 이루어질 필요가 없다.
② 갑: 불복종에 따른 처벌을 감수하는 것이 옳지 않다.
③ 을: 양심에 어긋나는 모든 법에 불복종해야 한다.
④ 을: 공동체의 정의감이 불복종 정당화의 최종 근거이다.
⑤ 갑, 을: 불복종은 정의의 실현을 위한 합법적 행위이다.

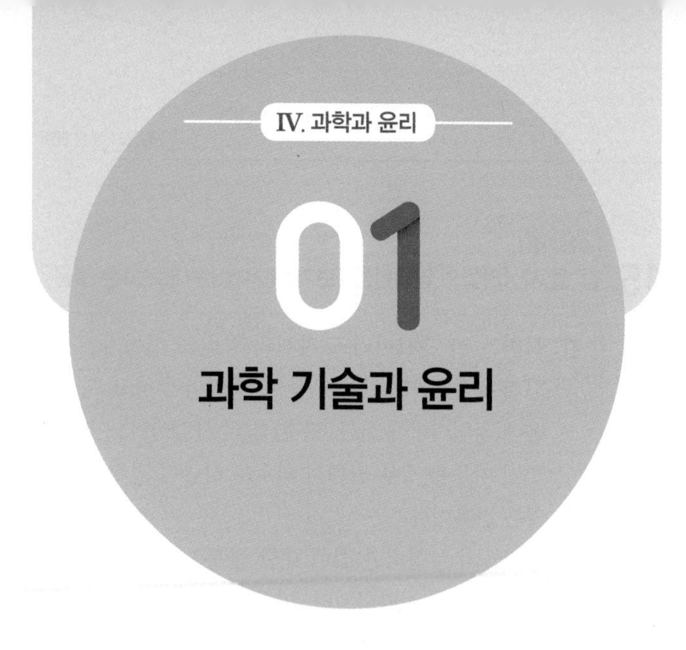

1 과학 기술 가치 중립성 논쟁

1. 과학 기술을 바라보는 관점

(1) 과학 기술 지상주의

기본 입장	과학 기술을 이용하여 사회의 모든 문제를 해결하고 무한한 부와 행복을 누릴 수 있다고 보는 입장
문제점	과학 기술의 부정적 측면 간과, 반성적 사고 능력 훼손

(2) 과학 기술 혐오주의

기본 입장	과학 기술의 비인간적·비윤리적 측면을 부각하고 과학의 합리성 자체에 문제가 있다고 보는 입장
문제점	과학 기술의 가치 불인정, 과학 기술의 혜택과 성과 부정

(3) 과학 기술에 대한 바람직한 관점 과학 기술의 긍정적 측면과 부정적 측면에 대해 비판적으로 성찰하는 자세

2. 과학 기술의 가치 중립성 → 과학 기술을 연구·검증할 때 특정 가치나 신념이 개입하지 않아야 한다는 것

(1) 가치 중립성을 강조하는 입장

① 과학 기술은 가치 중립적이므로 연구의 자유를 보장해야 함

② 객관적인 진리 탐구가 과학 기술 연구의 주된 활동이라고 봄

③ 과학 기술의 사실성 여부를 판단하는 과정에 특정 가치가 개입되어서는 안 됨

④ 과학 기술에 대한 윤리적 평가와 비판을 유보해야 함

⑤ 과학 기술의 윤리적 규제는 과학 기술의 발달을 저해함

(2) 가치 중립성을 부정하는 입장

① 과학 기술도 가치 판단의 대상이므로 윤리적 검토나 통제가 필요함

② 과학 기술은 정치·경제 등 사회적 요인과 결합하여 발전하고 내용적 제약을 받음

③ 과학 기술을 연구, 발견, 발명, 활용하는 주체는 인간이므로 과학 기술과 도덕적 가치를 분리하여 생각할 수 없음

④ 과학 기술이 사회에 영향을 끼치고, 인간에 대한 이해와 가치관도 과학 체계·지식·기술에 따라 형성되고 변화됨

⑤ 과학 기술은 인간의 삶과 불가분의 관계이므로 과학 기술을 연구·활용하는 모든 과정은 독립적이지 않음

(3) 과학 기술 발전을 위한 올바른 태도

① 이론적 정당화 과정 가치 중립적 태도가 필요함

② 과학 기술 연구 목적 설정 및 활용 과정 윤리적 가치 평가가 필요함

2 과학 기술의 사회적 책임

1. 과학 기술 시대에 요청되는 윤리 → 과학 기술의 개발과 활용에 신중한 접근과 윤리적 책임 의식이 요구됨

(1) 윤리적 책임 의식이 필요한 이유 과학 기술의 결과에 대한 예측의 모호성, 비윤리적 과학 기술에 대한 개발과 적용의 확대, 과학 기술의 영향력 확대

(2) 요나스의 책임 윤리

① 과학 기술의 발전이 사회에 미치게 될 결과를 예측하여 도덕적 책임을 져야 함

② 미래의 가능한 결과에 대한 두려움을 가지고 미래 세대에 대한 책임 윤리를 발휘해야 함

③ 책임 윤리의 덕목 두려움, 겸손, 검소, 절제, 성스러운 것에 대한 외경심 등

핵심 기출 자료 분석 요나스의 책임 윤리

책임의 범위를 현세대로 한정하는 기존의 전통적 윤리관으로는 과학 기술 시대에 발생하는 문제를 해결하는 데 한계가 있다. 새롭게 요구되는 윤리는 과학 기술로 인한 상황을 적극적으로 반성하는 책임 윤리로서 두려움, 겸손, 검소, 절제, 성스러운 것에 대한 외경심 등의 덕목들이다.

– 요나스, 『기술 의학 윤리』 –

분석 | 요나스는 과학 기술이 발전한 시대에 새로운 책임 윤리를 확립해야 한다고 주장한다.

2. 과학 기술에 대한 책임

(1) 과학 기술자의 책임

내적 책임	• 연구 자체에 대한 과학 기술자의 책임 • 연구 윤리 준수, 연구의 참과 거짓 규명, 신뢰할 수 있는 검증 과정, 발견한 진리의 공표 및 검토 등
외적 책임	• 연구 결과가 사회에 미칠 영향에 대한 과학 기술자의 책임 • 사회적 책임 의식: 인간의 존엄성 구현, 삶의 질 향상, 미래 세대의 존속 및 인간 생존 등

(2) 사회 제도적 차원의 노력

① 과학 기술의 윤리적 문제를 해결하기 위한 사회적 차원의 접근이 필요함

② 과학 기술의 연구 개발 과정과 결과를 평가·감시·통제할 수 있는 기관 및 윤리 위원회의 활동 강화, 기술 영향 평가 제도의 시행 등

(기술 영향 평가 제도: 과학 기술이 사회 전반에 미치는 영향을 파악하여 과학 기술의 바람직한 발전 방향을 모색하고 그 부정적 영향을 최소화하려는 제도)

(3) 시민의 노력

① 과학 기술의 연구·개발과 관련된 사회적 토론과 합의 과정에 적극적·민주적으로 참여

② 과학 기술이 인권과 생명을 존중하고, 환경 친화적으로 발전할 수 있도록 노력해야 함

1 과학 기술을 바라보는 관점을 바르게 연결하시오.

(1) 과학 기술 지상주의 • • ㉠ 과학 기술의 비인간적·비윤리적 측면을 부각하고 과학의 합리성 자체에 문제가 있다는 입장

(2) 과학 기술 혐오주의 • • ㉡ 과학 기술을 이용하여 사회의 모든 문제를 해결하고 무한한 부와 행복을 누릴 수 있다는 입장

2 과학 기술의 가치 중립성을 강조하는 입장을 〈보기〉에서 모두 고르시오.

보기
ㄱ. 과학 기술도 가치 판단의 대상이므로 윤리적 검토나 통제가 필요하다.
ㄴ. 과학 기술 연구는 객관적인 진리를 탐구하는 학문적 목적에서 이루어져야 한다.
ㄷ. 과학 기술은 인간의 삶과 불가분의 관계이므로 과학 기술을 연구·활용하는 모든 과정은 독립적이지 않다.

( )

3 빈칸에 들어갈 알맞은 말을 쓰시오.

(1) 과학 기술의 ( )을 부정하는 입장에서는 과학 기술이 가치 판단에서 자유로울 수 없으므로 윤리적 검토와 통제가 필요하다고 본다.
(2) ( )는 과학 기술이 사회에 미치게 될 결과를 예측하여 도덕적 책임을 져야 한다고 주장한다.
(3) 과학 기술자의 개별적 책임으로 과학 기술의 윤리적인 문제를 해결할 수는 없다. 따라서 과학 기술에 대한 윤리적 책임은 개인적 차원뿐만 아니라 ( ) 차원의 접근이 필요하다.

4 설명이 맞으면 ○표, 틀리면 ×표 하시오.

(1) 요나스는 미래의 가능한 결과에 대한 두려움을 가지고 미래 세대에 대한 책임 윤리를 발휘해야 한다고 주장한다. ( )
(2) 과학의 영역이 가치 중립적이라고 생각하는 사람들은 과학 기술자의 사회적 책임만을 인정한다. ( )

내신 기출

1 과학 기술 가치 중립성 논쟁

01 갑, 을의 입장에 대한 설명으로 가장 적절한 것은?

갑: 과학 기술은 대기 오염과 수질 오염 등 지구촌 생태 환경을 파괴하고 있으며, 오늘날 인간과 동식물의 생명까지 위협하고 있는 주범이다.
을: 과학 기술은 인류에게 물질적인 풍요와 행복한 삶을 누리게 해 주었으며, 현대 사회에서 인류가 직면한 모든 문제를 해결해 줄 수 있다.

① 갑은 과학 기술의 긍정적 측면을 강조한다.
② 갑은 과학 기술이 모든 문제를 해결할 수 있다고 본다.
③ 을은 과학 기술의 문제점을 부정적으로 바라본다.
④ 을은 과학 기술에 대한 비판적 시각이 결여될 수 있다.
⑤ 갑, 을은 모두 과학 기술에 대한 반성이 필요하다고 본다.

02 그림의 강연자가 강조하는 입장만을 〈보기〉에서 있는 대로 고른 것은?

기술은 수단일 뿐이며 그 자체로 선도 아니고 악도 아니다. 과학 기술이 선한지 악한지는 인간이 기술로부터 무엇을 만들어 내고, 기술을 어디에 사용하고, 어떤 조건에서 기술이 만들어지느냐에 달려 있다.

보기
ㄱ. 과학 기술을 규범적 평가 대상으로 간주해서는 안 된다.
ㄴ. 인간은 과학 기술에 의해 지배당하는 현상을 막아야 한다.
ㄷ. 과학 기술은 정치, 경제 등 사회적 요인과 결합하여 발전한다.
ㄹ. 과학 기술을 가치 중립적인 것으로 인식하는 자세가 필요하다.

① ㄱ, ㄴ ② ㄱ, ㄹ ③ ㄴ, ㄷ
④ ㄱ, ㄷ, ㄹ ⑤ ㄴ, ㄷ, ㄹ

03 다음 사상가의 입장에서 긍정의 대답을 할 질문으로 가장 적절한 것은?

> 과학 기술은 좀처럼 상상하지 못하는 방식으로 우리들의 존재를 철저하게 지배하고 있다. 오늘날 우리는 어디서나 과학 기술에 붙들려 있다. 따라서 최악의 경우는 기술을 중립적인 것으로 고찰하여 우리와 무관한 것으로 보게 되는 것이다. 이 경우 우리는 무방비 상태로 기술에 내맡겨진다.

① 과학 기술에 대한 연구는 사실 판단의 영역인가?
② 과학 기술은 그 자체로 발전하는 속성을 지니는가?
③ 과학 기술에 대한 도덕적 평가를 유보해야 하는가?
④ 과학 기술에 대한 윤리적 검토와 통제가 필요한가?
⑤ 과학 기술은 가치 판단으로부터 자유로워야 하는가?

04 ㉠에 들어갈 내용으로 가장 적절한 것은?

> 갑: 기술은 그 자체로 선하지도 악하지도 않은 수단이다. 중요한 것은 인간이 기술로부터 무엇을 만드느냐에 달려 있다.
> 을: 현대 기술을 가치 중립적인 것으로 고찰할 때 우리는 무방비 상태로 기술에 지배당한다. 따라서 우리는 (㉠)

① 과학 기술 이론의 사실성 여부를 판단해야 한다.
② 과학 기술에 대해 반성하는 태도를 가져야 한다.
③ 과학 기술에 특정 가치관을 개입해서는 안 된다.
④ 과학 기술의 가치 중립성을 부정해서는 안 된다.
⑤ 과학 기술과 도덕적 가치의 영역을 분리해야 한다.

05 ㉠에 들어갈 내용으로 가장 적절한 것은?

> 과학적 지식이나 이론의 사실성 여부를 판단하는 경우에는 실험이나 관찰과 같은 객관적 방법을 통해 검증이 이루어져야 한다. 따라서 과학 기술의 이론적 정당화 맥락, 즉 과학 기술이 객관적 타당성을 갖춘 지식이나 원리로 인정받는 과정에서는 (㉠)

① 과학 기술에 대해 비판적으로 성찰해야 한다.
② 과학 기술에 대한 가치 판단을 강조해야 한다.
③ 과학 기술이 지닌 가치 중립성을 강조해야 한다.
④ 과학 기술에 인간의 가치가 개입됨을 알아야 한다.
⑤ 과학 기술의 연구 주체가 인간임을 명심해야 한다.

06 다음 입장에서 지지할 견해를 〈보기〉에서 고른 것은?

> 과학 기술이 궁극적으로 지향하는 바는 인간의 존엄성 구현과 삶의 질 향상이라는 윤리적 목적과 연결되어 있다. 이러한 맥락에 비추어 볼 때, 과학 기술은 윤리적 가치에 의해 지도되고 규제되어야 한다. 또한 과학 기술의 자유 또한 다른 자유와 마찬가지로 자기 정당화의 의무와 윤리적 책임이 뒤따라야 할 것이다.

보기
ㄱ. 과학 기술의 본질은 도덕적 가치와 연결되어 있다.
ㄴ. 과학 기술 활용 과정에는 가치가 개입될 수밖에 없다.
ㄷ. 과학 기술은 윤리적 규제나 평가로부터 자유로워야 한다.
ㄹ. 과학 기술 연구는 인간의 삶과 완전히 독립적으로 이루어진다.

① ㄱ, ㄴ ② ㄱ, ㄷ ③ ㄴ, ㄷ
④ ㄴ, ㄹ ⑤ ㄷ, ㄹ

2 과학 기술의 사회적 책임

07 다음 입장에서 지지할 견해만을 〈보기〉에서 있는 대로 고른 것은?

- 현대 과학 기술은 선하고 정당한 목적으로 사용될 때 조차도 장기간에 걸쳐 광범위한 영향력을 행사할 수 있다.
- 현대 과학 기술의 적용은 개인적 차원이 아니라 사회적 차원에서 이루어진다. 따라서 현대 과학 기술은 지구 전체에 영향을 미치고 그 누적된 결과가 미래 세대까지 영향을 미칠 것이다.

보기
ㄱ. 과학 기술과 관련된 행위는 복합적 속성을 지닌다.
ㄴ. 과학 기술 발전 과정에서 윤리적 책임이 커지고 있다.
ㄷ. 과학 기술의 미래는 앞으로도 계속 낙관적일 것이다.
ㄹ. 현대 사회에서 과학 기술의 지배력이 강화되고 있다.

① ㄱ, ㄷ ② ㄱ, ㄹ ③ ㄴ, ㄷ
④ ㄱ, ㄴ, ㄹ ⑤ ㄴ, ㄷ, ㄹ

08 다음 사상가의 입장만을 〈보기〉에서 있는 대로 고른 것은?

전통 윤리학은 행위의 실천이 미치는 영향의 범위가 작고, 결과를 예견하는 시간적 간격이 짧다. 현대 기술이 산출한 행위는 너무 새롭고 그 대상과 결과 역시 너무 새롭다. 새롭게 요구되는 윤리는 과학 기술로 인한 상황을 적극적으로 반성하는 책임 윤리로서 두려움, 겸손, 검소, 절제, 성스러운 것에 대한 외경심의 덕목들이다.

보기
ㄱ. 미래 세대에까지 책임의 범위를 확장해야 한다.
ㄴ. 행위 결과와 무관하게 도덕 판단을 내려야 한다.
ㄷ. 인간 종족의 존속을 위해 자연을 보호해야 한다.
ㄹ. 현세대에게 미래의 자연에 대한 책임을 부과해야 한다.

① ㄱ, ㄹ ② ㄴ, ㄷ ③ ㄴ, ㄹ
④ ㄱ, ㄴ, ㄷ ⑤ ㄱ, ㄷ, ㄹ

09 다음 사상가의 입장에 해당하는 것에 모두 '✓'를 표시한 학생은?

현대 기술이 산출한 행위의 규모, 대상, 결과는 너무나 새로운 것이므로 인간관계에 한정될 수 없으며, 단기적 예견에 토대를 둔 전통 윤리의 틀로는 이러한 행위들을 더 이상 파악할 수 없다. 전통 윤리와 달리 새로운 윤리학은 이제 인간적 삶의 전 지구적 조건과 종의 먼 미래와 실존을 고려해야만 한다. 그래서 윤리의 토대에서 적지 않은 사고의 전환이 요청된다.

입장 \ 학생	갑	을	병	정	무
과학 기술의 부정적 결과에 대한 예측을 중시해야 한다.	✓	✓		✓	
인간 종의 존속보다 자연 생태계의 보존을 과제로 삼아야 한다.			✓	✓	✓
현세대의 번영과 발전을 위해 미래 세대의 희생을 감수해야 한다.	✓			✓	✓
오늘날 과학 기술은 자연을 파괴할 수 있을 만큼 힘을 가지고 있다.		✓	✓		✓

① 갑 ② 을 ③ 병 ④ 정 ⑤ 무

10 갑이 을에게 제기할 수 있는 비판으로 가장 적절한 것은?

갑: 과학자는 독재자의 손에 원자 폭탄이 들어가게 해서는 안 된다. 과학 연구는 평화로운 핵기술의 개발에 한정되어야 한다.
을: 원자 폭탄 사용에 관한 결정은 내가 아니라 정치인이 내린 것이다. 과학자인 나는 주어진 역할에 충실하게 임했을 뿐이다.

① 과학자가 내적 책임을 가볍게 생각해서는 안 된다.
② 과학자가 외적 책임을 회피하려고 해서는 안 된다.
③ 과학자는 연구 과정에 대한 책임을 이행해야 한다.
④ 과학자는 연구 결과에 대한 책임에서 벗어나야 한다.
⑤ 과학자에게 연구에 대한 책임을 부과해서는 안 된다.

11 ㉠에 들어갈 내용으로 옳지 않은 것은?

> 과학자의 사회적 책임은 현대 사회에서 과학 기술의 영향력에 비례해 더욱 강조되어야 한다. 그런데 어떤 과학자는 사회적 책임보다는 연구 과정에서 윤리를 준수하는 책임만 다하면 된다고 주장한다. 나는 이러한 과학자의 입장이 [㉠]을 간과하고 생각한다.

① 과학 정책이 가져올 부작용을 알려야 할 책임이 있음
② 과학 기술의 사회적 효용성 증진에 대한 책임이 있음
③ 연구 자료나 정보를 왜곡해서는 안 되는 책임이 있음
④ 연구자로서 과학 기술 활용 결과에 대한 책임이 있음
⑤ 과학 정책 수립을 위한 토론회에 참여할 책임이 있음

12 (가)의 입장에 비해 (나)의 입장이 갖는 상대적 특징을 그림의 ㉠~㉤ 중에서 고른 것은?

> (가) 과학 기술자는 자신의 연구 자체에 대한 책임을 져야 한다. 연구 결과의 활용 과정과 달리 연구 과정에서 과학 기술자는 연구 윤리를 지켜야 하며, 연구 결과를 객관적으로 검증해야 할 책임이 있다.
> (나) 과학 기술자는 자신의 연구가 사회적으로 끼칠 영향에 대한 책임을 져야 한다. 과학 기술자는 연구 과정과 연구 결과의 활용 과정에서 인간 존엄성을 구현할 수 있는지에 대해 성찰해야 할 책임이 있다.

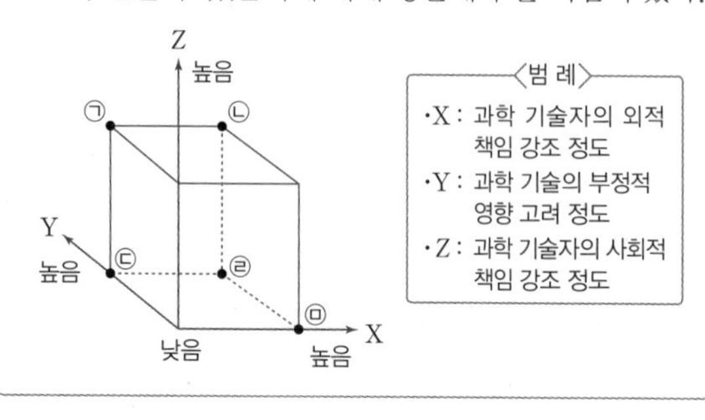

① ㉠ ② ㉡ ③ ㉢ ④ ㉣ ⑤ ㉤

서술형 문제

13 ㉠에 들어갈 적절한 내용을 한 문장으로 서술하시오.

> 과학 기술의 연구 목적을 설정하고, 연구 결과를 현실에 활용하는 과정에서는 과학자의 가치가 개입될 수밖에 없다. 자연과 인간을 위협하는 연구 목적을 설정하고 현실에 적용하면서 가치 판단을 거부한다면 우리가 상상할 수조차 없는 큰 재앙을 초래할 수 있기 때문이다. 따라서 [㉠]

14 밑줄 친 '사회적 책임 의식'을 발휘한 사례를 서술하시오.

> 과학 기술자는 자신의 연구 결과가 사회에 미칠 영향에 대해 책임을 져야 한다. 과학 기술자는 자신의 연구 결과가 사회적 위기를 가져올 수 있음을 인식하여 사회적 책임 의식을 가져야 한다.

15 밑줄 친 ㉠에 해당하는 방안을 두 가지 서술하시오.

> 과학 기술자의 개별적 책임으로 과학 기술의 윤리적인 문제를 해결할 수는 없다. 그러므로 과학 기술에 대한 윤리적 책임은 개인적 차원뿐만 아니라 ㉠ 사회적 차원의 접근이 필요하다.

01 갑, 을 사상가의 입장으로 가장 적절한 것은?

> 갑: 현대 기술의 지배적인 은폐 방식은 일종의 닦달하는 것이며, 자연에게 에너지를 내놓으라고 강요한다. 기술에 의해 인간과 사물은 기술을 위한 도구로 전락될 수 있는 위기에 처해 있다.
> 을: 기술은 그 자체로 선도 아니고 악도 아니다. 인간이 기술로부터 무엇을 만들어 내고, 기술을 어디에 사용하고, 어떤 조건에서 기술을 지배하고, 기술을 통해 인간의 어떤 본질이 나타나는가가 중요하다.

① 갑: 기술은 자연이 지닌 내재적 가치를 중시한다.
② 갑: 기술은 인간의 삶의 방식에 영향을 줄 수 없다.
③ 을: 미래 세대에 대한 책임은 현세대만이 질 수 있다.
④ 을: 기술과 도덕의 관계를 독립적으로 이해해야 한다.
⑤ 갑, 을: 기술은 단순한 가치 중립적인 도구에 불과하다.

02 밑줄 친 '나'의 입장으로 가장 적절한 것은?

> 과학 기술은 그 자체로 좋은 것도 나쁜 것도 아니며 도구에 불과할 뿐이라는 입장이 있다. 나는 과학 기술이 인류의 편의를 향상시킨 도구라는 입장에는 동의하지만 현대 사회에 들어와 이러한 과학 기술이 단지 도구에 불과하다는 입장에는 반대한다. 과학 기술이 자체적으로 발전하며, 이를 사용하는 인간에 의해 선악이 결정된다는 주장은 더 이상 유효하지 않다. 왜냐하면, 우리는 도처에서 휴대 전화에 지배당하고 있는 일상들을 목격하고 있으며, 핵무기를 비롯한 과학 기술의 부정적 측면들이 인류를 위협하고 있기 때문이다.

① 과학 기술을 가치 중립적인 관점에서 이해해야 한다.
② 과학 기술을 발전시켜 인류의 위기를 극복해야 한다.
③ 과학 기술이 인간을 지배할 수 있음을 성찰해야 한다.
④ 과학 기술 자체는 윤리적 평가로부터 자유로워야 한다.
⑤ 과학 기술은 가치의 영역이 아니라 사실의 영역에 해당한다.

03 다음 사상가의 입장만을 〈보기〉에서 있는 대로 고른 것은?

> 현대 기술은 상당히 오랫동안 전 지구와 미래 세대에게까지 영향력을 미칠 수 있는 위협적인 요소를 가지고 있다. 그렇기 때문에 오늘날에는 행위의 의도와 목적을 기준으로 선악을 판단하던 전통 윤리학과 전혀 다른 새로운 책임 윤리가 요구된다. 또한 현대 사회에서는 기술 지배에서 벗어나기 위해 현대 기술에 대한 윤리적 성찰이 요청된다.

보기
ㄱ. 현대 기술에 대한 가치 판단과 반성이 필요하다.
ㄴ. 현대 기술의 시공간적 힘의 범위가 커지고 있다.
ㄷ. 현대 기술을 가치 중립적 입장에서 이해해야 한다.
ㄹ. 현대 기술은 미래 세대의 생존권을 침해할 수 있다.

① ㄱ, ㄴ ② ㄱ, ㄷ ③ ㄷ, ㄹ
④ ㄱ, ㄴ, ㄹ ⑤ ㄴ, ㄷ, ㄹ

04 갑, 을 대화의 핵심 쟁점으로 가장 적절한 것은?

> 갑: 과학 기술의 발달은 인간의 삶의 질 향상에 기여하였지만, 수많은 도덕 문제를 일으키고 있습니다.
> 을: 그렇습니다. 따라서 과학 기술자는 자신의 연구 결과에 대한 책임 의식을 지녀야 합니다.
> 갑: 과학 기술 연구에 대한 책임은 과학자에게 있지만, 과학 기술 활용에 대한 책임은 그 기술을 사용하는 사람에게 있습니다.
> 을: 아닙니다. 과학 기술자는 연구 과정뿐만 아니라 연구 결과에 대한 사회적 책임을 고려해야 합니다.

① 과학 기술은 긍정적·부정적 측면을 모두 지니는가?
② 과학 기술의 발전은 인간의 행복한 삶을 보장하는가?
③ 과학 기술자는 내적 책임으로부터 자유로워야 하는가?
④ 과학 기술을 통해 새로운 윤리 문제를 해결할 수 있는가?
⑤ 과학 기술자는 연구 결과의 활용에 대한 책임이 있는가?

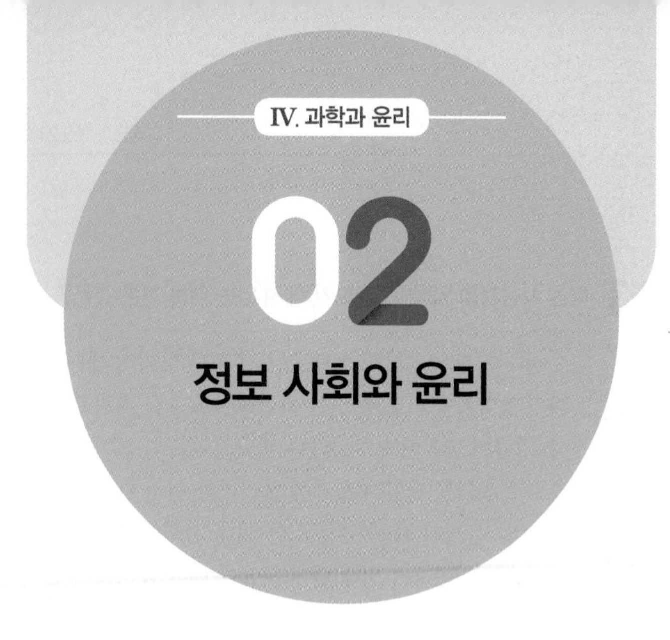

1 정보 기술 발달과 정보 윤리

1. 정보 기술 발달에 따른 다양한 문제

(1) 저작권 문제

정보 사유론 (copyright)	• 지적 창작물에 대한 창작자의 재산권 및 인격권을 보호해야 한다는 입장 • 정보 생산에 필요한 시간과 노력에 대한 대가를 지불해야 한다고 주장 • 비판: 정보의 자유로운 교류를 방해할 수 있음
정보 공유론 (copyleft)	• 지적 창작물은 공공재이며, 사회적 산물인 정보에 대한 권리를 공유해야 한다는 입장 • 특정 개인이나 집단이 정보를 독점하면 정보 발전이 어렵다고 주장 • 비판: 창작자의 노력을 충분히 고려하지 못함, 창작물의 질적 수준이 저하될 수 있음

(2) 사생활 침해의 문제

① 사적 정보 유출로 사생활 침해, 범죄 악용 문제 발생

② 정보 자기 결정권과 잊힐 권리가 강조됨 (정보 자기 결정권: 개인이 자기 정보의 유통 과정 전체를 결정하고 통제하는 권한)

(3) 표현의 자유

① 긍정적 측면 활발한 사회 참여와 연대

② 부정적 측면 인권 침해, 사회 질서 훼손

(4) 사이버 폭력 악성 댓글, 허위 사실 유포, 사이버 스토킹, 사이버 따돌림(불링) 등 (사이버 폭력: 현실 세계의 폭력과 마찬가지로 다른 사람에게 고통을 주고 사회 혼란을 일으킬 수 있음)

2. 정보 사회의 정보 윤리

(1) 정보 윤리의 필요성

① 거짓 정보가 많은 사람에게 유포되고 재생산되어 파급 효과가 크고 해악성이 심각함

② 허위 정보를 비판 없이 수용할 경우 진실을 파악하기 어렵고, 다른 사람에게 피해를 줄 수 있음

(2) 정보 윤리의 성격

① 정보 기술의 발전으로 새롭게 만들어진 미디어 환경, 가상 공간 등은 일정한 윤리 규범의 준수를 요구함

② 정보 윤리의 주요 주제 인간성 존중, 자유, 평등, 책임, 정의 등과 같은 전통적 가치와 관련을 맺고 있음

핵심 기출 자료 분석 정보 윤리의 기본 원칙

- 자율성의 원리: 스스로 도덕 원칙을 수립하여 행동하고 타인의 자기 결정 능력을 존중해야 한다.
- 해악 금지의 원리: 남에게 해악을 끼치거나 상해를 입히는 일을 피해야 한다.
- 선행의 원리: 타인의 복지를 증진하는 방향으로 행동해야 한다.
- 정의의 원리: 공정한 기준에 따라 혜택이나 부담을 공정하게 배분해야 한다. – 스피넬로(Spinello, R.), 『사이버 윤리』 –

2 정보 사회에서의 매체 윤리

1. 뉴 미디어 시대의 매체

(1) 뉴 미디어의 특징 (뉴 미디어: 정보를 인터넷을 통해 가공·전달·소비하는 포괄적 융합 매체)

① 정보 생산 주체와 소비 주체의 쌍방향적인 의사소통

② 시간, 장소에 제한받지 않는 광범위한 사회적 연결망의 형성

③ 정보의 신속한 수집·전달, 정보 발견과 동시에 취합·공개·수정

④ 누구나 정보의 생산·유통·소비 가능, 다수의 정보 이용자가 정보의 제공과 감시의 역할 수행

(2) 뉴 미디어의 문제점

① 뉴 미디어의 정보는 기존 매체 수준으로 신뢰하기 어려움 (객관성을 점검할 감시 장치가 기존 매체에 비해 부족하기 때문)

② 뉴 미디어 매체는 허위 정보나 음란 및 각종 유해 정보를 전달할 수 있음

③ 정보의 의미를 올바르게 해석하여 정확하게 전달해야 하는 사회적 책임이 요구됨

핵심 기출 자료 분석 데이터 스모그(data smog)

인터넷의 급속한 발달로 쏟아져 나오는 많은 정보 중 필요 없는 정보나 허위 정보들이 마치 대기 오염의 주범인 스모그처럼 가상 공간을 어지럽힌다는 뜻에서 유래된 용어이다. 솅크(Shenk, D.)는 "더 많은 정보는 반드시 좋은 것인가?"라는 의문을 제기하고 정보 과잉의 시대에서 올바른 정보를 찾을 수 있는 능력을 갖춰야 한다고 주장한다.

2. 현대인에게 요구되는 매체 윤리

(1) 정보 생산 및 유통 과정에서 필요한 윤리

① 진실한 태도 정보의 자의적 해석과 왜곡 금지, 의사 표명 시 객관성과 공정성 유지

② 개인의 인격권 보호 알 권리를 충족하는 과정에서 특정 개인의 명예나 사생활, 인격권을 침해하지 않도록 유의

③ 배려 가상 공간에서 간접적으로 만나는 상대를 배려하는 자세 필요

(2) 정보의 소비 과정에서 필요한 윤리

① 미디어 리터러시(media literacy) 함양 뉴 미디어 매체를 이해하고 활용하는 능력을 갖추어야 함

② 사용자 상호 간의 소통 및 시민 의식 정보를 바탕으로 교류함으로써 공동으로 체험하고 협력할 수 있는 능력과 자세 필요

③ 정보의 비판적·능동적 수용 매체가 제공하는 정보의 진위와 진실성을 판단하여 비판적·능동적으로 수용

개념 암기

1 빈칸에 들어갈 알맞은 말을 쓰시오.

(1) 창작자의 노력에 대한 경제적 이익을 보장함으로써 창작 의욕을 높여 정보의 질적 수준을 높이고 더 많은 지적 자산을 생산할 수 있다고 보는 입장은 정보에 대한 (   )의 보호를 주장하는 입장이다.

(2) (   )란 온라인상에서 자신과 관련된 모든 정보에 대한 삭제 및 확산 방지를 요구할 수 있는 정보 주체의 자기 결정권 및 통제 권리를 뜻한다.

(3) 가상 공간에서는 (   )이 보장되기 때문에 자유롭게 자신의 의사를 표현할 수 있다.

(4) 뉴 미디어 시대에서 정보의 소비 활동과 관련하여 매체를 이해하고 활용하는 능력인 (   )는 우리가 살아가는 데 갖추어야 할 삶의 기술이다.

2 설명이 맞으면 ○표, 틀리면 ×표 하시오.

(1) 신문이나 텔레비전과 같은 기존의 매체는 대부분 소수가 다수에게 정보를 일방적으로 전달하는 방식을 취한다. (   )

(2) 인터넷, 누리소통망 등 뉴 미디어는 정보를 생산하는 주체와 소비하는 주체의 쌍방향적인 의사소통이 이루어진다. (   )

(3) 뉴 미디어의 정보는 기존 매체보다 신뢰도가 높다. (   )

3 정보 윤리의 기본 원칙을 〈보기〉에서 고르시오.

보기
ㄱ. 선행의 원리 ㄴ. 정의의 원리 ㄷ. 자율성의 원리 ㄹ. 해악 금지의 원리

(1) 타인의 복지를 증진하는 방향으로 행동해야 한다. (   )

(2) 공정한 기준에 따라 혜택이나 부담을 공정하게 배분해야 한다. (   )

(3) 스스로 도덕 원칙을 수립하여 행동하고 타인의 자기 결정 능력을 존중해야 한다. (   )

내신 기출

1 정보 기술 발달과 정보 윤리

01 ㉠에 들어갈 내용으로 가장 적절한 것은?

> 저작물에 대한 무단 표절과 복제를 막고 저작자의 노력에 정당한 대가를 지불해야 한다. 영화, 음악, 소프트웨어 등과 같은 디지털 콘텐츠를 무단으로 다운로드하거나 복제하는 행위는 저작자의 창작 활동 동기를 약화시키고 궁극적으로 국가 경제에 큰 손실을 가져올 수 있다. 이렇게 볼 때 [㉠   ] 점을 잊지 말아야 할 것이다.

① 모든 정보는 공유될 때 그 가치가 증대된다는
② 특정 개인의 저작권 소유를 인정해서는 안 된다는
③ 인격권 보장을 위해 잊힐 권리를 인정해야 한다는
④ 정보를 이해하는 개개인의 능력을 중시해야 한다는
⑤ 저작권을 보호해야 양질의 정보를 생산할 수 있다는

02 다음 입장에서 긍정의 대답을 할 질문으로 가장 적절한 것은?

> 모든 정보와 지식은 수많은 사람들의 협업에 의해 만들어진다는 점에서 공공재의 성격을 갖는다. 만약 모든 정보와 지식이 특정 개인의 소유물로 취급된다면 인류의 공공재가 상품화되고, 결과적으로 소수만이 정보화 사회의 혜택을 누리는 불평등이 심화될 수 있다. 인류의 집단적 경험과 기억, 학습 과정을 통해 정보의 공유가 이루어질 때 정보 사회의 발전을 기약할 수 있다.

① 자유롭게 정보를 이용하는 사람을 제재해야 하는가?
② 정보 생산에 투입된 노동에 대가를 지불해야 하는가?
③ 정보의 배타적 소유로 인해 정보 격차가 심화되는가?
④ 지적 재산권 보호가 정보 사회 발전의 기본 조건인가?
⑤ 지적 재산권 보호를 위해 정보 접근을 제한해야 하는가?

갑이 을에게 제기할 수 있는 비판만을 〈보기〉에서 있는 대로 고른 것은?

> 갑: 정보는 인류의 경험이 담긴 공동의 자산입니다. 정보를 자유롭게 교류할 때 양질의 정보가 생산됩니다. 따라서 정보를 공유물로 인정해야 합니다.
> 을: 정보는 개인의 창의적 노력으로 만들어집니다. 정보 생산자에게 보상이 있어야 양질의 정보가 생산됩니다. 따라서 정보를 사유물로 인정해야 합니다.

보기
ㄱ. 정보가 지닌 공공재적 특성을 무시하지 말아야 한다.
ㄴ. 정보가 공유되어야 정보의 가치가 높아짐을 알아야 한다.
ㄷ. 저작물은 모든 사람의 공동선을 위해 활용되어야 한다.
ㄹ. 정보에 대한 저작권자의 배타적 권리를 인정해야 한다.

① ㄱ, ㄷ ② ㄱ, ㄹ ③ ㄴ, ㄹ
④ ㄱ, ㄴ, ㄷ ⑤ ㄴ, ㄷ, ㄹ

다음 글에서 강조하는 내용으로 가장 적절한 것은?

> 가상 공간에서 정보의 접근이 쉬워지면서 사적인 정보가 쉽게 유출되는 문제가 발생하고 있다. 그러나 가상 공간이라 할지라도 개개인은 정보가 유통되는 과정을 결정하고 통제하는 자기 결정권을 행사하는 것이 옳다. 따라서 누구나 개인 정보를 비롯하여 자신이 원하지 않는 민감한 정보들에 대한 삭제 및 확산 방지를 요구할 수 있는 정보 주체로 인정해야 한다.

① 정보 자기 결정권과 잊힐 권리를 보장해야 한다.
② 지적 재산에 대한 독점적 소유권을 보장해야 한다.
③ 누구나 평등하게 정보에 접근할 기회를 가져야 한다.
④ 개인의 정보를 인류 공동의 자산으로 간주해야 한다.
⑤ 개인의 사생활보다는 알 권리의 보장을 중시해야 한다.

05 밑줄 친 ㉠에 대한 옳은 설명만을 〈보기〉에서 있는 대로 고른 것은?

> 사이버 폭력은 현실 공간에서의 폭력보다 피해자들에게 더욱 심각한 영향을 끼칠 수 있다. ㉠ 사이버 폭력은 주로 누리소통망이나 문자 메시지 등을 통해 사이버 공간에서 발생하기 때문에 가해자들이 피해자의 고통을 직접 목격하기 어려우며, 사이버 폭력이 집단적으로 가해질 경우 해를 가한 사람들이 자신의 잘못을 다른 사람에게 돌리기 쉽다.

보기
ㄱ. 악성 댓글 등을 통해 광범위하고 빠르게 확산될 수 있다.
ㄴ. 시간과 공간의 제약이 없이 일상적으로 발생할 수 있다.
ㄷ. 개인의 노력에 따라 거짓된 정보를 쉽게 회수할 수 있다.
ㄹ. 현실적인 폭력에 비해 가해자를 분명하게 찾을 수 있다.

① ㄱ, ㄴ ② ㄱ, ㄹ ③ ㄷ, ㄹ
④ ㄱ, ㄴ, ㄷ ⑤ ㄴ, ㄷ, ㄹ

06 다음 글의 입장에서 긍정의 대답을 할 질문으로 가장 적절한 것은?

> 범죄자의 신상은 공공의 이익과 안전을 위해 중요한 사항이기 때문에 필요에 따라 공개될 수 있다. 또한 공직자의 사생활은 국민의 삶과 행복에 영향을 미칠 수 있기 때문에 인사 청문회와 같은 제도를 통해 공개될 수 있다.

① 국민의 알 권리를 위해 사생활 보호가 제한될 수 있는가?
② 사생활 보호가 국민의 알 권리보다 중시되어야 하는가?
③ 언제 어디서나 개인의 이익과 안전을 보장해야 하는가?
④ 인간 존엄성 존중 차원에서 사생활이 보호되어야 하는가?
⑤ 공익을 위한 목적에서 국민의 알 권리가 통제되어야 하는가?

07 ㉠~㉣에 해당하는 정보 윤리의 기본 원칙을 바르게 짝지은 것은?

- (㉠): 스스로 도덕 원칙을 수립하여 행동하고 타인의 자기 결정 능력을 존중해야 한다.
- (㉡): 타인의 복지를 증진하는 방향으로 행동해야 한다.
- (㉢): 남에게 해악을 끼치거나 상해를 입히는 일을 피해야 한다.
- (㉣): 공정한 기준에 따라 혜택이나 부담을 공정하게 배분해야 한다.

	㉠	㉡	㉢	㉣
①	정의의 원리	선행의 원리	자율성의 원리	해악 금지의 원리
②	정의의 원리	자율성의 원리	선행의 원리	해악 금지의 원리
③	선행의 원리	정의의 원리	해악 금지의 원리	자율성의 원리
④	자율성의 원리	해악 금지의 원리	선행의 원리	정의의 원리
⑤	자율성의 원리	선행의 원리	해악 금지의 원리	정의의 원리

2 정보 사회에서의 매체 윤리

08 다음에서 강조하는 뉴 미디어 시대의 바람직한 자세로 적절하지 않은 것은?

뉴 미디어는 정보를 소비할 뿐만 아니라 직접 생산하고 유통하는 생산적 소비자(prosumer)의 시대를 가능하게 하였다. 뉴 미디어는 개인적인 생각을 자유롭게 표현할 수 있는 소통의 장이 될 수 있지만, 다수에게 영향을 끼칠 수 있는 공적인 영역이다. 따라서 정보를 생산, 유통, 소비하는 주체들은 일정한 능력과 바람직한 이용 태도를 갖추어야 한다.

① 표현의 자유에는 한계가 있음을 인식한다.
② 공익을 실현하기 위한 알 권리를 존중한다.
③ 정보 생산자로서 주관적인 정보를 전파한다.
④ 공정성을 가지고 균형 있는 의견을 표명한다.
⑤ 있는 그대로의 사실을 진실한 태도로 전달한다.

09 밑줄 친 '뉴 미디어'의 특징으로 적절하지 않은 것은?

신문이나 텔레비전과 같은 기존의 매체는 권위 있는 전문가가 대규모의 조직을 바탕으로 일정한 시간 간격을 두어 정보를 제작·생산한다. 그에 비해 인터넷, 누리 소통망 등 뉴 미디어는 인터넷 커뮤니티에 참여하는 사람들의 수나 시간, 장소 등에 제한을 받지 않기 때문에 광범위한 사회적 연결망을 형성한다. 이들 매체들을 이용하는 사람들은 정보를 수집하고 전달하는 속도가 빨라 정보를 발견하는 동시에 취합·공개할 수 있으며, 다양한 의견을 반영하여 즉각적으로 정보를 수정할 수도 있다.

① 소수가 다수에게 정보를 일방적으로 전달한다.
② 시간과 공간의 물리적 제약으로부터 벗어날 수 있다.
③ 정보 이용자들이 정보의 제공과 함께 감시 역할을 한다.
④ 허위 정보가 급속하게 확산되어 사회 문제가 될 수 있다.
⑤ 정보의 생산 주체와 소비 주체가 양방향적으로 소통한다.

10 밑줄 친 'C 공간'에서 지녀야 할 자세로 가장 적절한 것은?

○○신문 **칼럼** ○○○○년 ○월 ○○일

C 공간은 1984년 어느 과학 소설에서 본래 현실이 아니라 두뇌 속에서 펼쳐지는 또 다른 우주라는 의미로 고안되었다. 이 공간은 정보의 바다로서 온라인상에 존재하는 데이터베이스로서 역할을 보여 주기도 한다. 과거에 이루어지던 정보의 흐름은 인터넷에게 밀려나고 있다. 이제 네티즌들은 스스로 정보의 소비자인 동시에 생산자로서 현실 공간보다 더 많은 자유를 누릴 수 있지만, 현실 공간에서의 자신과 다른 모습을 보이기도 쉽다.

① 알 권리 충족 차원에서 특정 개인의 사생활을 공개한다.
② 타인에 대한 이해를 바탕으로 타인의 의견을 존중한다.
③ 모든 정보를 자의적으로 해석하여 시민들에게 전달한다.
④ 현실에서 실현 불가능한 욕망을 무제한적으로 표출한다.
⑤ 익명성을 활용하여 현실적 자아와 무관한 삶을 추구한다.

11 밑줄 친 ㉠에 대한 옳은 설명을 〈보기〉에서 고른 것은?

> 뉴 미디어가 만들어 내는 정보 중에는 거짓 정보도 포함되어 있다. 이러한 거짓 정보를 무비판적으로 받아들이고, 이를 뉴 미디어상에 유포하면 광범위한 피해가 발생할 수 있다. 따라서 비판적 사고를 바탕으로 정보를 올바르게 이해하는 ㉠ 미디어 리터러시를 갖출 필요가 있다.

보기
ㄱ. 매체를 사용하고 이해하는 데 필요한 기본적인 읽기, 쓰기 능력이다.
ㄴ. 자신이 목적에 맞게 기존의 정보를 새로운 정보로 조합할 수 있는 능력이다.
ㄷ. 지적 산물에 대한 창작자의 재산권 및 인격권을 보호해야 한다는 입장이다.
ㄹ. 사이버 공간에서 주관적 견해를 최대한 자유롭게 표현하고 확산시킬 수 있는 능력이다.

① ㄱ, ㄴ ② ㄱ, ㄷ ③ ㄴ, ㄷ
④ ㄴ, ㄹ ⑤ ㄷ, ㄹ

12 밑줄 친 ㉠을 발휘한 사례를 〈보기〉에서 고른 것은?

> 인터넷의 급속한 발달로 쏟아져 나오는 많은 정보 중 필요 없는 정보나 허위 정보들이 마치 대기 오염의 주범인 스모그처럼 가상 공간을 어지럽힌다는 뜻에서 유래된 용어이다. 셍크(Shenk, D.)는 "더 많은 정보는 반드시 좋은 것인가?"라는 의문을 제기하고 정보 과잉의 시대에서 ㉠ 올바른 정보를 찾을 수 있는 능력을 갖춰야 한다고 주장한다.

보기
ㄱ. 매체를 통해 전달된 모든 정보를 가감없이 수용한다.
ㄴ. 정보의 의미를 비판적으로 해석하여 정확하게 전달한다.
ㄷ. 익명성을 활용한 표현의 자유에 최고의 가치를 부여한다.
ㄹ. 매체가 제공하는 정보에 대한 진위와 진실성을 판단한다.

① ㄱ, ㄴ ② ㄱ, ㄷ ③ ㄴ, ㄷ
④ ㄴ, ㄹ ⑤ ㄷ, ㄹ

서술형 문제

13 표의 ㉠에 들어갈 내용을 서술하시오.

구분	저작권 보호를 주장하는 입장	정보 공유를 주장하는 입장
내용	지적 창작물은 사유재이므로 정보 생산에 투여된 노력에 대가를 지불해야 함	지적 창작물은 공유재이므로 특정 개인이나 집단이 정보를 독점하지 말아야 함
비판	정보 창작자의 독점적 소유권을 인정함으로써 정보의 자유로운 교류를 방해할 수 있음	㉠

14 밑줄 친 ㉠, ㉡에 해당하는 내용을 각각 서술하시오.

> 가상 공간에서는 익명성이 보장되기 때문에 현실 공간에 비해 자유롭게 자신의 의사를 표현할 수 있다. 그러나 가상 공간에서 인정되는 표현의 자유는 ㉠ 긍정적인 측면과 함께 ㉡ 부정적인 측면이 있는 것이 사실이다.

㉠: ________

㉡: ________

15 신문이나 텔레비전 등 기존 매체에 비해 인터넷과 같은 뉴 미디어를 통해 이루어지는 의사소통의 특징을 서술하시오.

16 미디어 리터러시와 관련하여 ㉠에 들어갈 적절한 내용을 서술하시오.

> 뉴 미디어가 만들어 내는 정보 중에는 거짓 정보도 포함되어 있다. 이러한 거짓 정보를 무비판적으로 받아들이고, 이를 뉴 미디어상에 유포하면 광범위한 피해가 발생할 수 있다. 따라서 [㉠]

정답과 해설 26쪽

01 갑, 을의 입장에 대한 옳은 설명만을 〈보기〉에서 있는 대로 고른 것은?

> 갑: 지적 창작물은 특정 개인의 소유물이 될 수 없다. 정보는 많은 사람들의 창의적 아이디어가 끊임없이 부가되어 발전하는 것이다. 인류의 공동 자산인 정보는 누구나 자유롭게 사용할 수 있어야 한다.
> 을: 지적 창작물에 대한 경제적 보상을 제공하여 창작 의욕을 높여야 한다. 저작자가 지닌 지적 재산권은 배타적 속성을 지님을 알고, 저작자의 허락이 있을 경우에 한하여 정보를 사용할 수 있어야 한다.

보기
ㄱ. 갑: 정보를 공유하면 할수록 정보의 질이 높아진다.
ㄴ. 을: 정보 창작자의 지적 재산권을 침해해서는 안 된다.
ㄷ. 을: 공공재의 성격을 지닌 모든 정보를 누구나 자유롭게 사용해야 한다.
ㄹ. 갑, 을: 양질의 정보를 생산할 수 있는 환경을 조성해야 한다.

① ㄱ, ㄷ ② ㄱ, ㄹ ③ ㄴ, ㄷ
④ ㄱ, ㄴ, ㄹ ⑤ ㄴ, ㄷ, ㄹ

02 갑, 을의 입장으로 가장 적절한 것은?

> 갑: 개인이 원하지 않는 민감한 정보들이 인터넷상에서 무분별하게 공개되는 것은 바람직하지 않습니다. 따라서 그러한 정보에 대한 삭제를 요구할 수 있는 '잊힐 권리'를 보장해야 합니다.
> 을: 개인의 사생활을 침해하지 않는다면 공공의 이익에 관련된 정보는 공개되는 것이 바람직합니다. 따라서 가상 공간에서는 정치적·사회적 정보에 자유롭게 접근할 수 있는 '알 권리'를 보장해야 합니다.

① 갑: 정보에 대한 자유로운 접근을 중시해야 한다.
② 갑: 개인 정보에 대한 자기 결정권을 존중해야 한다.
③ 을: 정보의 공공성보다 인격권을 더 중시해야 한다.
④ 을: 사적·공적 이익과 관련된 정보를 공개해야 한다.
⑤ 갑, 을: 개인의 배타적 정보 소유권을 인정해야 한다.

03 다음 글에서 강조하는 내용으로 가장 적절한 것은?

> 사이버 공간의 부정적 측면을 간과해서는 안 되지만, 그 긍정적 측면을 살리는 지혜가 필요하다. 사이버 공간에서 우리는 현실의 자아에서 벗어나, 여러 자아를 실험하며 자신의 모습을 자유롭게 만들고 해체하면서 새로운 자아를 형성할 수 있다. 우리는 다중 정체성의 위험에 유의한다면 사이버 자아를 통해 현실의 삶을 더 풍성하게 할 수 있다.

① 사이버 자아는 현실 자아를 반영한 것에 불과하다.
② 사이버 자아는 현실적 자아에 비해 자유롭지 못하다.
③ 사이버 자아의 익명성은 현실적 자아를 부정하기 쉽다.
④ 사이버 공간의 다중 자아 경험은 정체성 혼란을 초래한다.
⑤ 다양한 사이버 자아의 탐색은 삶을 풍요롭게 할 수 있다.

04 ㉠에 들어갈 적절한 내용만을 〈보기〉에서 있는 대로 고른 것은?

> 인터넷의 빠른 속도는 인간의 성격을 조급하게 만들 수 있으며, 인터넷의 익명성은 거친 표현과 은어들을 낳는 등 역기능을 초래할 수 있다. 또한 사이버 공간에서 댓글을 통한 무차별 인신 공격과 허위 사실 유포 등으로 인한 개인 명예 훼손, 그리고 각종 스팸 메일과 개인 정보 유출과 같은 문제점 때문에 심각한 사회 문제를 일으키고 있다. 이러한 뉴 미디어의 문제점을 해결하기 위해서는 [㉠]

보기
ㄱ. 상대방이 제시한 의견을 일방적으로 수용해야 한다.
ㄴ. 인간은 누구나 자기 이익을 추구하는 존재임을 알아야 한다.
ㄷ. 정보의 의미를 올바르게 해석하여 정확하게 전달해야 한다.
ㄹ. 정보 이용자들이 정보의 제공과 감시 역할을 수행해야 한다.

① ㄱ, ㄴ ② ㄱ, ㄷ ③ ㄷ, ㄹ
④ ㄱ, ㄴ, ㄹ ⑤ ㄴ, ㄷ, ㄹ

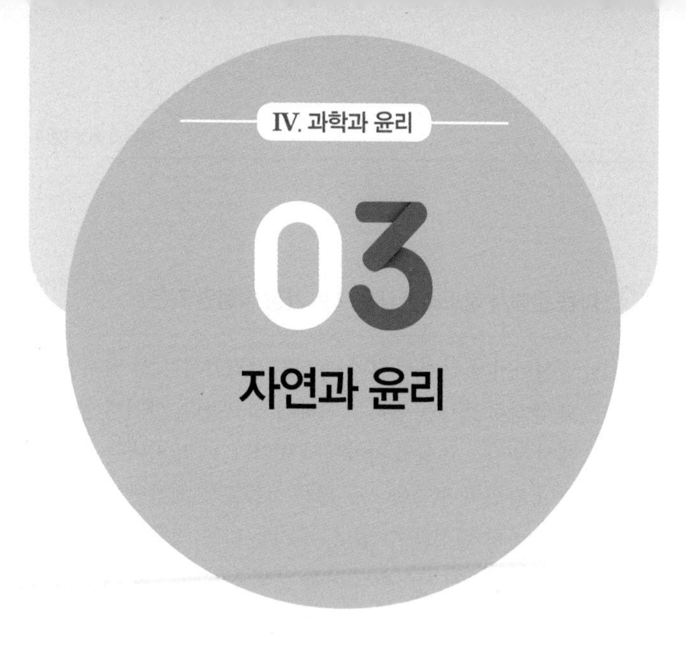

1 인간과 자연의 관계에 대한 다양한 관점

1. 인간 중심주의 윤리

(1) 특징 인간만이 도덕적 가치를 지님 ➡ 도구적 자연관 (자연은 인간의 이익과 욕구 충족을 위한 수단임)

(2) 대표적 사상가

베이컨	자연 과학적 지식을 활용하여 자연을 정복하고 인간의 물질적 혜택과 복지를 증진해야 함
데카르트	정신을 지닌 존엄한 인간이 의식이 없는 자연을 이용·정복하는 것은 정당함
칸트	인간에 대한 간접적 의무(인간의 자연 보호)가 있지만 인간 상호 간의 의무만이 인간에 대한 직접적 의무(인간 상호 간의 존중)에 해당함

2 동물 중심주의 윤리

(1) 특징 동물과 인간을 동등하게 도덕적으로 고려, 인간은 동물을 도덕적으로 배려해야 할 직접적 의무가 있음

(2) 대표적 사상가

싱어 (동물 해방론)	• 동물도 인간처럼 쾌고 감수 능력이 있으므로, 동물을 고통에서 해방할 것을 주장 • 이익 평등 고려의 원칙: 동물의 이익과 인간의 이익을 평등하게 고려해야 함
레건 (동물 권리론)	• 동물은 자기의 삶을 영위하는 삶의 주체임 (도덕적으로 무능해도 삶의 주체가 될 수 있음) • 동물을 수단으로 취급하는 행위가 비윤리적인 이유는 동물이 지닌 가치와 권리를 부정하기 때문(의무론)

3 생명 중심주의 윤리

(1) 특징 도덕적 고려의 범위를 모든 생명체로 확대해야 함 (모든 생명체는 도덕적 지위와 내재적 가치를 지님)

(2) 대표적 사상가

슈바이처	• 생명 외경(畏敬): 생명의 신비를 두려워하고 존경하는 마음으로 생명을 소중히 여겨야 함 • 생명을 유지하고 고양하는 것은 선이며, 생명을 파괴하고 억압하는 것은 악임 • 불가피하게 생명을 해쳐야 하는 선택 상황에서 도덕적 책임을 느껴야 함
테일러	• 모든 생명체는 각기 고유한 방식으로 생존·성장·발전이라는 목적을 추구하는 존재이므로 '목적론적 삶의 중심'임 • 의식 유무나 유용성에 관계없이 고유한 가치를 지님

핵심 기출 자료 분석 생명 중심주의 윤리

생명체가 '목적론적 삶의 중심'이라는 것은 그것의 외적 활동뿐만 아니라 내적 작용이 목표 지향적이라는 것, 그리고 그것이 자신의 생존을 유지하고, 자신의 종을 재생산하고, 변화하는 환경에 적응하게 하는 생명 활동을 성공적으로 수행하게 해 주는 일정한 경향성을 갖고 있다는 것이다.

분석 | 제시문은 생명 중심주의자 테일러의 주장이다. 그는 모든 생명체가 자기 실현을 위한 고유의 선을 가지며, 선을 갖는 실체들은 내재적 존엄성을 갖는다고 주장한다.

4 생태 중심주의 윤리

(1) 특징 생태계 전체를 도덕적 고려 대상으로 삼음 ➡ 전체론 혹은 전일주의(全一主義)

(2) 대표적 사상가

레오폴드	대지의 윤리: 도덕 공동체의 범위를 토양, 물, 식물, 동물을 포함한 대지로 확대함 ➡ 인간은 대지의 한 구성원임 (대지: 인간을 비롯한 모든 존재들이 한데 어울려 살아가는 생명 공동체임)
네스	• 심층 생태주의: 환경 위기 극복을 위해 인간 중심의 세계관을 바꾸어야 함 • 큰 자아실현: 자아를 자연과의 상호 관련성을 통해 이해 • 생명 중심적 평등: 모든 생명체는 상호 연결된 공동체의 평등한 구성원임

5 동양의 자연관

유교	• 만물은 본래적 가치를 지님 • 천인합일(天人合一)의 경지를 지향
불교	• 연기론: 만물은 상호 의존 관계에 있음 (불교의 핵심 사상으로 모든 현상은 원인과 조건에 의해 생겨나고 소멸한다는 사상) • 생명을 소중히 여기며 자비를 베풀어야 함
도교	• 자연은 무위의 체계로서 무목적의 질서임 • 인간의 자연에 대한 조작과 통제를 반대함

2 환경 문제에 대한 윤리적 쟁점

1. 환경 문제와 기후 변화

(1) 현대 환경 문제의 특징 지구의 자정 능력 초과, 초국가적 성격(전 지구적으로 영향을 끼침), 다양한 원인으로 발생하여 책임 소재의 불명확성

(2) 기후 변화와 기후 정의 문제

기후 변화 문제	지구 온난화로 인한 저지대 침수, 이상 기후, 사막화, 질병 발생 증가, 곡물 수확량 감소 등
기후 정의 문제	• 개발 도상국이나 후진국의 사회적 약자가 지구 온난화로 인한 피해를 입는 것은 불공평함 • 개발 도상국과 후진국에 지구 온난화 문제 해결을 위해 경제 성장 속도를 늦추라고 요구하는 것은 부당함
국제적 노력	기후 변화 협약(1992), 교토 의정서(1997), 파리 협정(2015)

- 교토 의정서: 기후 변화 협약(1992)의 구체적 이행을 위해 선진국의 온실가스 감축 목표를 설정하였으며, 탄소 배출권 거래제를 인정한 환경 회의
- 파리 협정: 선진국뿐만 아니라 협약에 참여한 당사국 모두 온실가스 감축 목표를 지키기로 합의한 환경 회의

2. 미래 세대에 대한 책임과 생태적 지속 가능성

(1) 미래 세대에 대한 책임 현세대는 과거 세대로부터 이어받은 혜택을 미래 세대에게 전수해야 할 도덕적 책임을 지님

(2) 생태적 지속 가능성 인간과 자연의 상호 의존 관계를 지속할 수 있도록 자신의 행위에 책임을 져야 함

개념 암기

1 설명이 맞으면 ○표, 틀리면 ×표 하시오.

(1) 인간 중심주의 윤리를 강조한 사상가로는 베이컨과 데카르트가 있다. ( )

(2) 생명 중심주의 윤리는 도덕적 고려의 범위를 동물로 확대해야 한다는 입장이다. ( )

(3) 생태 중심주의 윤리는 무생물을 포함한 생태계 전체를 도덕적 고려 대상으로 삼는다. ( )

2 괄호 안의 내용 중 알맞은 말을 골라 ○표 하시오.

(1) (레건 / 베이컨)은 자연 과학적 지식을 활용하여 자연을 정복하고 인간의 물질적 혜택과 복지를 증진해야 한다고 본다.

(2) (싱어 / 테일러)는 모든 생명체는 각기 고유한 방식으로 자신의 생존·성장·발전이라는 목적을 지향하기 때문에 모든 생명체가 목적론적 삶의 중심이라고 규정하였다.

(3) 생태 중심주의를 주장한 (레오폴드 / 슈바이처)는 도덕 공동체의 범위를 토양, 물, 식물, 동물 등을 포함한 대지까지 확대하는 대지의 윤리를 주장하였다.

3 빈칸에 들어갈 알맞은 말을 쓰시오.

(1) 싱어는 ( ) 고려 원칙을 강조하면서 동물의 이익과 인간의 이익을 평등하게 고려하지 않는다면 종 차별주의라는 잘못을 저지르게 된다고 주장하였다.

(2) 레건은 자기 삶을 영위하는 삶의 ( )인 동물은 그 자체로 본래적 가치를 지니는 목적적 존재라고 여겼다.

(3) 네스는 자신을 자연이라는 더 큰 전체의 일부로 인식하고 자연과의 상호 관련성을 통해 이해하는 ( ) 실현이라는 개념을 강조하였다.

(4) ( )이 체결되어 탄소 배출 감축 의무가 선진국뿐만 아니라 개발 도상국까지 확대 적용되었다.

(5) 생태적 ( )이란 생태계의 본질적인 기능과 과정들을 유지하고 생태계의 생명 다양성을 보존할 수 있는 생태계의 능력을 의미한다.

내신 기출

1 인간과 자연의 관계에 대한 다양한 관점

01 다음 사상가의 입장으로 가장 적절한 것은?

> 동물을 폭력적으로 잔인하게 다루는 것은 인간 자신에 대한 의무를 거스르는 것이다. 왜냐하면 이는 인간의 고통이라는 공유된 감정을 무디게 하며, 사람 간의 관계의 도덕성에 참으로 이바지할 수 있는 자연적인 소질을 약화시키고 점차 그 소질을 제거하기 때문이다.

① 고통을 느끼는 동물의 도덕적 권리를 존중해야 한다.
② 자연을 보호해야 할 인간의 의무는 간접적 의무이다.
③ 감각 기능을 지닌 존재들을 동등하게 대우해야 한다.
④ 식물을 포함한 모든 생명체는 도덕적 존중 대상이다.
⑤ 동물에 대한 실험은 어떠한 경우에도 허용될 수 없다.

주관식

02 다음을 주장한 사상가를 쓰시오.

> 고통이나 쾌락을 느낄 수 있는 능력은 적어도 이익을 갖는다는 것의 전제 조건이다. 만약, 한 존재가 고통을 느낀다면 그와 같은 고통을 고려의 대상으로 삼기를 거부하는 자세를 옹호하는 도덕적인 논증은 있을 수 없다.

03 다음 사상가의 입장으로 가장 적절한 것은?

> 이익 관심을 가지는 존재들은 평등하게 대우받아야 한다. 이 원칙에 의하면, 한 존재가 느끼는 고통을 다른 존재가 느끼는 고통과 동일하게 취급해야 한다. 이렇게 본다면 어떤 존재의 이익에 대해 관심을 가지고 존중해야 할지를 판단하는 유일한 기준은 쾌고 감수 능력이다.

① 이성 능력을 지닌 존재만이 도덕적 지위를 지닌다.
② 인간과 동물의 이익 관심이 동등함을 알아야 한다.
③ 삶의 주체가 되는 개체는 도덕적 존중의 대상이다.
④ 쾌고 감수 능력을 지닌 동물을 차별해서는 안 된다.
⑤ 고통을 느끼는 동물을 도덕적 주체로 인정해야 한다.

04 다음 사상가의 입장을 〈보기〉에서 고른 것은?

> 생명의 신비를 두려워하고 존경하는 마음으로 모든 생명을 소중히 여겨야 한다. 생명을 유지하기 위해 다른 생명을 희생할 수밖에 없는 상황에서도 생명에 대한 무한한 책임 의식을 지녀야 한다.

보기
- ㄱ. 모든 생명체는 생명 의지가 있으므로 동등하다.
- ㄴ. 생명을 유지하고 고양하는 것이 도덕적 선이다.
- ㄷ. 의식의 유무에 따라 생명의 중요성이 달라진다.
- ㄹ. 생명체들의 위계질서가 도덕의 근본 원리이다.

① ㄱ, ㄴ ② ㄱ, ㄷ ③ ㄴ, ㄷ
④ ㄴ, ㄹ ⑤ ㄷ, ㄹ

05 (가)의 갑, 을, 병 사상가들의 입장을 (나) 그림으로 표현할 때, A~D에 해당하는 옳은 진술만을 〈보기〉에서 있는 대로 고른 것은?

(가)	갑: 고통과 기쁨을 느낄 수 있는 능력은 이해관계를 갖기 위한 조건이다. 어떤 종에 속해 있다는 이유로 차별하는 것은 정당하지 않다. 을: 지각, 믿음, 기억, 쾌고 감수 능력 등을 지닌 삶의 주체의 권리를 존중해야 한다. 삶의 주체인 개체들은 스스로 내재적 가치를 지닌다. 병: 모든 생명체는 내재적 가치를 지닌다. 이들은 자기 보존을 위해 고유한 방식으로 선을 추구한다는 점에서 목적론적 삶의 중심이다.
(나)	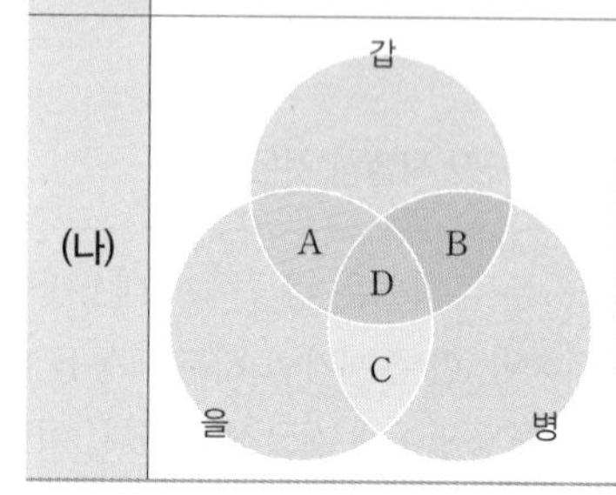 〈범 례〉 A : 갑과 을만의 공통 입장 B : 갑과 병만의 공통 입장 C : 을과 병만의 공통 입장 D : 갑, 을, 병의 공통 입장

보기
- ㄱ. A: 인간과 동물의 이익 관심이 같음을 알아야 한다.
- ㄴ. B: 유기체의 목적을 존중하는 것은 인간의 의무이다.
- ㄷ. C: 삶의 주체인 일부 동물들은 도덕적 존중 대상이다.
- ㄹ. D: 도덕적 행위 능력이 없어도 존중 대상이 될 수 있다.

① ㄱ, ㄴ ② ㄱ, ㄷ ③ ㄷ, ㄹ
④ ㄱ, ㄴ, ㄹ ⑤ ㄴ, ㄷ, ㄹ

06 다음 사상가가 부정의 대답을 할 질문으로 가장 적절한 것은?

> 생명체를 목적론적 활동의 중심이 되게 하는 것은 자신의 선을 실현하도록 방향 지워진 유기체의 작용이 갖는 일관성과 통일성이다. 인간을 포함한 모든 종은 복합적 연결망의 일부이다.

① 개별 유기체의 존재론적 가치를 강조해야 하는가?
② 이성을 지닌 존재가 다른 생명체들보다 우월한가?
③ 모든 생명체는 고유의 방식으로 선을 추구하는가?
④ 이성적 존재를 도덕적 행위 주체로 보아야 하는가?
⑤ 인간에게는 생태계를 통제하지 말아야 할 의무가 있는가?

주관식

07 다음은 레오폴드의 주장이다. ㉠에 공통으로 들어갈 알맞은 말을 쓰시오.

> 우리는 [㉠]을/를 사랑과 존중의 대상으로 보아야 한다. [㉠]와/과 인간의 윤리적 관계는 [㉠]에 대한 사랑, 존경, 감탄 없이는 지속될 수 없다.

08 갑은 부정의 대답, 을은 긍정의 대답을 할 질문으로 가장 적절한 것은?

> 갑: 고통과 즐거움을 느낄 수 있는 능력은 어떤 존재가 고통당하지 않을 이익 관심을 지녔다고 말할 수 있는 최소한의 조건이다.
> 을: 어떤 것이 생명 공동체의 온전성, 안정성, 아름다움을 보존하는 경향이 있다면 옳은 것이며, 그것을 보존하지 않는 것은 그른 것이다.

① 삶의 주체만이 자신의 삶을 영위할 권리가 있는가?
② 고통을 느끼는 동물을 도덕적으로 대우해야 하는가?
③ 생태계의 구성원들은 상호 의존 관계를 맺고 있는가?
④ 감각을 지닌 생명체의 이익 관심을 존중해야 하는가?
⑤ 이성을 지닌 존재만이 도덕적 지위와 권리를 가지는가?

09 표는 어느 서양 사상가에 대한 질문과 응답이다. 응답이 모두 옳다고 할 때, ㉠에 들어갈 질문으로 가장 적절한 것은?

질문	응답	
	예	아니요
자신을 자연이라는 더 큰 전체의 일부로 인식해야 하는가?	✓	
자기 자신을 자연과의 상호 관련성을 통해 이해해야 하는가?	✓	
인간 중심주의적 환경 보호 운동을 전개해야 하는가?		✓
㉠		✓

① 모든 생명체는 상호 연결된 공동체의 구성원인가?
② 자연과 나를 동일시하는 세계관을 지녀야 하는가?
③ 생태계의 모든 생명체는 동등한 가치를 지니는가?
④ 개인의 이익 실현을 위해 환경을 보호해야 하는가?
⑤ 생태계 전체를 도덕적 고려 대상으로 보아야 하는가?

10 다음 글에 나타난 자연관에 대한 옳은 설명을 〈보기〉에서 고른 것은?

하늘은 나의 아버지이며 땅은 나의 어머니이다. 그리고 나와 같이 작은 존재도 이들 가운데서 친밀한 위치를 발견한다. 그러므로 우주를 가득 채우고 있는 것을 나의 몸으로 여기며, 우주를 이끌고 가는 것을 나의 본성으로 여긴다. 모든 사람은 나의 형제자매이며, 만물은 나의 식구이다.

보기
ㄱ. 자연은 아무런 목적이 없는 무위의 체계이다.
ㄴ. 이성을 지닌 인간에게 자연은 도구에 불과하다.
ㄷ. 인간과 자연은 상호 의존적인 관계를 맺고 있다.
ㄹ. 인간은 자연과 조화롭게 살아가야 하는 존재이다.

① ㄱ, ㄴ ② ㄱ, ㄷ ③ ㄴ, ㄷ
④ ㄴ, ㄹ ⑤ ㄷ, ㄹ

2 환경 문제에 대한 윤리적 쟁점

11 밑줄 친 '환경 문제'의 특징으로 적절하지 않은 것은?

오늘날 세계 곳곳에서는 토양, 수질, 대기를 오염시키고 있으며, 자원 고갈, 생물 종 다양성 감소, 산림 훼손과 같이 생태계가 파괴되고 있다. 이러한 각종 오염과 파괴가 심화하면서 지구 온난화, 해수면 상승, 사막화와 같은 환경 문제가 나타나고 있다.

① 다른 지역 또는 국가에 연쇄적으로 영향을 준다.
② 무분별한 개발로 인해 심각한 위기를 발생시킨다.
③ 지구의 자정 능력 범위에서 발생하는 경우가 많다.
④ 문제의 책임 소재를 명확하게 가리기가 쉽지 않다.
⑤ 일정 시간이 흐른 후 불특정 다수에게 피해를 준다.

12 다음 협약들에 대한 옳은 설명을 〈보기〉에서 고른 것은?

• 기후 변화 협약(1992): 기후 변화와 지구 온난화에 대한 대응책 마련
• 교토 의정서(1997): 온실 가스 배출 감축량 설정, 탄소 배출권 거래제 논의
• 파리 협정(2015): 탄소 배출 감축 의무의 확대 적용

보기
ㄱ. 기후 변화 문제를 인간이 해결할 수 없는 자연 현상으로 간주한다.
ㄴ. 주요 논쟁 사항으로 기후 변화에 따른 기후 정의 문제를 들 수 있다.
ㄷ. 인류의 생존을 위협하는 환경 문제를 해결하기 위한 국제적 협약이다.
ㄹ. 선진국과 개발 도상국 모두의 경제적 풍요를 위해 자연 개발을 중시한다.

① ㄱ, ㄴ ② ㄱ, ㄷ ③ ㄴ, ㄷ
④ ㄴ, ㄹ ⑤ ㄷ, ㄹ

13 밑줄 친 ㉠에 대한 설명으로 가장 적절한 것은?

> 자연은 현세대뿐만 아니라 미래 세대가 함께 누려야 할 삶의 터전이다. 우리는 자연에 대한 책임, 미래 지향적 책임, 미래 세대의 삶의 조건에 대한 책임까지 숙고해야 한다. 이러한 책임은 단순히 상호적 권리와 의무로만 설명될 수 없다. ㉠ 우리에게 요청되는 책임은 자녀에 대한 부모의 책임과 마찬가지이다.

① 일방적이고 절대적인 성격의 책임이다.
② 희망의 원칙을 바탕으로 하는 책임이다.
③ 구원의 예언을 확신하는 사람의 책임이다.
④ 서로에게 혜택을 주는 관계에서의 책임이다.
⑤ 권리를 실제로 요청하는 사람에 대한 책임이다.

14 ㉠을 확보하기 위한 적절한 자세를 〈보기〉에서 고른 것은?

> (㉠)(이)란 '생태계의 본질적인 기능과 과정들을 유지하고 생태계의 생명 다양성을 보존할 수 있는 생태계의 능력'을 의미한다. 만일 인간의 지속 가능성만을 중시하여 (㉠)이/가 확보되지 않는다면 인간과 사회, 그리고 경제 또한 지속할 수 없을 것이다.

보기

ㄱ. 생태계의 수용 능력에는 한계가 없음을 깨닫는다.
ㄴ. 미래 세대보다 현세대의 필요를 충족시키는 발전을 추구한다.
ㄷ. 경제적 효율성을 중시하는 생활 방식을 반성적으로 성찰한다.
ㄹ. 인간과 자연이 상호 의존적 관계에 있다는 사실을 인식한다.

① ㄱ, ㄴ ② ㄱ, ㄷ ③ ㄴ, ㄷ
④ ㄴ, ㄹ ⑤ ㄷ, ㄹ

서술형 문제

15 ㉠에 들어갈 내용을 '고통'이라는 단어를 사용하여 서술하시오.

> 싱어(Singer, P.)는 모든 이익 관심은 동등한 대우를 받아야 한다는 원칙을 강조한다. 그에 의하면, 쾌고 감수 능력이야말로 이익 관심을 지니기 위한 전제 조건이다. 이러한 그의 논리에 따르면, 아이들이 길에서 돌멩이를 찼다고 해서 돌멩이의 이익 관심이 손상되는 것은 아니다. 왜냐하면, (㉠)

16 갑이 을에게 제기할 수 있는 비판을 서술하시오.

> 갑: 대지 윤리는 생태 윤리를 반영한다. 생태 윤리는 각 개인이 대지의 건강을 위한 자신의 의무를 깨닫고 실천할 것을 요구한다.
> 을: 생명체를 목적론적 활동의 중심이 되게 하는 것은 자신의 선을 실현하도록 방향 지워진 유기체의 작용이 갖는 일관성과 통일성이다.

17 다음 글을 읽고 생태계의 지속 가능성을 실현하기 위해 고려해야 할 점을 서술하시오.

> 농업, 제조업, 건축업뿐만 아니라 인간 생존에 필요한 깨끗한 공기, 물, 먹거리 등은 현세대뿐만 아니라 미래 세대들까지 혜택을 누려야 할 자원이다. 이러한 자원들은 생태계의 성공적인 작동에 의해서만 지속적으로 제공될 수 있다. 그러나 인간에 의한 무분별한 어획은 바다를 오염시키고, 나무를 함부로 베어냄으로써 산림이 파괴되는 것은 생태계의 수용 능력에 한계가 존재한다는 사실을 보여 준다.

01 다음 사상가의 입장만을 〈보기〉에서 있는 대로 고른 것은?

> '삶의 주체'는 믿음과 욕구를 가지며 지각과 기억을 하고, 미래에 대한 감각을 가지며, 즐거움과 고통을 느끼는 정서적 생활을 한다. …(중략)… 그들은 다른 존재에게 유용하다는 것에 논리적으로 독립하여 그들의 삶이 자신에게 이롭거나 해롭다는 의미에서 개별적 복지를 갖는다.

보기
ㄱ. 삶의 주체인 동물의 도덕적 권리를 존중해야 한다.
ㄴ. 내재적 가치를 지닌 동물 개체를 잔학하게 다루어서는 안 된다.
ㄷ. 동물은 쾌고 감수 능력을 지녔기 때문에 본래적 가치가 있다.
ㄹ. 모든 동물과 인간을 다르게 대우하는 것은 종 차별주의이다.

① ㄱ, ㄴ ② ㄱ, ㄷ ③ ㄷ, ㄹ
④ ㄱ, ㄴ, ㄹ ⑤ ㄴ, ㄷ, ㄹ

02 다음 사상가의 입장으로 가장 적절한 것은?

> 모든 생명체는 생명에의 의지 혹은 생명을 지속시키고자 하는 본능적 힘을 지닌 존재이다. 인간은 자기 생명의 외경처럼 다른 생명에 대해서도 동등한 외경을 인정해야 한다. 그러나 자신의 존재를 유지하기 위한 필연적이고 불가피한 이유로 생명의 차등성이 나타나기도 한다.

① 생명 체계는 위계서열을 고려하여 대우해야 한다.
② 생명체는 인간의 이익에 기여하는 수단에 불과하다.
③ 어떤 경우에도 생명의 차등성을 인정해서는 안 된다.
④ 모든 생명체는 도덕적 행위의 주체임을 알아야 한다.
⑤ 생명이 있는 모든 존재를 도덕적으로 배려해야 한다.

03 (가)의 갑, 을, 병 사상가들의 입장을 (나) 그림으로 표현할 때, A~D에 해당하는 적절한 진술을 〈보기〉에서 고른 것은?

(가)	갑: 생태 윤리는 대지의 건강을 위한 자신의 의무를 깨닫고 실천할 것을 요구한다. 을: 생명체가 선을 갖는 이유는 그것이 목적론적 삶의 중심이기 때문이다. 병: 동물에 관한 우리의 의무는 인간성 실현을 위한 간접적인 도덕적 의무이다.
(나)	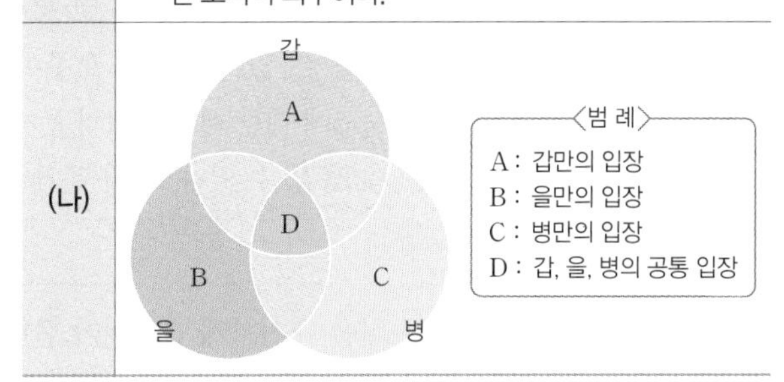

보기
ㄱ. A: 인간은 생태계에 불간섭해야 하는 의무가 있다.
ㄴ. B: 고유한 선을 지향하는 유기체는 도덕적 지위를 지닌다.
ㄷ. C: 개체의 이익보다는 생태계 전체의 이익을 중시해야 한다.
ㄹ. D: 인간 상호 간의 존중 의무는 도덕적으로 정당하다.

① ㄱ, ㄴ ② ㄱ, ㄷ ③ ㄴ, ㄷ
④ ㄴ, ㄹ ⑤ ㄷ, ㄹ

04 다음 서양 사상가의 입장으로 가장 적절한 것은?

> 현대 문명이 초래한 위기를 책임질 수 있는 유일한 존재는 인간이다. 따라서 인류가 계속 존재해야 한다는 당위는 현세대에게 자연과 미래 세대의 삶의 조건까지 생각하는 새로운 윤리를 요청한다. 이는 이미 행해진 것에 대한 보상적 책임을 넘어 일어날 수도 있는 일에 대한 배려와 예방적 책임을 요구하는 미래 지향적 책임의 윤리이다.

① 책임 이행의 의무는 개인의 선의지에서 찾아야 한다.
② 미래에 대한 낙관적 전망에서 책임을 강조해야 한다.
③ 인류 존속을 위한 정언 명령의 구속에서 벗어나야 한다.
④ 현세대와 미래 세대는 자연에 대한 책임을 분담해야 한다.
⑤ 현세대는 자연과 미래 세대에 대한 책임을 이행해야 한다.

수능·평가원·교육청 기출

| 교육청 기출 |

01 ㉠에 들어갈 진술로 가장 적절한 것은?

로봇이 인간 삶의 질을 향상시킬 것으로 사람들은 기대한다. 하지만 로봇을 활용하다 보면 다양한 문제들이 생길 수 있다. 예를 들면 사람을 해칠 용도로 로봇을 만들 수 있는 문제와 로봇이 낸 사고에 대한 책임 소재의 문제 등이 생길 수 있다. 이런 문제들을 해결하기 위해 우리는 [㉠]

① 로봇이 인간의 모든 일을 대신하게 만들어야 한다.
② 로봇 제작 기술에 대해 가치 판단을 해서는 안 된다.
③ 로봇의 제작 범위나 활용 분야를 제한해서는 안 된다.
④ 로봇 제작 및 활용에 대한 책임 규정을 강화해야 한다.
⑤ 로봇이 일으킨 사고의 원인을 규명하려 해서는 안 된다.

| 수능 기출 |

02 갑, 을 사상가들의 입장으로 옳은 것은?

갑: 과학의 목적은 자연을 인간의 의도에 맞도록 변형함으로써 인간의 활동 영역을 넓히는 것이다. 인간은 자연의 사용자이자 해석자로서 자연을 경험적으로 연구해야 한다. 자연에 대한 인간의 지배권은 오직 기술과 학문에 달려 있다.
을: 현대 기술의 본질은 기술적인 것이 아니다. 우리는 어디서나 부자유스럽게 기술에 붙들려 있다. 최악의 경우는 기술을 중립적으로 고찰할 때이며, 이 경우 우리는 무방비 상태로 기술에 내맡겨져 전적으로 기술의 본질에 대해 맹목적이게 된다.

① 갑: 관찰과 실험으로부터 유용한 지식을 이끌어 낼 수는 없다.
② 갑: 과학의 목적은 삶의 개선이 아니라 진리 탐구 그 자체이다.
③ 을: 현대 기술의 본질에 대한 자각과 비판적 성찰이 필요하다.
④ 을: 현대 기술은 인간의 자율적 의지에 전적으로 종속되어 있다.
⑤ 갑, 을: 기술은 수단일 뿐 그 자체는 가치 판단의 대상이 아니다.

| 교육청 기출 |

03 (가)의 입장에 비해 (나)의 입장이 갖는 상대적 특징을 그림의 ㉠~㉤ 중에서 고른 것은?

(가) 과학 기술은 그 자체로 가치 중립적인 것이다. 또한 과학 기술자들은 과학 기술의 활용에 따른 책임에서 자유로우며 아직 도래하지 않은 미래의 문제를 걱정할 필요가 없다.
(나) 과학 기술은 가치 중립적인 것이 아니다. 또한 과학 기술자들은 자신의 연구 성과가 미치는 사회적 영향을 고려하고 미래 세대에 대한 책임 의식을 제고해야 한다.

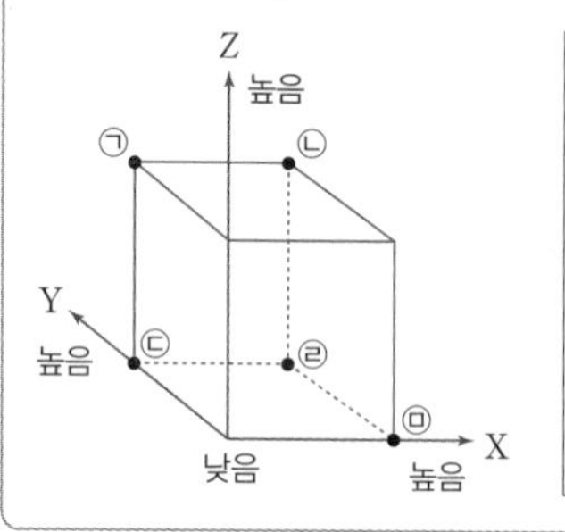

- X: 연구 결과 활용에 대한 과학 기술자의 사회적 책임을 강조하는 정도
- Y: 과학 기술 연구 과정에서 미래의 위험성을 고려하는 정도
- Z: 과학 기술 자체에 대한 가치 판단의 배제를 강조하는 정도

① ㉠ ② ㉡ ③ ㉢ ④ ㉣ ⑤ ㉤

| 평가원 기출 |

04 ㉠에 들어갈 내용으로 가장 적절한 것은?

갑: 과학 기술은 객관성이 확보되지 않으면 발전할 수 없습니다. 따라서 과학 기술자는 연구하고 활용하는 전 과정에서 항상 객관적이고 가치 중립적인 태도를 지켜야 합니다.
을: 제 생각은 다릅니다. 과학 기술을 연구하고 활용하는 주체는 인간이기에, 과학 기술자는 연구하고 활용하는 전 과정에서 과학 기술과 도덕적 가치를 분리시켜서는 안 됩니다.
병: 제가 볼 때 두 분은 모두 [㉠]는 점을 간과하고 있습니다. 왜냐하면 과학이 지식이나 원리로 인정받는 과정에서는 가치 중립적이어야 하지만, 과학 기술의 활용 과정에서는 윤리적 가치로부터 독립적일 수 없기 때문입니다.

① 과학 기술과 윤리가 상호 보완적인 관계에 있다
② 과학 기술이 윤리적 평가로부터 자유로워야 한다
③ 과학 원리를 정립할 때 도덕적 가치를 배제해야 한다
④ 과학 기술 활용에 대해 과학 기술자가 책임을 져야 한다.
⑤ 과학 기술의 이론적 정당화와 활용의 맥락을 구분해야 한다.

| 교육청 기출 응용 |

05 다음 신문 칼럼의 입장으로 적절하지 않은 것은?

○○신문 **칼럼** ○○○○년 ○월 ○○일

오늘날 과학 기술의 활용 분야가 넓어지면서 과학자의 책임에 대한 관심도 높아지고 있다. 이에 세계 과학 회의에서는 '과학자가 연구를 실행하고 그 결과를 활용함에 있어 인류의 복지 증진을 목표로 해야 하며, 인간 존엄성과 전 지구적 환경을 존중해야 한다.'라는 선언문을 발표하였다. 이는 과학자가 연구 실행 과정에서 과학적 방법을 따라야 할 뿐만 아니라 연구 목적에 대한 윤리적 근거를 가져야 함을 의미한다.

① 과학자는 연구 실행 과정에서 객관성을 유지해야 한다.
② 과학자는 사회적 가치로부터 분리된 연구 활동을 실행해야 한다.
③ 과학자는 연구 결과를 활용할 때 윤리적 정당성을 확보해야 한다.
④ 과학자는 삶의 질을 향상시킬 수 있는 연구 활동을 수행해야 한다.
⑤ 과학자는 연구 결과가 생태계에 가져올 부작용을 검토해야 한다.

| 교육청 기출 응용 |

06 갑, 을의 입장으로 적절한 내용을 〈보기〉에서 고른 것은?

갑: 과학자는 과학 기술 활용에 대해 관심을 가져야 합니다. 따라서 과학 기술이 환경에 악영향을 끼친다면, 과학자는 과학 기술이 환경에 끼칠 위험성을 경고하고 기술적 조언을 제공해야 합니다.
을: 과학 기술 활용의 결과는 과학자의 몫이 아니므로 과학자가 지켜야 할 의무는 연구 과정에서 과학적 지식의 진위를 객관적으로 판단하는 것에 국한되어야 합니다.

보기
ㄱ. 갑: 과학자는 과학 기술의 부작용을 사회에 알려야 한다.
ㄴ. 을: 과학적 지식을 검증할 때 주관적 가치를 배제해야 한다.
ㄷ. 갑, 을: 과학자에게는 인류의 복지를 향상시킬 외적 책임이 있다.
ㄹ. 갑, 을: 과학 연구의 결과는 윤리적 평가로부터 자유로워야 한다.

① ㄱ, ㄴ ② ㄱ, ㄷ ③ ㄴ, ㄷ ④ ㄴ, ㄹ ⑤ ㄷ, ㄹ

| 수능 기출 응용 |

07 갑, 을의 입장으로 적절한 것만을 〈보기〉에서 고른 것은?

갑: 빅 브라더(Big Brother)는 소설 속 존재로, 사회를 철저히 장악한다. 정보 통신 기술의 발달로 인해 개인은 사이버 공간에서 '빅브라더'의 감시를 벗어나지 못해, 실질적인 정치 참여 기회가 줄어들 위험성이 커지고 있다.
을: 아고라(agora)는 고대 아테네의 광장으로, 자유민들은 이곳에서 민회에 참여했다. 정보 통신 기술의 발달로 사이버 공간이 아고라와 같은 기능을 하면서 현실의 정책 결정에 대해서도 시민의 정치 참여를 높이고 있다.

보기
ㄱ. 갑: 사이버 공간에서 사생활권과 익명성이 보장된다.
ㄴ. 갑: 정보 통신 기술은 보이지 않는 방식으로 개인을 통제한다.
ㄷ. 을: 사이버 공간은 직접 민주주의의 가능성을 높이고 있다.
ㄹ. 갑, 을: 정보화가 진전됨에 따라 표현의 자유도 증진된다.

① ㄱ, ㄴ ② ㄱ, ㄷ ③ ㄴ, ㄷ ④ ㄴ, ㄹ ⑤ ㄷ, ㄹ

| 평가원 기출 응용 |

08 갑, 을의 입장에 대한 설명으로 가장 적절한 것은?

갑: 정보는 상당한 시간과 비용을 들여 만들어지므로 생산자의 지적 재산권을 전적으로 보장해야 합니다.
을: 정보는 사회 구성원들의 경험이 담긴 공동의 자산이며 그 가치는 나눌수록 커집니다. 누구나 정보를 자유롭게 사용함으로써 정보 활용이 활발해질 것입니다.

① 갑은 정보 복제에 제약이 없어야 양질의 정보가 생산된다고 본다.
② 을은 정보를 공유하는 것이 사회적 불평등을 심화시킨다고 본다.
③ 갑은 을과 달리 창작자의 배타적 소유권을 보장해야 한다고 본다.
④ 을은 갑과 달리 정보의 공공재적 성격을 약화시켜야 한다고 본다.
⑤ 갑, 을은 공익 증진을 위해 지적 재산을 공유해야 한다고 본다.

| 평가원 기출 |

09 갑의 입장에서 을에게 제기할 수 있는 반론으로 가장 적절한 것은?

> 갑: 잊힐 권리는 인권 보장을 위한 권리에 해당하므로 시민의 알 권리보다 우선한다. 그런데 공개를 원하지 않는 사적인 행적이 인터넷상에 남아 있어서 고통받는 사례가 늘고 있으므로 잊힐 권리를 보장하는 제도가 시행되어야 한다.
> 을: 민주 사회에서 시민의 알 권리는 침해할 수 없는 기본권에 해당한다. 인터넷상의 기록은 공공성을 지니는 인류의 자산이므로 개인이 원한다는 이유로 삭제해서는 안 되며, 삭제한다고 해도 어딘가에 남아 있어 실효성이 없다.

① 인권 보장을 위해 시민의 알 권리를 제한하지 말아야 한다.
② 인터넷상의 기록은 완전히 삭제하기 어려움을 알아야 한다.
③ 잊힐 권리의 보장으로 개인의 사생활 침해를 예방해야 한다.
④ 인터넷상의 기록은 시민들의 공공 자산임을 깨달아야 한다.
⑤ 표현의 자유를 신장하기 위해 시민의 알 권리를 보장해야 한다.

| 평가원 기출 응용 |

10 다음 글에서 강조하는 내용으로 가장 적절한 것은?

> 사이버 공간은 실제 공간의 연장이면서도 익명성의 특징을 지닌 새로운 공간이다. 사이버 공간에서 우리는 현실의 자아에서 벗어나, 여러 자아를 실험하며 자신의 모습을 자유롭게 만들고 해체하면서 새로운 자아를 형성할 수 있다. 다중 정체성의 위험에 유의한다면 사이버 자아를 통해 현실의 삶을 더 풍성하게 할 수 있다.

① 사이버 자아는 현실 자아의 반영에 불과하다.
② 사이버 자아의 익명성은 위험하기에 실명화해야 한다.
③ 사이버 자아는 현실 자아보다 도덕적 책임에 민감하다.
④ 사이버 공간은 자아 정체성을 모색하는 열린 공간이다.
⑤ 사이버 공간의 다중 자아를 금지해 정체성 혼란을 예방해야 한다.

| 수능 기출 |

11 (가)의 갑, 을, 병 사상가들의 입장에서 서로에게 제기할 수 있는 비판을 (나) 그림으로 표현할 때, A~F에 해당하는 내용으로 가장 적절한 것은?

(가)	갑: 도덕적 행위 능력과 무관하게 인간과 일부 동물은 도덕적 권리를 갖는다. 그들 각자는 고유한 삶을 살아가는 삶의 주체이다. 을: 도덕적 행위 능력이 없어도 생명체라면 존중해야 한다. 모든 생명체는 목적론적 삶의 중심이며 내재적 가치를 지닌다. 병: 도덕적 행위 능력이 있는 인간은 자연을 파괴하는 행위를 삼가야 한다. 그러한 파괴적 성향은 인간의 도덕성에 기여하는 감정을 약화시킨다.
(나)	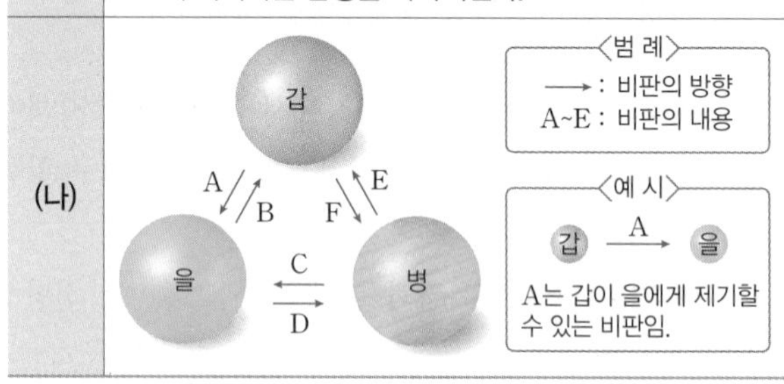

① A: 개체 각각이 지닌 고유한 선은 보호되고 증진되어야 함을 간과한다.
② B: 개체에 대한 도덕적 존중은 내재적 가치에 근거함을 간과한다.
③ D: 도덕적 행위 능력이 없는 존재도 모두 내재적 가치를 지님을 간과한다.
④ F: 어떤 존재를 목적 그 자체로 보는 근거가 이성이 아님을 간과한다.
⑤ C, E: 도덕적 행위 주체들의 도덕적 지위가 서로 평등함을 간과한다.

| 교육청 기출 응용 |

12 갑, 을, 병의 입장에서 모두 긍정의 대답을 할 질문으로 가장 적절한 것은?

> 갑: 모든 생명체는 신성하고 동등한 가치를 지니며, 생명을 지키는 것은 선, 생명을 파괴하는 것은 악이다.
> 을: 오직 유정적 존재만이 이익 관심을 지니기 때문에 이들을 동등하게 도덕적으로 고려할 책임이 있다.
> 병: 동물은 자기 삶을 영위하는 삶의 주체이며 결코 수단으로 취급되어서는 안 된다.

① 생태계 전체를 도덕적 고려의 대상으로 보는가?
② 인간은 동물에 대해 도덕적 의무와 책임을 지니는가?
③ 도덕적 행위의 주체인 인간이 다른 존재보다 우월한가?
④ 이익 관심은 동물 이익을 고려하기 위한 충분조건인가?
⑤ 고통을 느끼는 생명만 내재적 가치를 인정해야 하는가?

| 교육청 기출 |

13 (가)의 갑, 을, 병 사상가들의 입장을 (나) 그림으로 표현할 때, A~D에 해당하는 적절한 진술만을 〈보기〉에서 있는 대로 고른 것은?

(가)	갑: 고통과 기쁨을 느낄 수 있는 능력은 이익 관심을 갖기 위한 선행 조건, 즉 우리가 이익 관심에 대해 의미 있게 이야기하기 전에 만족되어야 하는 조건이다. 을: 생명 공동체의 범위를 대지까지 확장시켜야 한다. 어떤 것은 그것이 생명 공동체의 온전함, 안정성, 아름다움을 보전하는 경향에 따라 옳다. 병: 생명체가 목적론적 삶의 중심이라고 말하는 것은 그것의 외적 활동과 내적 기능이 모두 시간 속에서 그 유기체의 존재를 지속시키는 것을 의미한다.
(나)	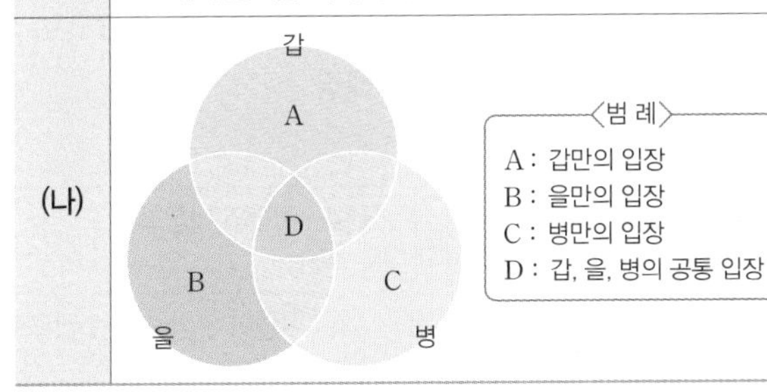

| 보기 |

ㄱ. A: 삶의 주체인 동물의 도덕적 권리를 존중해야 한다.
ㄴ. B: 도덕적 지위의 부여 범위를 대지 공동체까지 확대해야 한다.
ㄷ. C: 개체론의 관점에서 생명체의 고유한 선을 존중해야 한다.
ㄹ. D: 쾌고 감수 능력을 지닌 존재를 도덕적으로 고려해야 한다.

① ㄱ, ㄷ ② ㄱ, ㄹ ③ ㄴ, ㄷ
④ ㄱ, ㄴ, ㄹ ⑤ ㄴ, ㄷ, ㄹ

| 교육청 기출 응용 |

14 다음 글의 입장에서 지지할 주장으로 옳지 않은 것은?

인간은 자연과 분리될 수 없다. 모든 자연을 통일된 전체로 인식해야 한다. 또한 인간의 행위가 생태계에 미치는 영향을 평가할 때도 자연 전체에 어떤 결과를 미치는가를 놓고 평가해야 한다.

① 생태계의 도덕적 고려 대상은 생명체로 국한된다.
② 인간은 자연이라는 더 큰 전체의 한 부분일 뿐이다.
③ 인간은 자연과의 관계를 통해 자신을 이해해야 한다.
④ 모든 존재는 상호 연결된 공동체의 평등한 구성원이다.
⑤ 무생물을 포함한 생태계 전체를 도덕적으로 고려해야 한다.

| 교육청 기출 |

15 (가)의 입장에서 (나) 그림 속 주장을 지지할 근거로 가장 적절한 것은?

(가)	자연은 인간의 욕구를 충족하기 위한 도구에 불과하며, 그 자체로는 가치를 지니지 않는다. 인간에게 도움과 혜택을 주는 경우에만 자연은 가치를 갖게 된다.
(나)	

① 인간과 자연은 동등한 도덕적 지위를 지니고 있다.
② 자연은 목적으로 대우받아야 하는 도덕적 존재이다.
③ 자연은 인간보다 우월한 존재로 존엄한 가치를 지닌다.
④ 인간의 풍요로운 삶을 위해서는 자연 보호가 필요하다.
⑤ 자연은 인간의 이익과 관계없이 고유한 가치를 지닌다.

| 교육청 기출 |

16 다음 사상가가 긍정의 대답을 할 질문으로 가장 적절한 것은?

전통 윤리학에서 인간의 의무 대상은 지구상의 다른 어떤 것도 아닌 인간 자신이었다. 그러나 인간 자신에 대한 의무가 계속해서 절대적인 것으로 여겨진다 하더라도, 그 의무는 이제 인류의 지속과 온전함을 유지하기 위한 조건으로서 자연에 대한 의무를 포함하지 않을 수 없다. 인간 행위의 새로운 유형에 적합하고 새로운 유형의 행위 주체를 지향하는 명법은 다음과 같다. "지상에서 인류의 무한한 존속을 가능하게 하는 제 조건을 위협하지 마라."

① 인간은 미래에 발생할 위협보다 진보에 주목해야 하는가?
② 인간은 사후적 책임뿐 아니라 예견적 책임까지 져야 하는가?
③ 인간과 자연은 공존을 위해 서로를 책임의 대상으로 삼는가?
④ 인간의 책임 범위는 인간 상호 간의 관계로 한정되어야 하는가?
⑤ 인간 이외의 생명은 목적이 아닌 수단으로서만 가치를 지니는가?

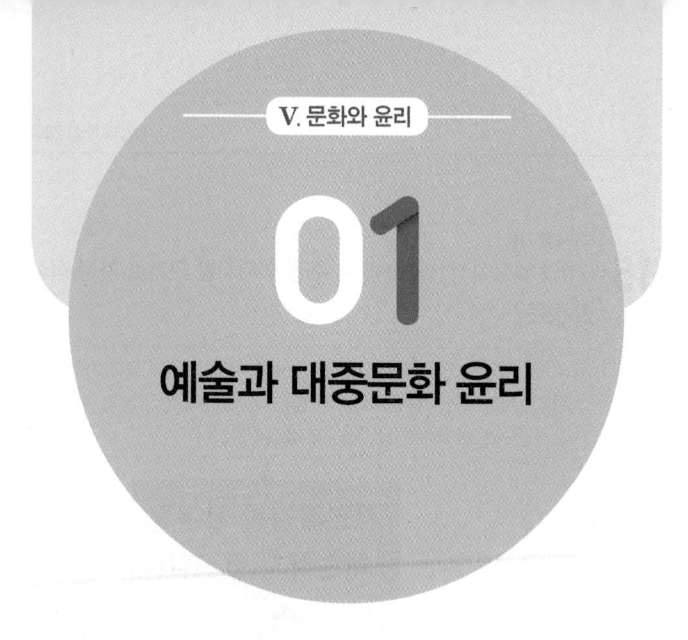

1 미적 가치와 윤리적 가치

1. 예술의 의미와 기능

(1) 의미 아름다움을 표현하고 창조하는 인간의 활동과 그 산물

(2) 예술에 대한 다양한 정의

아리스토텔레스의 모방론	• "예술은 자연의 모방이며 자연이 성공하지 못한 것을 완성하는 것을 목표로 한다." • 예술은 수동적인 모방을 넘은 능동적인 것을 의미함
칸트의 형식론	• "예술은 다른 무엇을 비추는 거울이 아니라 스스로 반짝이는 거울이다." • 순수한 형식만이 아름다움을 느낄 수 있게 한다고 봄
톨스토이의 표현론	• "예술은 개인의 감정을 표현하여 다른 사람에게 전하는 모든 것이다." • 공감(共感)의 유발을 중요하게 생각함

(3) 예술의 기능

① 사람의 마음 정화 예술 작품의 창작 또는 감상을 통해 스트레스 해소, 심리적 안정과 즐거움 향유

② 인간의 사고 확장 예술 작품을 통해 주변 대상의 의미를 새롭게 발견, 문제의 해결책이나 삶의 지혜 획득

③ 의식과 사회 개혁에 이바지 예술 활동을 통해 사회 모순 비판, 새로운 사상과 가치 창조

2. 예술과 윤리의 관계

(1) 도덕주의 → 예술이 도덕적 선을 지향하도록 적절한 규제가 필요하다고 주장

① 주장 도덕적 가치가 미적 가치보다 우위에 있으므로 예술은 윤리의 인도를 받아야 함

② 예술의 목적 올바른 품성을 기르고 도덕적 교훈이나 모범을 제공하는 것

③ 강조점 예술의 사회성 ➡ 참여 예술론 지지

→ 예술가도 사회 구성원이고 창작 활동도 사회 활동의 하나이므로 예술은 사회의 모순을 지적하고 사회의 도덕적 성숙에 기여해야 한다는 주장

④ 대표적 사상가 플라톤, 공자, 순자 등

→ 플라톤: 좋은 예술 작품이 좋은 품성을 가지게 한다고 주장

→ 공자: 예(禮)에서 사람이 서고 악(樂)에서 사람이 완성된다고 주장

→ 순자: 예술은 인간의 감정을 순화시켜 준다고 주장

(2) 예술 지상주의 → 윤리적 가치를 기준으로 예술을 평가하고 규제해서는 안 된다고 주장

① 주장 미적 가치는 도덕적 가치와 관련성이 낮음

② 예술의 목적 미적 가치의 구현

③ 강조점 예술의 자율성 ➡ 순수 예술론 지지

→ 예술가의 예술 활동은 윤리적 기준과 관습에 상관없이 자율성과 독창성을 지녀야 한다는 주장

④ 대표적 사상가 와일드, 스핑건 등

→ 예술과 윤리는 별개의 영역이라고 주장

핵심 기출 자료 분석 도덕주의와 심미주의

> • 현대 예술의 사명은 인간의 행복이 인간 상호 간의 결합에 있다는 진리를 이성의 영역에서 감정의 영역으로 옮겨, 현재 지배하고 있는 폭력 대신 신의 세계, 즉 인간의 최고 목적으로 간주하는 사랑의 세계를 건설하는 일이다. – 톨스토이, 『예술이란 무엇인가』 –
>
> • 어떠한 예술가도 윤리적인 동정심을 지니고 있지 않다. 예술가에게 윤리적 동정심이란 양식상 용서할 수 없는 타성이다. – 와일드, 『도리안 그레이의 초상』 –

3. 예술의 상업화

(1) 의미 상품을 사고파는 행위를 통해 이윤을 얻는 일이 예술 작품에도 적용되는 현상

(2) 등장 배경 자본주의의 확산과 더불어 예술에서도 경제적 가치를 중시하는 경향이 강해짐

(3) 영향

긍정적 측면	• 일부 계층의 점유물이던 예술의 대중화 • 예술가의 창작 의욕 촉진
부정적 측면	• 예술의 본질 왜곡: 예술 작품이 부의 축적 수단으로 전락 • 예술의 질적 저하 가능성

2 대중문화의 윤리적 문제

1. 대중문화

(1) 의미 대중 사회를 기반으로 형성되어 다수가 소비하고 향유하는 문화

(2) 특징 대량 소비, 대중성, 오락성, 상업성 등

2. 대중문화와 관련된 윤리적 문제

→ 문화의 접근성 확대, 대중의 사회 참여 활성화 등 대중문화의 긍정적 효과도 있음

선정성과 폭력성	• 대중문화가 이윤 창출 수단이 되면서 점점 더 자극적인 요소와 표현을 포함하게 됨 • 인간의 육체와 성, 폭력에 대한 그릇된 인식 생성 우려
자본 종속	• 자본을 소유한 사람 혹은 집단이 대중문화 주도 • 예술가의 자율성과 독립성 제약 • 대중문화의 획일화, 규격화, 몰개성화 초래

3. 대중문화에 대한 윤리적 규제

(1) 제도적 규제에 대한 입장

찬성	대중문화의 상업성으로 인한 선정성·폭력성 문제에 주목, 시장 논리에 따른 문화의 강요 우려 ➡ 미풍양속과 청소년 보호 등을 위해 유해 요소의 규제 필요
반대	규제에 따른 부작용에 주목 ➡ 불공정한 규제 가능성, 표현의 자유와 문화 향유권의 제한 → 예 검열 제도를 통한 예술 활동 억압

(2) 개인적 차원의 규제

① 생산자 건전한 대중문화 보급을 위해 노력

② 소비자 대중문화에 대한 성찰과 비판적 시각을 통해 능동적·주체적 수용

개념 암기

1 빈칸에 들어갈 알맞은 말을 쓰시오.

(1) 심미주의 입장에서는 예술과 윤리를 (　　　　　　)의 영역으로 본다.

(2) 도덕주의 입장에서는 도덕적 가치가 미적 가치보다 우위에 있으므로 예술은 (　　　　　　)의 인도를 받아야 한다고 본다.

(3) 대중문화는 (　　　　　　)를 기반으로 형성되어 다수가 소비하고 향유하는 문화이다.

2 대중문화의 부정적 영향을 〈보기〉에서 모두 고르시오.

보기
ㄱ. 폭력 미화 ㄴ. 다양한 문화의 향유 ㄷ. 인간의 수단화, 몰개성화

(　　　　　　)

3 설명이 맞으면 ○표, 틀리면 ×표 하시오.

(1) 플라톤은 좋은 예술 작품이 좋은 품성을 가지게 하므로 예술 작품의 도덕적 가치에 대해 국가가 판단해야 한다고 주장한다. (　　)

(2) 와일드는 예술이 바람직한 삶의 모범을 제시해야 한다고 본다. (　　)

4 빈칸에 들어갈 알맞은 말을 쓰시오.

(1) 대중의 사회 참여 활성화는 대중문화의 (　　　　　　) 효과이다.

(2) (　　　　　　)의 확산으로 인해 예술의 상업화가 이루어졌다.

(3) 칸트는 예술의 본질은 예술 자체의 (　　　　　　)에서 찾아야 한다고 본다.

(4) 예술의 상업화로 인하여 예술의 (　　　　　　)이 왜곡될 수 있다.

5 대중문화의 윤리적 규제에 대한 찬성과 반대 입장의 근거를 연결하시오.

(1) 찬성 •　　　　• ㉠ 대중의 문화적 권리

(2) 반대 •　　　　• ㉡ 성 상품화 예방

내신 기출

1 미적 가치와 윤리적 가치

01 심미주의 관점에서 바라보는 예술과 윤리의 관계에 대한 설명으로 옳은 것은?

① 예술의 사회성을 강조한다.
② 예술은 윤리의 인도를 받아야 한다.
③ 예술이 가치 있는 것은 그것이 지닌 윤리적 가치 때문이다.
④ 예술의 목적은 올바른 품성을 기르고 도덕적 교훈을 제공하는 것이다.
⑤ 예술의 목적은 미적 가치를 추구하는 데 있고 그것 자체로 가치를 지닌다.

02 예술과 관련하여 공자가 지지할 주장으로 옳은 것은?

① 예술은 자연의 모방이다.
② 예술을 위한 예술을 추구해야 한다.
③ 예술은 도덕이 미칠 수 있는 영역이 아니다.
④ 예술과 도덕적 조화로운 관계를 중요시해야 한다.
⑤ 예술에 있어서 미(美) 이외의 것을 추구해서는 안 된다.

03 갑, 을의 입장에 대한 설명으로 옳은 것은?

갑: 예술 작품에 대해 도덕성을 따지는 것은 무의미하다. 그것은 정삼각형은 도덕적이고 이등변 삼각형은 비도덕적이라고 말하는 것과 마찬가지이다. 을: 예술이 추구하는 전형적인 아름다움은 공동선을 실현하기 위한 것이다. 예술가는 그러한 아름다움을 표현하여 인간의 도덕성 함양에 기여해야 한다.

① 갑은 예술의 순수성보다 도덕성을 우선시한다.
② 갑은 예술과 도덕이 상호 밀접한 관련이 있다고 본다.
③ 을은 '예술을 위한 예술'을 추구한다.
④ 을은 예술이 사회적 선(善)의 실현을 목적으로 해야 한다고 본다.
⑤ 갑과 을 모두 예술의 필요성을 부정한다.

04 예술 상업화의 부정적 영향으로 적절하지 않은 것은?

① 예술의 질적 저하가 우려된다.
② 상품성이 높은 선정적인 작품을 만들어 낼 수 있다.
③ 부유한 일부 계층이 누리던 예술을 대중도 누릴 수 있게 되었다.
④ 예술이 자본에 종속되어 예술이 지닌 미적 가치와 자율성을 침해할 수 있다.
⑤ 예술 작품을 평가할 때 미적 가치보다 경제적 가치를 최고의 기준으로 여길 수 있다.

다음 사상가가 강조하는 예술의 공통적인 특징으로 적절한 것은?

> • 공자: 예(禮)에서 사람이 서고 악(樂)에서 사람이 완성된다.
> • 톨스토이: 예술은 만인에게 없어서는 안 될 정신적 복지이다.

① 예술의 사회성　② 예술의 심미성
③ 예술의 자율성　④ 예술의 순수성
⑤ 예술의 상징성

06 (가), (나)에 해당하는 입장을 〈보기〉에서 골라 바르게 짝지은 것은?

> (가) 예술 작품에 대해 도덕성을 따지는 것은 무의미하다.
> (나) 예(禮)에서 사람이 서고 악(樂)에서 사람이 완성된다.

보기
> ㄱ. 예술가가 통치자가 되어야 한다.
> ㄴ. 미적 경험은 그 자체로 가치 있는 것이다.
> ㄷ. 예술적 미는 공동선을 실현하기 위한 것이다.

	(가)	(나)		(가)	(나)
①	ㄱ	ㄴ	②	ㄴ	ㄱ
③	ㄴ	ㄷ	④	ㄷ	ㄱ
⑤	ㄷ	ㄴ			

다음 관점에서 지지할 수 있는 주장을 〈보기〉에서 고른 것은?

> 그 어떤 교육보다도 중요한 것이 음악 교육이네. 리듬과 하모니가 올바른 자에게는 우아함을, 그릇된 자에게는 추악함을 깨닫도록 할 테니까 말이네. 또한 그것은 예술이나 자연에 있어 누락된 것과 결함을 알도록 해 주네. 그리고 음악을 진정한 안목으로 즐길 때 그의 정신 속에서 나온 선은 기품 높고 정결해지네. 그리하여 어려서부터 악을 비난하고 혐오하게 됨은 물론, 자라서는 오래 사귄 친구처럼 선을 알아보고 환영하게 될 것이네.

보기
> ㄱ. 예술의 순수성을 지켜야 한다.
> ㄴ. 예술은 도덕적 가치를 위한 수단이다.
> ㄷ. 예술은 사람들의 도덕성 함양에 이로워야 한다.
> ㄹ. 예술가에게 윤리적 공감은 독창성을 잃게 하는 것이다.

① ㄱ, ㄴ　② ㄱ, ㄷ　③ ㄴ, ㄷ
④ ㄴ, ㄹ　⑤ ㄷ, ㄹ

2 대중문화의 윤리적 문제

08 현대 대중문화의 문제점을 바르게 말한 사람끼리 짝지은 것은?

> 기원: 대중의 다양한 문화를 즐길 권리를 보장해.
> 지영: 대중 매체를 통해 현실의 문제를 비판하여 사회 변화를 이끌어 내지.
> 상훈: 최소 비용으로 최대 이윤을 얻어야 한다는 경제 원칙 따라 지나친 상업성을 추구해.
> 예지: 더 많은 사람들의 흥미와 관심을 얻기 위해서 더욱 자극적인 소재와 표현을 담기도 해.

① 기원, 지영　② 기원, 상훈
③ 지영, 상훈　④ 지영, 예지
⑤ 상훈, 예지

09 대중문화와 관련된 윤리적 문제로 가장 적절한 것은?

① 짧은 시간에 많은 사람들에게 전파된다.
② 대중에게 다양한 문화를 접할 기회를 준다.
③ 대중의 정서에 부정적 영향을 미칠 수 있다.
④ 지나친 폭력성이나 성의 상품화를 예방한다.
⑤ 문화를 대량 생산하고 소비하는 대중 지향적 문화이다.

10 기사를 통해 알 수 있는 대중문화의 윤리적 문제로 가장 적절한 것은?

> **○○ 신문**
> 그룹 ○○의 A 양이 과도한 노출 의상 논란으로 이목을 집중시키고 있다. 17일 A 양은 서울에서 진행된 '게임올림픽 2019 △△ 카드'에 참석해 모 게임에 등장하는 캐릭터의 코스프레 의상을 선보였다. A 양의 과한 노출로 인해 부적격 논란을 불러일으킨 것이다.

① 폭력적 정서를 널리 퍼트린다.
② 세계화를 통한 문화의 다양성을 저해한다.
③ 대중의 의식을 통제하고 대중을 기만할 수 있다.
④ 대중문화에 대한 무비판적 사고가 확대될 수 있다.
⑤ 사회 정서에 맞지 않는 선정적인 내용으로 대중에게 정서적 악영향을 줄 수 있다.

11 대중문화의 순기능으로 가장 적절한 것은?

① 문화의 대중화에 기여한다.
② 폭력을 지나치게 미화할 수 있다.
③ 사회 전반에 걸쳐 자본의 영향력이 더욱 커진다.
④ 개인을 틀에 맞춰진 규격품으로 재생산할 수 있다.
⑤ 인간의 육체와 성을 수단적 대상으로 삼는 그릇된 인식을 전파할 수 있다.

12 학생의 입장에서 제시할 수 있는 근거 ㉠을 〈보기〉에서 고른 것은?

> 교사: 오늘은 대중문화에 대한 제도적 규제가 정당화 될 수 있는지 이야기 해 볼까요?
> 학생: 저는 대중문화에 대한 제도적 규제가 정당하다고 생각합니다. 왜냐하면 [㉠]

보기
ㄱ. 대중의 의식을 조작할 수 있기 때문입니다.
ㄴ. 대중문화의 자율성을 권장하기 때문입니다.
ㄷ. 표현의 자유가 모든 것에 가장 우선하기 때문입니다.
ㄹ. 지나친 폭력성이나 성 상품화를 예방할 수 있기 때문입니다.

① ㄱ, ㄴ ② ㄱ, ㄹ ③ ㄴ, ㄷ
④ ㄴ, ㄹ ⑤ ㄷ, ㄹ

13 대중문화의 긍정적 영향을 바르게 말한 사람끼리 짝지은 것은?

> 은지: 대중이 사회에 관심을 가지고 참여하도록 기회를 제공하기도 해.
> 승진: 누구나 쉽게 문화에 접근할 수 있게 하여 문화적 삶을 향유할 수 있어.
> 동욱: 폭력적이거나 선정적인 대중문화로 인해 이를 모방하는 경우도 있어.
> 진영: 거대 자본에 종속됨으로써 개인을 문화 산업의 도구로 전락시키기도 해.

① 은지, 승진 ② 은지, 동욱
③ 승진, 동욱 ④ 승진, 진영
⑤ 동욱, 진영

(가)의 관점에서 (나)의 상황에 대해 가져야 할 자세로 가장 적절한 것은?

> (가) 자본이 이윤 극대화의 목적을 가지고 대중문화의 생산, 유통, 소비의 전 과정에 개입하고 있다. 문화 산업은 대중이 비판적으로 사고하기보다는 매체가 제공하는 문화 상품을 그대로 수용하고 소비할 것을 장려한다. 이처럼 문화가 자본에 종속될 경우, 시장 논리로는 파악할 수 없는 문화 본연의 가치가 훼손될 수 있으므로 주의가 필요하다.
> (나) TV 예능 프로그램, 드라마에서 폭력이나 욕설이 심심찮게 등장하고 있다. 한 시청자는 "폭력 장면이 극의 흐름상 꼭 필요한 것도 아닌데, 청소년들이 시청하는 시간대에 여과 없이 방송에 내보내는 이유는 무엇인가?"라며 청소년들이 무분별한 폭력 장면을 모방할 우려가 있다고 지적했다.

① 대중문화의 수준 향상을 위해 경제적 보상을 강화해야 한다.
② 자금력을 갖춘 일부 문화 기획사가 대중문화를 주도해야 한다.
③ 대중문화의 자율성 확보를 위하여 윤리적 규제를 약화해야 한다.
④ 상업적 이익을 우선하여 작품이 선정되고 제작되는 환경을 우선 조성해야 한다.
⑤ 대중문화를 맹목적으로 받아들이기보다는 주체적으로 선별하여 받아들여야 한다.

㉠, ㉡에 대한 설명으로 옳은 것은?

> 미적 가치를 표현하고 이를 실현하고자 하는 ㉠ 예술이 윤리와 갈등하는 대표적인 사례로 ㉡ 외설 논쟁을 들 수 있다. 외설은 어원적으로 '상영 금지(OFF SCENE)'를 뜻하는 것으로, 보통 성적으로 음란하고 난잡한 것을 의미한다. 예술과 외설을 구분하는 기준은 시대와 장소에 따라 달라질 수 있어서 절대적인 기준을 제시하기는 어렵다.

① ㉠ – 감상자로 하여금 카타르시스를 느끼게 한다.
② ㉠ – 성적인 욕구를 자극하는 것이 주된 목적이다.
③ ㉡ – 미적 가치의 표현이 주된 목적이다.
④ ㉡ – 주제와 관련하여 성적 표현을 제한한다.
⑤ ㉡ – 감상자가 성적 수치심을 느끼고 미적 체험을 하게 된다.

서술형 문제

다음을 읽고 물음에 답하시오.

> (가) 그 어떤 교육보다도 중요한 것이 음악 교육이네. 리듬과 하모니가 올바른 자에게는 우아함을, 그릇된 자에게는 추악함을 깨닫도록 할 테니까 말이네.
> (나) 시가 '도덕적'이라든가 혹은 '비도덕적'이라고 말하는 것은 정삼각형은 도덕적이고 이등변 삼각형은 비도덕적이라고 말하는 것과 마찬가지로 무의미하다.

(1) (가), (나)에 해당하는 예술과 윤리의 관계를 바라보는 관점을 쓰시오.

(2) (가), (나)의 관점에서 다음 사례의 갑에게 조언할 내용을 각각 서술하시오.

> 갑은 마을 문화 사업의 일부로 벽화를 그리려고 한다. 갑의 마을에는 아직 성인이 되지 않은 학생의 비율이 높은 편이다.

17 대중문화에 대한 제도적 규제를 반대하는 입장의 근거를 두 가지 이상 서술하시오.

18 도덕주의자가 다음 주장에 대해 비판할 내용을 서술하시오.

> 예술가는 아름다운 것을 창조해 내는 사람으로 그 어떤 것이든 표현할 수 있다. 예술가에게 사유와 언어는 예술의 도구일 뿐이다.

정답과 해설 31쪽

01 다음 사상가의 입장만을 〈보기〉에서 있는 대로 고른 것은?

> 우리는 명화를 통해 자신을 반성하여, 올바른 그림은 모범으로 삼고 사악한 그림은 자신을 고치는 계기로 삼아야 한다.

보기
ㄱ. 예술은 선악미추의 대상이 아니다.
ㄴ. 예술은 그 사회의 도덕성을 비추는 거울이다.
ㄷ. 그릇된 그림도 교육적 기능을 수행할 수 있다.
ㄹ. 예술은 선악 판단의 대상에서 배제되어야 한다.

① ㄱ, ㄴ ② ㄴ, ㄷ ③ ㄷ, ㄹ
④ ㄱ, ㄴ, ㄷ ⑤ ㄴ, ㄷ, ㄹ

02 (가)의 갑, 을 사상가의 입장을 (나) 그림으로 표현할 때, A~C에 해당하는 적절한 질문을 〈보기〉에서 고른 것은?

(가)
갑: 우리는 좋은 성품에 의해 아름답고 고귀한 본성을 찾아가는 예술가를 발굴해야 한다. 그리하여 젊은이들이 아름다운 이성을 닮고 서로 사랑하고 조화를 이루게 되기를 바란다.
을: 예술은 드러내고 예술가를 숨기는 것이 예술의 목표이다. 예술가에게 윤리적 공감은 불필요하다. 아름다운 사물을 오직 아름다움의 의미로 받아들여야 한다.

(나)
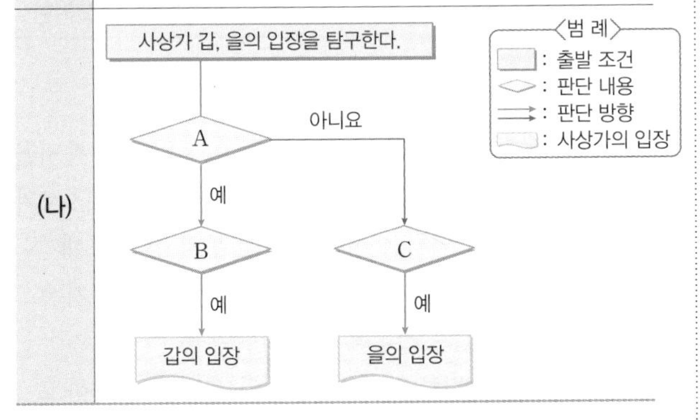

보기
ㄱ. A: 예술은 사람을 교화하는 수단이 될 수 있다.
ㄴ. B: 덕을 함양하기 위해 예술 교육이 필요하다.
ㄷ. B: 예술은 사회적 요구로부터 자유로워야 한다.
ㄹ. C: 예술은 그 자체로 빛나는 것이 아니라 수단적 가치를 지닌다.

① ㄱ, ㄴ ② ㄱ, ㄷ ③ ㄱ, ㄹ
④ ㄴ, ㄷ ⑤ ㄴ, ㄹ

03 갑, 을의 입장에 대한 설명으로 옳지 않은 것은?

> 갑: 예술 작품에 대해 도덕성을 따지는 것은 무의미하다. 그것은 정삼각형은 도덕적이고 이등변 삼각형은 비도덕적이라고 말하는 것과 마찬가지이다.
> 을: 예술이 추구하는 전통적인 아름다움은 공동선을 실현하기 위한 것이다. 예술가는 그러한 아름다움을 표현하여 인간의 도덕성 함양에 기여해야 한다.

① 갑은 예술의 순수성이 강조되어야 한다고 본다.
② 갑은 예술적 미와 도덕적 선은 관련이 있다고 본다.
③ 을은 예술의 사회성을 중시한다.
④ 을은 예술이 도덕적 가치를 추구한다고 본다.
⑤ 을은 미적 가치와 도덕적 가치 간의 위계를 인정한다.

04 다음 사상가의 입장으로 적절하지 않은 것은?

> 예술 작품에 대한 기술적 복제는 수공적인 복제보다 더 큰 독자성을 지니며, 예술 작품의 존속에 아무런 손상도 입히지 않는다. 예술 작품의 기술적 복제 가능성의 시대에서 예술 작품의 '아우라'는 위축된다. 그러나 사진이나 영화와 같은 영역에서 대량 복제 기술은 대중들로 하여금 개별적 상황 속에서 복제품을 쉽게 접하게 한다. 이러한 현상은 전시 가능성을 중시하는 대중 예술이 기존의 제의(祭儀) 의식에 바탕을 둔 예술을 밀어내는 결과를 초래한다. 이제 예술 작품은 새로운 기능을 지닌 형상물이 된다.

① 대중 예술에서는 예술의 숭배 가치가 줄어든다.
② 대중 예술은 원작이 가지고 있는 아우라를 높여 준다.
③ 대중 예술은 표준화된 생산을 통해 미적 체험을 제공한다.
④ 대중 예술의 복제 기술은 예술 작품의 신비감을 축소시킨다.
⑤ 대중 예술의 복제 기술은 대중과 예술 작품의 거리를 좁힌다.

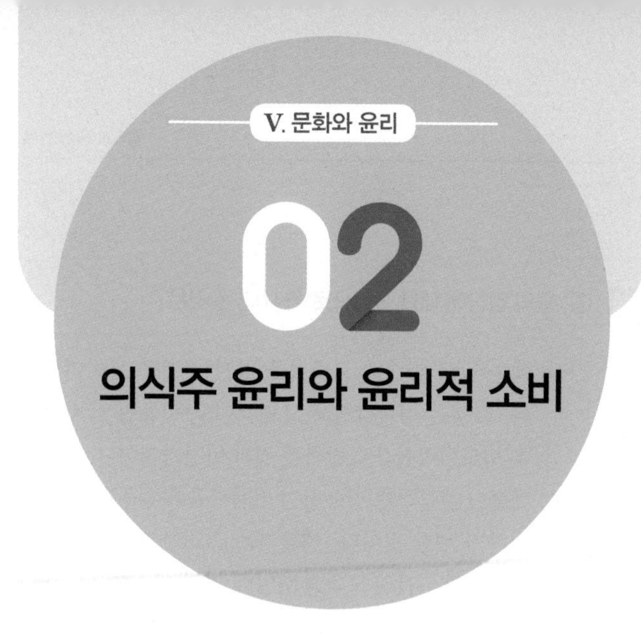

1 의식주의 윤리

1. 의복 문화와 윤리적 문제

(1) 의복의 기능　신체 보호, 개성 표현의 수단, 신분이나 지위 등 표현, 공동체의 정체성과 유대감 표출

└ 의복의 기원으로는 몸을 보호하기 위해 등장한 것이라는 신체 보호설, 외모를 꾸미기 위한 것이라는 장식설, 알몸을 가리기 위한 것이라는 정숙설, 필요한 물건을 달기 위한 것이라는 실용적 기능설 등이 있다.

(2) 의복의 윤리적 의미

① 자아 및 가치관 형성　의복을 통해 개성과 가치관을 표현하는 동시에 착용하는 의복이 가치관 형성에 영향을 주기도 함
➡ 자아와 의복을 동일시하는 경향

② 예의에 관한 사회적 기준 반영　때와 장소, 의식에 맞는 예의 표현

(3) 의복과 관련된 윤리 문제

명품 선호 현상	사치 풍조 조장 ➡ 과소비, 계층 간 분열 촉진
유행 추구 현상	패스트 패션(fast fashion)과 결합하여 몰개성·획일화와 자원 낭비, 환경 오염, 노동 착취 등의 문제 초래
생태 윤리적 문제	동물의 고통을 기반으로 생산된 모피나 가죽옷 착용 문제

└ 최신 유행이나 소비자의 취향 변화에 맞춰 빠르게 생산되고 소비되는 의류를 말함.

(4) 해결 노력

① 생산자　사람과 환경을 생각하는 윤리 경영 실천

② 소비자　인권과 생태 환경을 고려한 윤리적 소비 지향

2. 음식 문화와 윤리적 문제

(1) 음식과 관련된 윤리적 문제

① 식품 안전성 문제　해로운 음식으로 생명권을 침해함 (└ 예 유전자 조작 식품(GMO))

② 환경 문제　무분별한 식량 생산으로 인해 발생함

③ 동물 복지 문제　공장식 축산업의 보편화로 동물에 대한 비윤리적 대우

(2) 해결 노력

개인적 차원	생태계를 고려하는 음식 문화 형성에 동참 예 슬로푸드 운동, 로컬푸드 운동 등
사회적 차원	바람직한 음식 문화 확립을 위한 제도 마련 예 안전한 먹거리 인증, 성분 표시 의무화 등

핵심 기출 자료 분석　로컬푸드 운동과 슬로푸드 운동

- 로컬푸드 운동: 장거리 운송을 거치지 않은 안전하고 건강한 지역 농산물을 구매하려는 운동
- 슬로푸드 운동: 비만 등을 유발하는 패스트푸드의 문제를 해결하고자 가공하지 않고 사람의 손맛이 들어간 음식, 자연적인 숙성이나 발효를 거친 음식 등 전통적인 방식으로 만든 음식을 섭취하자는 운동

3. 주거 문화와 윤리적 문제

(1) 주거의 윤리적 의미

① 개인적 측면　신체적 인진과 정서적 안정, 휴식을 누릴 수 있는 내적 공간

② 사회적 측면　공동체의 유대감을 형성하고 관계성을 회복하는 공간

(2) 주거와 관련된 윤리적 문제

① 집의 경제적 가치만을 중시하는 문제

② 생활의 질 저하 문제

③ 공동 주택의 폐쇄성으로 인한 문제

(3) 해결 노력　주거의 본질적 가치 회복, 공동체를 고려하는 주거 문화(예 셰어하우스, 코하우징) 형성

└ 볼노브는 집이라는 공간은 인간과 관계 속에서 의미를 지닌다고 보았고, 하이데거는 휴식과 평화를 누리는 내적 공간으로서의 집의 본래적 의미를 찾아야 한다고 주장

└ 셰어하우스: 침실만 각자 사용하고 거실, 화장실, 욕실 등은 공유하는 주거 방식

└ 코하우징: 저밀도의 개별 주택과 함께 공동생활 시설, 공유 옥외 공간 등을 갖춘 주거 공간

2 윤리적 소비문화

1. 합리적 소비와 윤리적 소비

합리적 소비	• 의미: 소비자가 가격과 품질을 고려하여 최소의 비용으로 최대의 만족을 얻기 위한 소비 • 특징: 경제적 편익에만 치중한 소비를 하게 됨
윤리적 소비	• 의미: 윤리적인 가치 판단에 따라 재화나 서비스를 구매하고 사용하는 소비 • 특징: 환경 보호, 인권 향상을 선택 기준으로 고려함

2. 윤리적 소비의 유형

(1) 인권과 정의를 생각하는 소비　노동자의 인권과 복지를 보장하는 기업의 상품 구매, 아동 노동 착취 없이 제3 세계 노동자에게 정당한 임금을 지불한 공정 무역 상품 구매

(2) 공동체적 가치를 생각하는 소비　지역 공동체의 지속 가능한 발전을 도모하는 소비 예 로컬푸드 운동

(3) 동물 복지를 생각하는 소비　동물의 생명을 존중하고 고통을 최소화하는 방식으로 생산된 상품 소비

(4) 환경 보전을 생각하는 소비　생태계의 보존과 지속 가능한 소비가 가능하도록 하는 친환경 소비

3. 사회적 기업

의미	이윤과 사회적 목적을 모두 추구하는 기업
특징	• 취약 계층의 고용 및 복지 문제 해결에 도움을 줌 • 주로 사회적 목적을 우선으로 하며, 발생한 이윤을 공익을 위해 사용하기도 함

개념 암기

1 괄호 안의 내용 중 알맞은 말을 골라 ○표 하시오.

(1) 윤리적인 가치 판단이 개입된 소비를 (윤리적, 합리적) 소비라고 한다.

(2) 명품을 선호하는 현상은 (의복, 음식)과 관련된 윤리 문제이다.

(3) 식품의 안전성으로 인해 생기는 문제는 (음식, 주거)와/과 관련된 문제이다.

2 윤리적 소비 과정에 대한 내용을 〈보기〉에서 고르시오.

보기
ㄱ. 친환경 상품을 구매하는 것
ㄴ. 물건을 오래 사용하고 절약하는 것
ㄷ. 쓰레기를 최소화하고 재활용하는 것

(1) 윤리적 처분 ( )

(2) 윤리적 구매 ( )

(3) 윤리적 사용 ( )

3 설명이 맞으면 ○표, 틀리면 ×표 하시오.

(1) 의복으로 자신의 신분을 표현할 수 있다. ( )

(2) 편익만을 고려하는 소비는 윤리적 소비이다. ( )

4 빈칸에 들어갈 알맞은 말을 쓰시오.

(1) 착한 옷 입기는 패스트 패션의 ( )이다.

(2) 아름다운 가게를 통해 기부하고 나누는 것은 윤리적 ( )에 해당한다.

(3) 외부의 위험으로부터의 보호와 정서적 안정은 의식주 중 ( )의 역할이다.

(4) 내적 공간으로서의 집의 본래적 의미를 찾아야 한다고 주장한 사상가는 ( )이다.

5 음식 및 주거 문화와 관련 있는 윤리적 문제를 바르게 연결하시오.

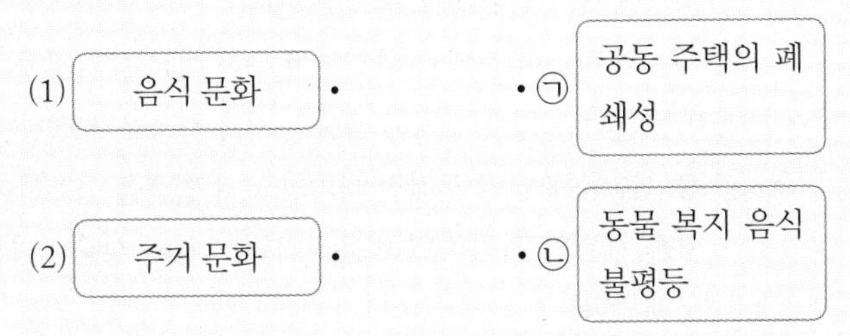

내신 기출

1 의식주의 윤리

01 다음 글의 내용과 부합하는 진술로 가장 적절한 것은?

> 의복은 시각적 혹은 비언어적 상징을 사용함으로써 의사를 전달한다. 의복은 성격, 연령, 성, 역할, 지위 및 상황을 규정하고 상호 작용을 일으키는 중요한 매개이다.

① 의복은 윤리와 무관하다.
② 의복은 '제2의 피부'이다.
③ 의복은 '무언의 언어'이다.
④ 의복은 환경 오염을 유발한다.
⑤ 의복은 추위나 더위로부터 신체를 보호한다.

02 다음 내용에 해당하는 의복의 기원으로 가장 적절한 것은?

> 더 아름다워지고 다른 사람에게 매력적으로 보이고 싶어서 옷을 입기 시작하였다.

① 장식설 ② 미용설
③ 정숙설 ④ 신체 보호설
⑤ 실용적 기능설

03 음식 문화와 관련된 (가), (나) 개념을 바르게 짝지은 것은?

> (가) 열량은 높지만 영양가는 낮은 패스트푸드나 인스턴트 식품을 의미함
> (나) 자기 집에서 160km 이내 생산된 먹거리를 소비할 것을 권하는 운동

	(가)	(나)
①	정크푸드	로컬푸드 운동
②	정크푸드	로하스푸드 운동
③	로컬푸드	정크푸드 운동
④	로컬푸드	정크푸드 운동
⑤	로하스푸드	로컬푸드 운동

04 음식 소비와 관련한 다음 글에 대한 토론 내용 중 의견이 다른 한 사람은?

> 발우 공양을 할 때 사람들은 밥 앞에 마주앉으며 그 밥의 연기적 근원을 생각한다. 그것이 발우에 담겨져 오기까지의 연기적 순환을 생각한다.

① 갑: 음식 소비는 개인의 도덕적 정체성 형성에 영향을 준다.
② 을: 지나친 육식은 동물에 대한 비윤리적 대우로 이어질 수 있다.
③ 병: 음식 소비는 단순히 생존을 이어 나가기 위한 행동이 아니다.
④ 정: 음식 소비는 개인의 욕구 충족을 위한 개인적 행위일 뿐이다.
⑤ 무: 음식물 쓰레기를 줄이는 행동은 환경과 생태계를 고려한 행동이다.

05 다음 글에서 중시하는 주거 문화로 가장 적절한 것은?

> 한국의 옛집들은 자연을 손상하지 않으면서 가장 기능적이고 그러면서 자연 속에 안기는 태도를 지녔다. 한마디로 우리나라의 옛집은 마당에 서 있으나, 방 안에 앉아 있으나, 위대한 자연에 대한 외경과 신뢰와 친밀을 느끼게 한다.

① 집의 기능성
② 집의 경제성
③ 집의 역사성
④ 자연과의 조화
⑤ 자연 조건의 극복

06 다음 글이 설명하는 의복의 기원으로 옳은 것은?

> 추운 날씨로 인해 아픈 사람이 늘어나 옷을 입기 시작하였다.

① 장식설
② 미용설
③ 정숙설
④ 신체 보호설
⑤ 실용적 기능설

07 다음 글에 나타난 주거와 관련된 윤리적 문제에 대한 해결책으로 적절하지 않은 것은?

> 주거 문화가 건강하고 정의로운 모습을 지니기 위해서는 어떠한 노력이 필요할까? 이는 도시 공간을 어떻게 규정하는가와 밀접한 관련을 맺고 있다.

① 주거권을 보장하는 도시 개발이 요구된다.
② 도시 개발 시 마을의 역사와 전통을 고려한다.
③ 생태학적으로 건강한 공간에 대한 고민이 필요하다.
④ 공간에 대한 편리성과 효율성을 강조할 필요가 있다.
⑤ 주민에게 안전한 접촉과 교류를 높여 주는 주거 문화가 요구된다.

2 윤리적 소비문화

08 밑줄 친 '박 씨'가 중시하는 소비 생활의 모습으로 가장 적절한 것은?

> <u>박 씨</u>는 평화, 정의, 환경 등 인류의 보편적 가치를 소중히 생각하는 윤리적 소비를 실천하고 있다. 그는 전범 기업 상품에 대한 불매 운동, 공정무역 상품의 구매, 지속 가능한 소비 운동 등에 적극 참여하여 바람직한 소비문화를 조성하기 위해 노력하고 있다.

① 외국에서 수입된 과일을 선호한다.
② 제품의 탄소 배출량을 확인하여 구매 여부를 결정한다.
③ 아동들의 노동력에 의해 생산된 저가 상품을 선택한다.
④ 광고를 통해 널리 알려진 해외의 고가 명품을 선호한다.
⑤ 상품 가격이 저렴하면 비윤리적인 기업의 상품이라도 구매한다.

다음 글에서 강조하는 소비 형태에 대한 설명으로 적절하지 않은 것은?

> 프랑스의 철학자 보드리야르는 소비 사회에서 사람들이 단순히 상품을 소비하는 것이 아니라 상품의 기호를 소비하게 된다고 말한다. 현대인들이 기호를 소비함으로써 얻으려는 최종적인 목표는 다른 집단과의 차이이다.

① 과시적 소비가 두드러진다.
② 비쌀수록 수요가 증가하는 베블런 효과가 나타난다.
③ 전 세계에 널리 알려진 고가의 명품 브랜드를 선호한다.
④ 소비 행위가 자연과 사회에 미치는 영향을 고려하는 경향이 나타난다.
⑤ 상품 광고는 차별적 이미지를 강조함으로써 고가품의 소비 욕구를 자극한다.

10 다음 글의 입장으로 옳지 않은 것은?

> 집은 인간의 삶을 한곳에 뿌리내리게 하고, 세계와 우주로 열리는 통로이다. 우리는 집에서 휴식하며 안정을 얻고, 보다 크고 넓은 삶의 장소로 진입한다. 집은 인간의 삶의 터전이며 중심이다.

① 집은 사적 영역이다.
② 집은 인간을 내부에 가둔다.
③ 집은 인간에게 안정감을 준다.
④ 집은 일정한 거주지를 제공한다.
⑤ 집은 거주자의 자아 정체성에 영향을 준다.

11 다음 글의 입장으로 옳지 않은 것은?

> 인간은 낯선 공간 안에 던져진 상태로 살아가는 것이 아니라 그 공간에 친숙해지며 그 공간에서 자신의 삶을 지속할 수 있는 근거를 찾아낸다. 인간은 외부에서 일을 하다 집으로 돌아온다. 이렇듯 인간의 거주는 외부 세계에 대해 열릴 수 있는 닫힘의 공간이자 자기 삶의 중심이다.

① 인간에게 거주 공간은 자신의 중심이어야 한다.
② 인간은 거주 공간을 스스로 만들어 나가야 한다.
③ 거주 공간은 편안함을 주는 안식처가 되어야 한다.
④ 인간의 거주 공간은 외부 세계와는 구분되어야 한다.
⑤ 인간의 거주 공간은 폐쇄적인 면만 있는 공간이어야 한다.

12 다음 대화에서 강조하는 주거와 관련된 윤리적 문제로 가장 적절한 것은?

> 해진: 사람들은 집을 결정할 때 역세권인지, 교통은 편리한지 등을 고려합니다.
> 보현: 집은 이미 경제적 가치를 가진 하나의 상품이 되었습니다.
> 준형: 하지만 집의 경제적 가치만 강조된다면 문제가 있지 않을까요?

① 주거의 본질적 의미가 퇴색되어 가고 있다.
② 주거 공간은 투자를 위한 상품으로 볼 수 있다.
③ 도시에 주거가 밀집되어 생활의 편리성이 높아졌다.
④ 집의 가장 기본적 가치는 교육 환경과 투자 요소이다.
⑤ 편리한 교통은 현대인에게 가장 중요한 주거 조건이다.

다음 토론의 핵심 쟁점으로 가장 적절한 것은?

> 갑: 공정무역은 생산자와 소비자 모두에게 도움이 됩니다. 공정무역이 확대되면 착한 소비가 정착될 것입니다.
> 을: 동의합니다. 그러나 공정무역 인증제가 도입되면서 공정무역이 마케팅 수단으로 전락되지 않을까 우려됩니다.
> 갑: 공정무역 인증제는 생산자에게 많은 기회를 제공하고, 이윤 극대화만을 꾀하는 국제 무역 현황을 시정할 수 있습니다.
> 을: 아닙니다. 공정무역 인증제는 세계 유통 시장을 장악한 인증 상품에 대한 물신성을 조장할 뿐입니다.

① 공정 무역의 확대는 착한 소비 정착에 기여하는가?
② 공정 무역의 확대는 윤리적 소비문화를 저해하는가?
③ 공정 무역은 소비자들에게 물신 숭배를 조장하는가?
④ 공정 무역 인증제는 공정 무역의 취지에 부합하는가?
⑤ 공정 무역 인증제는 무역 활성화를 위한 유일한 대안인가?

14 다음 글의 입장에서 긍정의 대답을 할 질문을 〈보기〉에서 고른 것은?

> 첫째, 소비자들은 자신이 먹는 식품이 어떻게 만들어졌는지 알아야 한다. 둘째, 식품 생산과 소비 과정에서 동물의 고통을 최소화해야 한다. 셋째, 식품 관련 노동자에게 적정 수준의 임금과 작업 조건을 보장해야 한다. 위의 윤리적 규칙은 식품의 생산 및 소비와 관련하여 지켜져야 한다.

보기

ㄱ. 식품을 선택하는 유일한 기준은 개인의 미적 선호인가?
ㄴ. 식품 생산 과정에서 동물의 복지를 고려해야 하는가?
ㄷ. 식품 관련 기업은 노동자의 권리를 보장해야 하는가?
ㄹ. 윤리적인 성찰이 배제된 식품의 소비는 바람직한가?

① ㄱ, ㄴ ② ㄱ, ㄷ ③ ㄴ, ㄷ
④ ㄴ, ㄹ ⑤ ㄷ, ㄹ

15 다음 사상가가 부정의 대답을 할 질문으로 가장 적절한 것은?

> 현대 사회의 사람들은 상품을 소비한다고 생각하지만 정작 소비하는 것은 상품의 기호와 이미지이다. 사람들은 상품의 구입과 사용을 통해 자신을 돋보이게 하며 동시에 사회적 지위와 위세를 드러내고자 한다. 그 결과 사람들은 자율성과 창의성을 박탈당한다.

① 현대인은 생산 질서의 지배를 받는다.
② 현대인은 소비 과정에서 주체성을 잃는다.
③ 현대인은 소비를 통해 사회적 지위를 과시한다.
④ 현대인은 자연과 사회에 미치는 영향을 고려한 소비 활동을 한다.
⑤ 현대인은 상품의 이미지가 아닌 상품 그 자체를 소비한다고 생각하지만, 그것은 그릇된 통념이다.

서술형 문제

16 다음을 읽고 물음에 답하시오.

> (가) 소비의 목적은 소비를 통한 만족감의 극대화에 있다. 소비자가 생각해야 할 것은 오직 최소의 비용으로 최대의 만족을 얻기 위한 경제적 원리뿐이다.
> (나) 우리는 자신만을 위한 소비에서 벗어나 공동체와 자연을 고려하는 새로운 소비를 실천해야 한다.

(1) (가), (나)에 해당하는 소비의 개념을 각각 쓰시오.

(2) (가)에 해당하는 소비의 문제점을 '인권'이라는 용어를 사용하여 서술하시오.

17 사회적 기업의 의미와 특징을 서술하시오.

18 의복과 관련된 윤리적 문제를 두 가지 이상 서술하시오.

01 (가), (나)에 나타난 삶의 태도로 적절하지 않은 것은?

> (가) 자른 것이 바르지 않으면 드시지 않았고 간장이 없으면 드시지 않았다. 고기가 많아도 곡기를 이기지는 않았으며 주량이 대단했으나 취할 정도로 마시지는 않았다.
> (나) 술과 고기를 먹지 마라. 마늘, 부추, 파, 달래, 홍거의 오신채를 먹지 마라. 식사는 오전 중 한 번으로 끝내라. 발우의 음식은 수많은 연기의 과정을 거친 것이다.

① (가): 음식 섭취의 목적은 생존에 국한되어야 한다.
② (가): 음식을 먹는 행위에서 품위를 추구해야 한다.
③ (나): 먹는 행위를 수행과 연계시켜야 한다.
④ (나): 음식을 통해 연기의 법칙을 파악해야 한다.
⑤ (가), (나): 음식을 섭취할 때는 적절한 절제가 필요하다.

02 다음 글에서 강조하는 내용으로 가장 적절한 것은?

> 곡물로 사육된 육류를 파는 상인은 곡물이 부족해 기아에 허덕이는 사람들의 슬픔을 모른다. 포장이 잘 된 육류를 사는 소비자는 최신식 사육장에서 가축들이 겪는 고통을 모른다. 햄버거를 먹는 십대들은 방목용 목초지 조성을 위해 열대 우림이 불태워진 사실을 모른다. 이처럼 육류 소비는 단순한 입맛 차원을 넘어 인류가 직면한 다양한 문제로 확장되고 있다. 점차 증가하는 육류 소비가 미래의 지구와 인류의 행복에 큰 위협이 되고 있다.

① 육류 소비는 기호의 문제로 윤리와 무관하다.
② 육류의 대량 생산을 위해 공장식 축산 단지를 조성해야 한다.
③ 육류 생산의 효율을 높여 육식에 대한 수요를 충족시켜야 한다.
④ 육류 소비가 인간의 몸에 좋은 영향을 미친다는 것을 이해해야 한다.
⑤ 육류 소비가 인간과 동물 및 자연에 미치는 부정적 영향을 인식해야 한다.

03 갑, 을의 입장에 대한 설명으로 가장 적절한 것은?

> 갑: 옷을 만드는 이유는 바람과 추위를 막아 몸을 따뜻하게 하고 몸을 가리고자 하는 것이다. 몸을 가린다는 것은 꾸미기보다는 귀천을 표시하는 것이다.
> 을: 옷을 만드는 이유는 몸을 보호하기 위하고자 함이다. 화려하기만 하고 이익을 주지 못하는 옷은 없어져야 한다.

① 갑은 사회적 지위에 맞는 옷을 입어야 한다고 본다.
② 을은 의복을 고를 때 장식적 측면을 고려해야 한다고 본다.
③ 을은 의복을 고를 때 유용성을 고려하는 행위를 비판한다.
④ 갑, 을은 모두 의복이 몸을 보호하는 역할만을 해야 한다고 본다.
⑤ 갑, 을은 모두 의복이 신체의 아름다움을 돋보이게 하는 수단으로 본다.

04 집의 의미에 대한 옳은 설명에만 '✓' 표시를 한 학생은?

구분	갑	을	병	정	무
거주자의 특성을 반영하지 않는다.	✓		✓		✓
거주자의 정체성을 드러낸다.		✓		✓	✓
인간 삶의 중심이다.	✓	✓	✓		
개인의 과거와 현재의 정보를 담고 있다.		✓	✓	✓	✓

① 갑　② 을　③ 병　④ 정　⑤ 무

1 문화 다양성과 존중

1. 다문화 사회

(1) 의미 한 국가 안에 다양한 인종과 문화적 배경을 지닌 사람들이 공존하는 사회

(2) 특징 새로운 문화 요소의 도입으로 문화 선택의 폭과 발전 기회 확대, 갈등 요소 증대

2. 다양한 문화를 바라보는 태도

자문화 중심주의	자신의 문화를 기준으로 다른 문화를 무조건 낮게 평가하는 태도
문화 사대주의	자신의 문화를 열등하게 여겨 다른 문화를 숭배하고 추종하는 태도
문화 상대주의	각 문화가 지닌 고유성과 상대적 가치를 이해하고 존중하는 태도

└ 보편 윤리를 인정하며, 윤리적 상대주의에는 반대함

3. 다문화 사회에서 관용

(1) 관용의 필요성

① 문화적 차이에 따른 편견과 차별을 예방하기 위해서 필요함

② 자유의 가치와 인간 존중을 실현하기 위해 필요함

(2) 관용의 한계

① 타인의 인권과 자유를 침해하지 않는 내에서 관용해야 함

② 사회 질서를 훼손하지 않는 범위 내에서 관용해야 함

핵심 기출 자료 분석 관용의 필요성과 관용의 역설

- 다양한 견해가 우리에게 이득을 주는 중요한 까닭 중 하나를 아직 이야기하지 못하였다. 진리와 오류 사이의 논쟁은 진리를 더욱 분명히 이해하고 깊이 깨닫는 데 없어서는 안 될 필수 요소이다. 그러나 서로 대립하는 두 주장 가운데 하나는 진리이고 다른 하나는 틀린 것으로 확연히 구분하기보다는 각각 어느 정도씩 진리를 담고 있는 경우가 더 일반적이다. – 밀, 『자유론』 –
- 아무 제약 없는 관용은 반드시 관용의 소멸을 불러온다. 우리는 관용의 이름으로 불관용을 관용하지 않을 권리를 천명해야 한다. – 포퍼, 『열린 사회와 그 적들』 –

분석 | 밀은 관용의 필요성을, 포퍼는 관용의 역설을 주장하였다.

4. 다문화 사회의 정책과 바람직한 시민 의식

(1) 다문화 사회의 정책 및 이론

정책	대표 이론	내용
동화주의	용광로 이론	소수의 문화를 주류 사회의 문화에 편입시켜야 함
다문화주의	샐러드 그릇 이론	다양한 문화가 상호 공존하면서 각각의 색깔을 지니면서도 조화를 이룸
문화 다원주의	국수 대접 이론	문화의 다양성은 인정하지만, 주류 사회의 문화를 바탕으로 비주류 문화가 공존해야 한다고 봄

└ 용광로 이론: 다양한 물질을 용광로에 넣어 녹이듯이 다양한 문화를 섞어 새로운 문화를 재탄생시켜야 한다고 보는 입장

(2) 다문화 사회의 시민 의식

① 문화적 편견 극복 문화 상대주의적 태도 함양

② 윤리적 상대주의 지양 문화에 대한 비판적 성찰 필요

③ 바람직한 문화적 정체성 확립 자신의 주관이나 문화적 정체성을 유지하면서 조화를 이룸

└ 보편적 윤리를 기반으로 비판적으로 성찰해야 한다.

④ 관용 자신과 다른 문화적 배경을 가진 사람의 가치관이나 생각 등을 존중하고 받아들임

2 종교의 공존과 관용

1. 종교의 의미와 본질

(1) 종교의 의미 초월적 존재에 대한 인간의 믿음이 구체적인 형태로 표현된 것

(2) 종교의 본질

내용적 측면	성스럽고 거룩한 것에 대한 체험과 믿음
형식적 측면	경전과 교리, 의례와 형식, 교단

2. 종교와 윤리의 관계

(1) 공통점 인간의 도덕성 중시 ➡ 서로 긍정적인 영향을 줌

└ 예 황금률(남에게 대접받고자 하는 대로 남을 대접하라는 것), 다른 사람에 대한 사랑, 자비, 친절 등을 강조

(2) 차이점

종교	초월적 세계, 궁극적 존재에 근거한 종교적 신념이나 교리 제시
윤리	인간의 이성, 상식, 양심에 근거한 규범 제시

(3) 종교에 대한 학자들의 입장

① 엘리아데 "성과 속이 분리되어 있지 않으며, 일상적인 삶 자체가 성스러움의 드러남이다."

② 마르크스 "종교가 인간을 만드는 것이 아니라 인간이 종교를 만드는 것이다."

3. 종교 간 갈등 및 바람직한 종교의 모습

(1) 종교 간 갈등 원인과 해결 방안

① 발생 원인 타 종교에 대한 배타적 태도, 무지와 편견

② 해결 방안 종교의 자유 인정, 타 종교에 대한 관용적인 태도, 종교 간의 대화 등

└ 종교의 자유: 종교를 선택할 수 있는 권리, 종교에 대한 신앙을 강요받지 않을 권리, 종교를 가지지 않아도 되는 권리를 포함함

(2) 바람직한 종교의 모습 보편 윤리 추구, 인간 존엄성 중시, 개인이 삶의 의미를 찾고 자아실현하는 과정을 도움으로서 평화로운 사회에 기여

개념 암기

1 괄호 안의 내용 중 알맞은 말을 골라 ○표 하시오.

(1) 문화를 바라보는 다양한 태도 중 지양해야 할 태도는 (문화 사대주의 , 문화 상대주의)이다.

(2) (용광로 이론, 샐러드 그릇 이론)은 다문화 정책 중 동화주의에 속한다.

(3) (   )는 초월적 존재에 대한 인간의 믿음이 구체적인 형태로 표현된 것이다.

2 다문화 정책의 대표 이론을 〈보기〉에서 고르시오.

> 보기
> ㄱ. 용광로 이론
> ㄴ. 국수 대접 이론
> ㄷ. 샐러드 그릇 이론

(1) 동화주의 (   )

(2) 다문화주의 (   )

(3) 문화 다원주의 (   )

3 설명이 맞으면 ○표, 틀리면 ×표 하시오.

(1) 동화주의는 소수 문화를 무시한다는 단점이 있다. (   )

(2) 문화 다원주의는 비주류 문화를 허용하지 않는다. (   )

4 빈칸에 들어갈 알맞은 말을 쓰시오.

(1) 다문화주의와 문화 다원주의는 모두 비주류 문화의 (   )을 인정한다.

(2) 무제한의 관용은 (   )을 야기한다.

(3) (   )는 한 사회 안에서 다양한 문화가 상호 공존하면서 발전한다고 보는 다문화 사회의 정책이다.

내신 기출

1 문화 다양성과 존중

01 문화를 바라보는 태도에 대한 설명으로 옳지 않은 것은?

① 문화 사대주의는 바람직하지 않은 태도이다.
② 문화 사대주의는 문화 간의 우열을 인정한다.
③ 자문화 중심주의는 인종 차별을 불러올 수 있다.
④ 자문화 중심주의는 자문화를 우월하다고 여긴다.
⑤ 문화 상대주의는 문화의 다양성을 인정하지 않는다.

02 다문화 정책 및 이론에 대한 설명으로 적절하지 않은 것은?

① 동화주의는 소수 문화를 무시하는 한계가 있다.
② 샐러드 그릇 이론은 다문화주의 정책과 관련이 있다.
③ 용광로 이론은 다양한 문화의 상호 조화를 인정한다.
④ 동화주의는 비주류 문화를 주류 사회의 문화에 일방적으로 통합하려고 한다.
⑤ 문화 다원주의는 주류 문화를 바탕으로 하므로 비주류 문화와 연대감이나 결속력 부족으로 사회 통합이 어려울 수 있다.

03 (가), (나) 이론에 대한 옳은 설명만을 〈보기〉에서 있는 대로 고른 것은?

> (가) 국수 대접 이론　　　(나) 샐러드 그릇 이론

> 보기
> ㄱ. (가)는 주류 문화를 전제로 한 문화적 다양성을 중시한다.
> ㄴ. (나)는 각 문화의 정체성과 가치에 대한 존중을 중시한다.
> ㄷ. (가), (나) 모두 비주류 문화의 주류 문화로의 편입을 중시한다.
> ㄹ. (가), (나) 모두 다양한 문화를 전제로 한 사회 통합을 중시한다.

① ㄱ, ㄷ　② ㄴ, ㄷ　③ ㄴ, ㄹ
④ ㄱ, ㄴ, ㄹ　⑤ ㄱ, ㄷ, ㄹ

(04) (가), (나)의 입장에서 모두 부정의 대답을 할 질문으로 옳은 것은?

(가) 이질적 요소가 유입되어 구심력이 약화되면 사회는 와해된다. 따라서 주류 문화가 소수 문화를 흡수해야 한다.
(나) 야채나 과일이 본연의 맛과 향을 유지하면서 소스와 어우러질 때 맛있는 음식이 된다.

① 다양한 문화가 동등하게 어울리면서 공존해야 하는가?
② 소수 문화의 정체성과 문화적 다양성을 존중해야 하는가?
③ 주류 문화의 관점에서 문화의 단일성을 유지해야 하는가?
④ 소수 문화는 주류 문화 속에 편입되어 동질화되어야 하는가?
⑤ 주류 문화의 우위를 전제로 비주류 문화를 보호해야 하는가?

05 다음 글의 입장에서 지지할 주장으로 가장 적절한 것은?

다문화 사회에서는 이민자들의 관습을 존중하여 그들의 정체성을 보호하고, 더 나아가 그들에게 차별화된 권리를 인정하는 정책을 시행해야 한다. 이러한 정책을 통해 이민자들은 자신들이 속한 현 국가에서 각자의 전통과 정치적 자유를 누릴 수 있게 된다. 또한 지배적 집단에 대한 그들의 취약성이 보완되어 집단 간 관계의 형평성이 제고될 뿐만 아니라 사회 통합의 기반인 민주적 연대 역시 촉진된다.

① 이민자 집단의 문화를 인정하면 사회 분열이 초래될 것이다.
② 단일한 문화 정체성 형성을 위한 문화적 표준을 제시해야 한다.
③ 이민자 집단의 전통적 삶의 방식을 제도적으로 보장해야 한다.
④ 소수의 이질적 문화는 한 사회의 지배적 문화에 동화되어야 한다.
⑤ 이민자 집단의 문화 보존과 민주적 질서 유지는 상호 대립적이다.

주관식

06 다문화주의의 대표 이론을 쓰시오.

07 다음 글의 관점으로 볼 때 다문화 사회에서 필요한 태도로 적절하지 않은 것은?

소극적인 의미에서의 관용은 반대나 간섭을 하지 않는 것이며, 적극적인 의미에서는 대상에 대하여 권리를 인정해 주는 것이다. 즉, 소극적인 관용은 배타적인 반응을 억제하는 것으로서 나는 그렇게 하지는 않지만 타인이 그러한 행위를 하는 것을 용인하는 것이다. 반면 적극적인 관용은 인권을 존중하고 평화를 실현하는 데 필요한 조건을 창출하기 위하여 책임 있는 행동을 하는 것과 같이 남을 나와 같은 상태나 처지로 만들고자 노력하는 것이다.

① 문화 상대주의의 태도를 지닌다.
② 다양한 문화를 인정하고 존중한다.
③ 우리 문화를 기준으로 타 문화를 평가한다.
④ 다문화 가정의 자녀에게 부모의 모국어를 배우도록 장려한다.
⑤ 다른 문화를 수용하여 우리 문화를 더욱 풍부하게 발전시킨다.

2 종교의 공존과 관용

(08) 다음 내용과 관련된 인간의 특성으로 가장 적절한 것은?

- 인간은 누구나 죽는다.
- 인간은 누구나 불로장생을 원한다.
- 인간은 초월자를 믿고 의지하려 한다.
- 인간은 내재된 성스러움을 인식해야 한다.

① 도구적 존재 ② 도덕적 존재
③ 종교적 존재 ④ 창의적 존재
⑤ 문화적 존재

09 다음 글과 관련해 종교 간의 갈등을 극복하기 위한 방안으로 적절하지 않은 것은?

> 종교는 믿음의 영역을 다루기 때문에 자기 종교의 절대성을 지나치게 주장하게 되면 다른 종교를 배타적으로 대하기 쉽다. 북아일랜드의 개신교와 가톨릭 간의 갈등, 이슬람교 내에서의 수니파와 시아파의 갈등, 스리랑카에서의 불교와 힌두교의 갈등, 이스라엘과 아랍 국가 간의 갈등 등 세계 곳곳에서 종교 간의 갈등과 분쟁이 이어지고 있다.

① 종교의 자유를 인정한다.
② 다른 종교가 가진 종교적 교리를 무조건 받아들인다.
③ 자신의 종교적 행위에 대해 책임지려는 태도가 필요하다.
④ 타 종교에 대한 배타적 태도를 극복하고 관용 정신을 가진다.
⑤ 모든 종교에 내재된 공통된 윤리적 요소를 찾아내려고 노력한다.

10 갑, 을 사상가의 입장으로 적절하지 않은 것은?

> 갑: 종교적 인간에게 세계는 초자연적 가치로 충만해 있다. 신의 현존에 의해서 직접 신들과 교류하는 것만이 전부는 아니다. 신들은 세계와 우주적 현상의 구조 그 자체 안에서 다양한 성(聖)의 양태를 현현(顯現)한다.
> 을: 초자연적 현상이라는 것도 아직 이해하지 못한 자연 현상일 뿐이다. 물리적 세계 너머에는 아무것도 없으며 초자연적 지성도 없다. 자연은 물리학으로 설명이 가능하고 인간의 윤리적 행위 역시 자연 선택의 결과로 설명할 수 있다.

① 갑: 인간은 종교적 존재로서 성스러움을 체험할 수 있다.
② 갑: 성(聖)과 속(俗)은 단절되지 않으며 공존할 수 있다.
③ 을: 인간의 윤리적 행위의 원인은 과학으로 설명 가능하다.
④ 을: 초자연적 지성의 전제 없이 자연 현상을 설명할 수 있다.
⑤ 갑, 을: 초월적 신은 자연에서 자신의 존재와 가치를 드러낸다.

11 다음의 종교적 가르침이 주는 시사점을 〈보기〉에서 고른 것은?

> • 유교: 네가 원하지 않는 바를 다른 사람에게 행하지 마라.
> • 불교: 어떤 일로 고통받은 적이 있다면 그 방식으로 남에게 상처를 주지 마라.
> • 힌두교: 너에게 고통을 불러일으키는 일을 남에게 하지 마라.

보기
ㄱ. 유교·불교·힌두교는 황금률을 강조한다.
ㄴ. 유교·불교·힌두교는 자기 종교를 절대화한다.
ㄷ. 서로 다른 종교 간에도 유사한 규범이 존재한다.
ㄹ. 종교와 과학은 대립하기보다 상보적인 관계로 공존해야 한다.

① ㄱ, ㄴ　② ㄱ, ㄷ　③ ㄴ, ㄷ
④ ㄴ, ㄹ　⑤ ㄷ, ㄹ

12 종교에 대한 엘리아데의 입장으로 가장 적절한 것은?

① 종교는 이성의 도구에 불과하다.
② 성스러움은 일상생활에서 접할 수 없는 대상이다.
③ 성(聖)과 속(俗)이 공존할 수 없음을 깨달아야 한다.
④ 세속과 성스러움이 공존하는 종교 생활을 해야 한다.
⑤ 자연적인 것과 그렇지 않은 것을 철저히 분리해야 한다.

13 다음 입장에서 긍정의 대답을 할 질문으로 가장 적절한 것은?

> 오늘날 종교적 동기에 의해 발생하는 편협함에 직면하여 우리는 관대함과 종교의 자유를 요구할 수 있어야 한다. 종교적 진리의 수호라는 미명하에 종교의 자유를 억압해서는 안 된다. 마찬가지로 종교의 자유라는 미명하에 종교적 진리를 거부해서도 안 된다. 동시에 미래의 세계 종교라는 유토피아를 구실로 진리에 대한 물음에 희생되어서도 안 된다.

① 타 종교의 교리를 존중해야 하는가?
② 각 종교가 신봉하는 진리를 포기해야 하는가?
③ 타 종교와 교류·협력하는 활동을 자제해야 하는가?
④ 초월한 존재에 대한 믿음 체계에서 벗어나야 하는가?
⑤ 각 종교의 다양한 실천 규범들을 일치시켜야 하는가?

14 종교 간의 갈등을 극복하기 위한 방법으로 적절하지 않은 것은?

① 독단적·배타적 태도를 탈피한다.
② 다수결의 원칙으로 문제를 해결한다.
③ 세계 평화를 위한 책임 의식을 가진다.
④ 끊임없는 성찰을 통해 타 종교와의 조화를 추구한다.
⑤ 다른 종교에 대한 관심과 이해를 통해 관용의 태도를 가진다.

15 교사의 질문에 옳지 않은 대답을 한 학생은?

> 교사: 종교와 과학이 추구하는 영역은 어떻게 다를까요?
> 갑: 종교는 우리에게 어떻게 사는 것이 행복한 삶인지 알려 줍니다.
> 을: 과학은 생명의 유한성에서 오는 인간의 무력감을 해결해 줍니다.
> 병: 과학은 자연 현상에 대한 인간의 호기심을 해결해 주었습니다.
> 정: 과학은 수많은 문명의 이기를 만들어 인간의 삶을 풍요롭게 해 주었습니다.
> 무: 과학은 지식을, 종교는 지혜를 제공합니다.

① 갑　② 을　③ 병　④ 정　⑤ 무

서술형 문제

16 다음을 읽고 물음에 답하시오.

> (가) 다양한 문화가 지니는 각기 다른 특성을 평등하게 인정함으로써 문화의 공존을 추구해야 한다.
> (나) 다양한 이민자는 출신국의 문화적 특성을 포기하고 주류 사회의 일원으로 편입되어야 한다.

(1) (가), (나)에 해당하는 다문화 사회의 정책을 쓰시오.

(2) (가), (나)에 해당하는 대표 이론을 각각 서술하시오.

17 다문화주의와 문화 다원주의의 차이점을 쓰시오.

18 (가)의 입장에 비해 (나)의 입장이 갖는 상대적 특징을 제시된 단어를 이용하여 서술하시오.

> (가) 이주민 문화를 주류 문화에 편입시켜야 한다. 개별 문화를 인정하면 사회는 갈등과 혼란에 빠지기 쉽다.
> (나) 이주민 문화와 기존 문화를 평등하게 인정해야 한다. 다양한 문화들이 어우러질 때 사회적 갈등이 해소된다.

> • 위계　• 관용　• 공존　• 화합

01 갑, 을의 입장으로 가장 적절한 것은?

> 갑: 기존 시민들이 공유하는 문화에 동화될 때에만 이민자에게 시민권을 부여해야 한다. 주류 사회 시민들과 같은 언어로 함께 교육을 받게 하고 동일한 사회 복지를 제공하며 국민 정체성을 고취시켜 이민자 집단을 동화시켜야 한다.
> 을: 기존 시민들이 공유하는 문화에 동화되지 않아도 이민자에게 시민권을 부여해야 한다. 이민자의 언어로 운용되는 자체의 법적 제도를 보장하면서 이민자 집단과 주류 사회의 결속과 통합을 도모해야 한다.

① 갑: 주류 문화와의 융합을 위해 소수 문화의 가치를 존중해야 한다.
② 갑: 사회권 보장으로 소수 집단의 문화적 정체성을 유지해야 한다.
③ 을: 소수 문화에 대한 불관용을 통해 국민 통합을 지향해야 한다.
④ 을: 소수 집단의 문화를 존중하면서 사회적 연대를 추구해야 한다.
⑤ 갑, 을: 문화적 동일성에 대한 요구 없이 시민권을 보장해야 한다.

02 갑, 을의 입장으로 적절하지 않은 것은?

> 갑: 주류 문화와의 통합 여부는 소수 문화의 구성원이 결정해야 한다. 주류 문화 구성원이 소수 문화의 통합을 강제하는 것은 부정의하다.
> 을: 단일한 언어, 문화 전통, 교육 정책을 추구하여 소수 문화가 주류 문화에 동화되도록 도와야 한다.

① 갑: 사회 통합을 위해 소수 문화가 억압받아서는 안 된다.
② 갑: 소수 문화 구성원에게 문화적 자치권을 부여해야 한다.
③ 을: 사회적 유대의 강화를 위해 단일 문화를 형성해야 한다.
④ 을: 사회 발전을 위해 주류 문화가 문화 통합의 중심이 되어야 한다.
⑤ 갑, 을: 국가의 교육 정책으로 주류 문화의 통일된 문화를 형성해야 한다.

03 갑, 을의 입장에 대한 옳은 내용을 <보기>에서 고른 것은?

> 갑: 종교적 인간에게 자연은 단순한 자연이 아니다. 우주는 신의 창조물이고, 세속적 세계는 신의 손으로 완성된 것이어서 성스러움으로 가득 차 있기 때문이다.
> 을: 자연은 단순히 과학의 연구 대상일 뿐, 종교적 의미는 찾을 수 없다. 자연은 과학으로 설명이 가능하며 자연적이고 물리적인 세계 너머에는 아무것도 없다. 우주의 배후에 있는 초자연적인 창조적 지성은 없으며, 종교는 필요하지 않다.

보기
ㄱ. 갑은 성스러움과 세속적인 것은 분리되어야 한다고 본다.
ㄴ. 갑은 종교적 인간이 자연에서 성스러움을 찾을 수 있다고 본다.
ㄷ. 을은 신을 전제하지 않아도 자연을 설명할 수 있다고 본다.
ㄹ. 갑, 을은 과학으로 초자연적 진리를 찾을 수 있다고 본다.

① ㄱ, ㄴ ② ㄱ, ㄷ ③ ㄴ, ㄷ
④ ㄴ, ㄹ ⑤ ㄷ, ㄹ

04 다음 사상가의 입장으로 가장 적절한 것은?

> 세계 평화를 위해서는 종교 간 평화가 필요하고 이를 위해서는 종교 간 대화가 필요하다. 각 종교는 자신의 교리를 지키면서 대화를 통해 윤리적인 수준에서 자신을 살펴야 한다.

① 모든 종교를 통합해야 한다.
② 자신의 종교에 대한 반성적 성찰이 필요하다.
③ 단일한 종교 문화를 통해 종교 갈등을 극복해야 한다.
④ 종교인의 행위가 윤리를 기준으로 평가되어서는 안 된다.
⑤ 종교 간 대화를 위해 자기 종교의 진리를 포기해야 한다.

수능·평가원·교육청 기출

| 수능 기출 |

01 갑, 을의 입장에서 〈사례〉 속 A에게 제시할 조언으로 가장 적절한 것은?

> 갑: 신을 찬양하고 덕을 찬양하는 시(詩)만을 이 나라에 받아들여야 한다. 시를 통해 즐거움만 누리려 한다면 이성 대신 즐거움과 괴로움이 왕 노릇을 하게 된다.
> 을: 예술가는 도덕적 공감을 지니지 않는다. 예술가에게 도덕적 공감은 용납될 수 없는 구태의연한 양식에 불과하다. 예술가는 단지 아름다움의 창조자일 뿐이다.

| 보기 |

A는 웹툰 작가로 포털 사이트에 작품을 연재할 예정이다. 어떤 작품을 그려야 할지 A는 고민하고 있다.

① 갑: 독자들이 오로지 즐거움만 느낄 수 있도록 하세요.
② 갑: 독자들이 도덕적 이상을 추구할 수 있도록 하세요.
③ 을: 독자들에게 권선징악의 교훈을 전달하도록 하세요.
④ 을: 독자들에게 도덕적 공감을 얻을 수 있도록 하세요.
⑤ 갑, 을: 독자들이 자신의 삶을 성찰할 수 있도록 하세요.

| 수능 기출 |

02 갑, 을의 입장에 대한 설명으로 적절하지 않은 것은?

> 갑: 음악은 즐거움(樂)으로, 사람의 감정상 없을 수 없지만 도리에 맞지 않으면 어지러워진다. 선왕은 천하를 크게 바로잡아 조화시키고자 예(禮)와 함께 음악을 제정했다.
> 을: 예술 세계에서는 어떤 거짓말도 허용된다. 중요한 것은 오차 없는 진실이 아니라 아름다운 거짓이다.

① 갑: 예술은 사회적 선에 기여해야 한다.
② 갑: 예술의 본질을 예술 안에서 찾아야 한다.
③ 을: 도덕과 예술은 별개의 영역이다.
④ 을: 예술을 위한 예술을 하는 것이 예술가의 역할이다.
⑤ 갑: 예술 체험을 통해 도덕감이 고양되어야 한다고 본다.

| 교육청 기출 |

03 갑, 을의 입장에 대한 설명으로 적절하지 않은 것은?

> 갑: 음악은 성현이 즐기는 바로서, 이것으로 민심을 선하게 인도할 수 있다. 또한 사람을 감동시킬 수 있으며, 풍속을 변화시킬 수 있다. 그러므로 선왕이 예악으로 인도하면 백성이 화목해진다.
> 을: 어떠한 예술가도 윤리적인 동정심을 갖지 않는다. 예술가에게 윤리적인 동정심이란 용서할 수 없는 매너리즘이다. 예술의 완벽함은 그 자체에서 찾아야지 밖에서 찾아서는 안 된다.

① 갑은 예술이 사회적 책임으로부터 자유로워야 한다고 본다.
② 갑은 예술이 감정을 순화하여 인격 함양에 기여해야 한다고 본다.
③ 을은 예술이 예술 그 자체를 목적으로 지향해야 한다고 본다.
④ 을은 예술이 도덕적 평가의 대상이 되어서는 안 된다고 본다.
⑤ 갑, 을은 예술에 미적인 가치가 담겨 있어야 한다고 본다.

| 평가원 기출 |

04 갑의 입장에서 을에게 제기할 수 있는 반론으로 가장 적절한 것은?

> 갑: 예술은 사람의 마음에 감흥을 불러일으킨다. 또한 정치의 득실을 살피고, 사람들을 어울리게 하며, 윗사람의 잘못을 풍자한다.
> 을: 예술은 인생을 위한 예술이 아니라 예술을 위한 예술이 되어야 한다. 예술가를 숨기고 예술 그 자체를 드러내는 것이 예술의 목표이다.

① 예술의 영역과 도덕의 영역은 분리된 것임을 간과하고 있다.
② 예술이 도덕적 사회 실현에 기여할 수 있음을 간과하고 있다.
③ 예술의 미적 가치와 도덕적 가치가 무관함을 간과하고 있다.
④ 예술이 공동체의 규범으로부터 자유로워야 함을 간과하고 있다.
⑤ 예술이 그 자체로 독립적인 아름다움을 지님을 간과하고 있다.

| 교육청 기출 |

05 갑 사상가가 을 사상가에게 제기할 수 있는 비판으로 가장 적절한 것은?

> 갑: 음악을 하는 것은 그르다. 세금으로 만든 큰 종을 치고 큰 북을 두드리며 금슬을 타고 피리를 불면서 춤을 춘다고 해서 백성이 입거나 먹을 것을 얻을 수는 없다.
> 을: 음악이 종묘 가운데 있어 군주와 신하가 함께 들으면 화합하여 공경하게 되고, 한 가정 안에 있어 부모와 형제가 함께 들으면 화목하여 친하게 된다.

① 음악은 백성의 마음을 어질게 할 수 있는 것임을 간과한다.
② 음악을 장려하는 것은 사회적 화합에 이바지함을 간과한다.
③ 음악은 예와 더불어 백성의 도덕적 삶에 기여함을 간과한다.
④ 음악을 즐기는 것은 백성에게 이롭지 않은 허례임을 간과한다.
⑤ 음악은 의로움보다 이로움을 추구하므로 그른 것임을 간과한다.

| 교육청 기출 |

06 갑, 을 사상가들의 입장으로 가장 적절한 것은?

> 갑: 현대의 예술 작품은 문화 산업으로 포장되어 싼값에 제공됨으로써 대중의 의식을 포섭해 대중과 예술 모두를 소외시킨다. 그래서 문화 산업에서는 비평이 사라진 것처럼 존경도 사라진다.
> 을: 현대의 예술 작품은 기술적 복제가 가능하게 되어 그 '아우라'가 위축된다. 복제 기술은 대중이 예술 작품을 보다 쉽게 접하게 하여 개별화된 미적 체험을 가능하게 한다.

① 갑: 문화 산업은 개성의 표현을 장려해 대중의 의식을 다양화한다.
② 갑: 대중의 창작 욕구는 예술 작품의 반복적 소비를 통해 강화된다.
③ 을: 예술 작품의 복제가 대중에게서 미적 체험의 기회를 박탈한다.
④ 을: 복제 기술의 발달로 인해 기존 예술 작품의 신비감이 감소된다.
⑤ 갑, 을: 대중문화를 향유하면서 대중은 주체적 문화 생산자가 된다.

| 교육청 기출 |

07 갑의 입장에 비해 을의 입장이 갖는 상대적 특징을 그림의 ㉠~㉤ 중에서 고른 것은?

> 갑: 예술은 도덕이 못 미치는 곳에 있다. 예술의 눈은 아름답고 변화하는 사물에 고정되어 있기 때문이다.
> 을: 아름답고 우아한 것들을 구현해 내는 장인들의 예술 작품을 통해 젊은이들은 덕을 함양하게 된다.

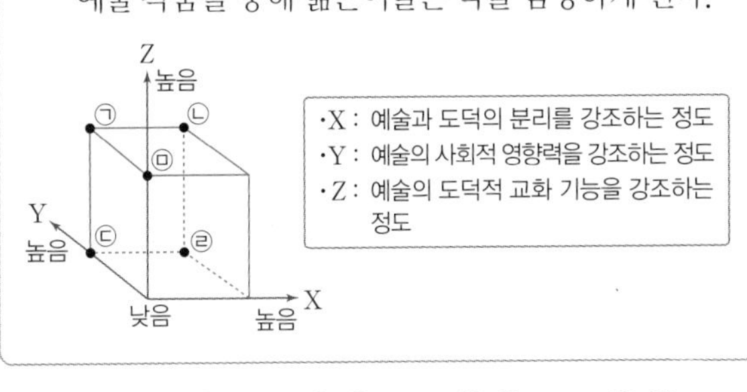

① ㉠ ② ㉡ ③ ㉢ ④ ㉣ ⑤ ㉤

| 평가원 기출 |

08 다음 서양 사상가의 입장으로 적절하지 않은 것은?

> 예술 작품에 대한 기술적 복제는 수공적인 복제보다 더 큰 독자성을 지니며, 예술 작품의 존속에 아무런 손상도 입히지 않는다. 예술 작품의 기술적 복제 가능성의 시대에서 예술 작품의 '아우라'는 위축된다. 그러나 사진이나 영화와 같은 영역에서 대량 복제 기술은 대중들로 하여금 개별적 상황 속에서 복제품을 쉽게 접하게 한다. 이러한 현상은 전시 가능성을 중시하는 대중 예술이 기존의 제의(祭儀) 의식에 바탕을 둔 예술을 밀어내는 결과를 초래한다. 이제 예술 작품은 새로운 기능을 지닌 형상물이 된다.

① 대중 예술은 원작이 가지고 있는 유일성의 가치를 높여 준다.
② 대중 예술은 표준화된 생산을 통해 미적 체험을 제공한다.
③ 대중 예술의 복제 기술은 예술 작품의 신비감을 축소시킨다.
④ 대중 예술의 복제 기술은 대중과 예술 작품의 거리를 좁힌다.
⑤ 대중 예술에서는 예술의 숭배 가치가 줄고 전시 가치가 늘어난다.

| 수능 기출 |

09 (가), (나) 사상의 입장으로 적절한 것만을 〈보기〉에서 있는 대로 고른 것은?

> (가) 악(樂)은 '같음'을, 예(禮)는 '다름'을 위한 것이다. 같으면 서로 친하게 되고, 다르면 서로 공경하게 된다. 악이 화합을 극진하게 하고 예가 순서를 극진하게 하여, 안으로 화합하고 밖으로 질서를 이룬다면, 백성은 그 안색을 보고 서로 다투지 않게 되며, 그 용모를 보고 업신여기지 않게 된다.
>
> (나) 악(樂)은 비록 눈으로 보기에 아름답고 귀로 듣기에 즐거우나, 백성의 이익에는 부합하지 않는다. 악기를 연주하며 춤추는 것을 일삼는다면, 백성이 입고 먹을 재물은 어찌 얻을 수 있겠는가? 일찍이 여러 악기를 만들고 연주했어도 천하의 이익을 증진하는 데 도움이 되지 않았다.

| 보기 |

ㄱ. (가): 예와 악은 서로 보완적인 역할을 한다.
ㄴ. (가): 예악은 정서의 순화와 언행의 교화 모두에 기여한다.
ㄷ. (나): 음악은 실용적 관점보다 심미적 관점에서 평가 해야 한다.
ㄹ. (가), (나): 음악의 가치는 사회적 효과를 고려하여 판단해야 한다.

① ㄱ, ㄴ ② ㄴ, ㄷ ③ ㄷ, ㄹ
④ ㄱ, ㄴ, ㄹ ⑤ ㄱ, ㄷ, ㄹ

| 교육청 기출 응용 |

10 갑의 입장에서 을에게 제시할 비판으로 가장 적절한 것은?

> 갑: 시가 도덕적이라든가 혹은 비도덕적이라고 말하는 것은, 정삼각형은 도덕적이고 이등변 삼각형은 비도덕적이라고 말하는 것과 마찬가지이다.
>
> 을: 추한 것과 나쁜 리듬, 부조화는 나쁜 말씨와 나쁜 성품을 닮은 반면, 그와 반대되는 것들은 절제 있고 좋은 성품을 닮았으며 또한 그것을 모방한 것이다.

① 예술은 가치를 추구하는 영역이 아님을 모르고 있다.
② 예술은 사회 문제 비판을 목적으로 함을 모르고 있다.
③ 예술은 도덕적 선의 상징이 될 수 있음을 모르고 있다.
④ 예술 작품의 사전 검열이 강화되어야 함을 모르고 있다.
⑤ 예술이 도덕성 함양의 수단이 되어서는 안 됨을 모르고 있다.

| 평가원 기출 |

11 갑, 을 사상가들의 입장으로 적절하지 않은 것은?

> 갑: 복제 기술의 발달로 예술 작품의 '아우라'는 사라지지만 누구든 예술 작품에 대해 자신의 의견을 표현할 수 있게 된다. 또 대중 예술의 발달은 대중의 각성을 불러일으킴으로써 대중을 집단적 주체로 형성시키는 데 기여한다.
>
> 을: 현대 자본주의 사회에서 대중문화의 가치에 대한 평가 기준은 돈으로 일원화된다. 이러한 사회에서 대중문화는 문화 산업으로 전락하게 되며, 규격품을 만들어 내듯이 인간을 획일화시켜 능동적으로 사유하는 것을 불가능하게 만든다.

① 갑: 복제 기술의 발달은 대중들의 예술에 대한 접근성을 높인다.
② 갑: 예술 작품의 아우라 소멸은 대중의 예술 비평 활동을 위축시킨다.
③ 을: 문화 산업의 확산은 인간의 상품화와 몰개성화를 조장한다.
④ 을: 문화의 가치는 경제적 효율성에 의해 결정되어서는 안 된다.
⑤ 갑, 을: 문화의 대중화는 대중의 비판적 사고에 영향을 미친다.

| 교육청 기출 |

12 다음을 주장한 사상가의 입장으로 적절하지 않은 것은?

> 거주란 낯선 공간 안에 낯선 자로서 던져진 것을 의미하지 않는다. 오히려 거주는 그 공간에 친숙해지며, 그 공간에서 삶의 확고하고 지속적인 근거를 발견하는 것을 의미한다. 인간은 외부 공간에 존재하는 위협을 막아 주는 집에서 안정감을 느끼면서, 이를 바탕으로 인간다움을 찾고 실현해 나갈 수 있다.

① 거주는 공간 속에서 친근함과 익숙함을 느끼는 것이다.
② 거주는 인간 삶의 바탕으로서 정서적 안정을 제공한다.
③ 인간은 거주를 통해 인간다운 삶을 영위해 나갈 수 있다.
④ 집은 외부로부터 인간을 보호하는 것 이상의 의미를 지닌다.
⑤ 거주는 낯선 공간 안에 내던져진 존재로서 살아가는 것이다.

| 평가원 기출 |

13 다음 글의 입장으로 가장 적절한 것은?

> 군자는 밥을 먹을 때 다섯 가지를 살펴야 한다. 우선 밥이 완성될 때까지 얼마나 많은 노력이 필요한가와 밥이 어디서 나왔는가를 헤아려야 한다. 그리고 자신의 덕행이 완성되었는지를 헤아려서 공양(供養)을 받아야 한다. 마음을 절제하여 탐욕을 없애야 한다. 바른 처사와 좋은 약으로 건강을 보살펴야 한다. 끝으로 도덕을 이루어야 먹을 자격이 있다. 즉 군자는 먹을 때에도 인(仁)을 떠나지 않아야 한다.

① 먹는다는 것은 자신과 타인을 살피는 덕의 실천이다.
② 먹는다는 것은 자연에서 영양분을 섭취하는 행위이다.
③ 먹는다는 것은 좋은 음식으로 건강을 돌보는 과정이다.
④ 먹는다는 것은 윤리적 행위가 아니라 문화적 행위이다.
⑤ 먹는다는 것은 자연을 인간의 소유로 만드는 과정이다.

| 평가원 기출 |

14 다음 글에서 강조하는 내용으로 가장 적절한 것은?

> 음식물에 대한 욕망은 자연적이다. 먹고 마시는 욕망을 추구함에 있어서 잘못하는 경우는 주로 지나친 쪽으로 잘못하는 것이다. 사실 어떤 것이든 더 이상 먹고 마실 수 없을 때까지 먹고 마시는 것은 양에 있어 자연에 따르는 것을 넘어서는 것이다. 이런 이유로 사람들은 마땅한 것을 넘어 자신의 배를 채우는 사람을 폭식가(暴食家)라고 부른다. 이런 사람이 바로 지나칠 정도로 노예적인 사람이다.

① 먹는 행위를 통해 문화적 정체성을 형성해야 한다.
② 먹는 행위는 인간의 이성에 의해 조절되어야 한다.
③ 먹는 행위를 통해 개인적 취향의 차이를 드러내야 한다.
④ 먹는 행위를 통해 인간은 자연의 순환 과정에 참여해야 한다.
⑤ 먹는 행위는 공동체의 동질감과 연대감 형성에 기여해야 한다.

| 교육청 기출 |

15 (가)에 비해 (나)의 입장이 갖는 상대적인 특징을 그림의 ㉠~㉤ 중에서 고른 것은?

> (가) 소득 범위 내에서 상품을 적절하게 선택하여 경제적 측면의 만족을 극대화하는 소비를 해야 한다.
> (나) 타인이나, 사회, 자연환경에 미치는 영향을 도덕적인 관점에서 고려하여 소비를 해야 한다.

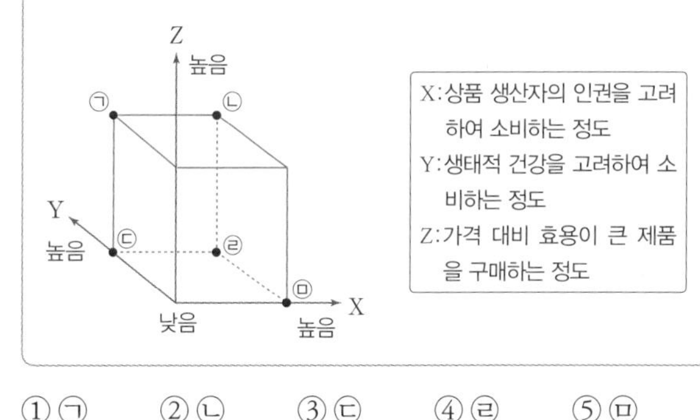

① ㉠ ② ㉡ ③ ㉢ ④ ㉣ ⑤ ㉤

| 교육청 기출 |

16 (가), (나)의 입장으로 적절하지 않은 것은?

> (가) 결핍으로 인한 고통이 제거된다면, 소박한 음식도 사치스런 음식과 같은 쾌락을 준다. 그러므로 우리가 소박한 음식에 길들여지면 완전한 건강을 얻게 되며, 사치스러운 것들과 마주쳤을 때 동요하지 않게 된다.
> (나) 사람들의 공(功)이 두루 쌓인 음식을 부족한 덕행으로는 감히 받기 어렵다. 음식을 먹는다는 것은 중생과 함께 탐욕을 버리고 몸의 여윔을 방지하는 것으로 족함을 깨달아, 도업(道業)을 이루고자 하는 것이다.

① (가): 먹는 행위를 통해 모든 쾌락이 충족됨을 알아야 한다.
② (가): 먹는 행위를 통해 허기를 면하는 것으로 만족해야 한다.
③ (나): 먹는 행위를 통해 자기 자신의 부덕을 성찰해야 한다.
④ (나): 먹는 행위를 통해 만물의 상호 연관성을 깨달아야 한다.
⑤ (가), (나): 먹는 행위를 통해 절제하는 태도를 배워야 한다.

VI. 평화와 공존의 윤리

01 갈등 해결과 소통의 윤리 ~ 02 민족 통합의 윤리

1 사회 갈등과 사회 통합

1. 사회 갈등

(1) 의미　개인 또는 집단 간 이해관계가 달라 충돌하는 상황

(2) 원인　가치관과 이념의 차이, 이해관계의 대립 등

(3) 종류　세대 갈등, 지역 갈등, 이념 갈등 등

(4) 기능　사회적 문제 인식, 조정을 통한 합리적 문제 해결, 관용의 실천, 사회 발전 달성 등

2. 사회 통합

(1) 필요성　개인의 행복한 삶, 사회 발전 및 국가 경쟁력 강화

(2) 사회 윤리의 기본 원리　연대성, 공익성, 보조성

→ 보조성: 개인·소규모 공동체가 제대로 기능하지 못하는 경우에만 국가가 보조적으로 국민을 도와야 함

(3) 사회 통합을 위한 방안　집단 간 원활한 소통과 상호 존중 및 신뢰 형성, 관용, 열린 자세 등

2 소통과 담론의 윤리

1 동양의 소통과 담론의 윤리

공자의 화이부동(和而不同)	남과 사이좋게 지내되 의를 굽혀 따르지는 않는다는 의미로 조화의 중요성 강조
원효의 화쟁 사상(和諍思想)	편견과 집착을 넘어 소통하면서 대립을 극복하고, 궁극적 진리로 나아가야 함 ➡ 일심(一心) 사상 강조

2 서양의 소통과 담론의 윤리

(1) 하버마스의 담론 윤리

→ 담론: 주로 토론의 형태로 이루어지는 이성적 의사소통 행위

① 규범의 타당성 요건

→ 의사소통의 합리성을 실현하기 위해 '이상적 대화 상황의 조건' 제시 → 이해 가능성, 정당성, 진리성, 진실성

- 합리적인 의사소통: 서로 다른 의견과 갈등, 폭력 등의 극복
- 자유로운 동의: 규범에 의해 영향을 받는 사람들이 합리적인 토론을 통해 자유롭게 동의함

② 소통과 담론 과정에서 필요한 윤리적 자세

- 합리적인 대화가 이루어지기 위한 과정 중시
- 모든 사람에게 담론에 참여할 기회 개방
- 자유롭고 평등한 담론 참여자들이 합리적인 담론 상황에서 상호 이해와 관용의 태도를 갖도록 함

핵심 기출 자료 분석　이상적 대화 상황의 조건

> 이상적 대화 상황을 위해서는 다음의 조건을 만족해야 한다. 첫째, 표현의 이해 가능성으로, 이해 가능성을 사실적으로 전제해야 한다. 둘째, 표현하는 명제는 참된 명제이어야 한다. 셋째, 제시하는 의견이 규범적 맥락에서 정당해야 한다. 넷째, 청자가 신뢰할 수 있도록, 말하는 주체는 자신의 생각, 의도, 감정, 소망 등을 진실하게 표현해야 한다.
>
> – 하버마스, 『의사소통 행위 이론』 –
>
> 분석 | 하버마스는 대화 상황에 참여하는 사람들이 다른 대화 상대자를 기만하거나 속일 의도를 가져서는 안 되고, 대화 참여자들은 각각 담론에 효율적으로 참여할 기회가 평등하게 주어져야 한다고 강조하였다.

(2) 아펠의 담론 윤리　인격의 상호 인정이 진정한 소통을 위한 기본 전제임을 강조

(3) 밀의 오류 가능성 인정　인간은 잘못 판단하고 행동할 수 있는 존재로 오류 가능성의 검증을 위해 토론 강조

→ 밀: 영국 공리주의의 대표적 사상가로 자유의 중요성을 강조하여 『자유론』을 집필하였다.

3 통일 문제를 둘러싼 쟁점 및 통일이 지향해야 할 가치

1. 통일에 대한 찬반 논쟁

찬성	• 당위적 차원: 민족적 정체성(동질성)의 회복 및 민족 공동체 건설 • 보편적 가치의 실현: 한반도 평화 정착 및 세계 평화에 이바지함, 남북 주민의 인간다운 삶 구현, 이산가족의 고통 해소 • 실용적 차원: 분단 비용 해소, 통일 편익 향유
반대	• 통일에 대한 무관심 ➡ 통일보다 평화와 공존을 우선시함 • 서로 다른 체제, 생활 방식 차이 등으로 이질화 심화 • 경제적 격차와 그에 따른 천문학적 통일 비용 부담 우려

→ 보편적 가치: 평화, 인권, 인도주의 등

2 통일과 관련한 비용

(1) 통일·분단·평화 비용

통일 비용	• 의미: 통일 과정과 통일 이후에 소요되는 비용 • 종류: 경제적 투자 비용, 위기 관리 비용 등
분단 비용	• 의미: 분단으로 인해 발생하는 모든 비용 • 종류: 유형적 비용(군사 비용, 대북 관련 비용 등), 무형적 비용(이산가족의 고통, 전쟁에 대한 경각심 등)

(2) 통일 편익　통일로 인한 유·무형적 혜택

① 유형적 혜택　영토 확대, 이용 가능 자원 증가, 분단 비용 해소

② 무형적 혜택　전쟁 위험성 감소, 이산가족의 아픔 해소

3. 남북한의 화해와 통일을 위한 노력

(1) 통일 한국이 지향할 가치　평화, 자유, 정의 등

(2) 화해 및 평화를 위한 노력

① 개인적 차원　북한에 대한 올바른 인식, 통일에 대한 관심

② 국가적 차원　통일 기반 조성, 문화 교류, 이산가족 상봉 등 인도적 노력

(3) 통일 한국의 미래상　수준 높은 문화 국가, 자주적인 민족 국가, 정의로운 복지 국가, 자유로운 민주 국가

개념 암기

1 괄호 안의 내용 중 알맞은 말을 골라 ○표 하시오.

(1) 재화의 (희소성, 풍족성)으로 사회 갈등이 발생한다.

(2) (이념, 세대) 갈등은 세대 간의 의식 및 가치관 차이로 인해 나타나는 현상이다.

(3) 통일 비용은 (통일, 분단)에 소요되는 비용이다.

(4) 통일로 인한 유·무형적 혜택을 통일 (비용, 편익)이라고 한다.

2 한국 사회의 다양한 갈등과 그 갈등 주체를 연결하시오.

(1) 세대 갈등 •   • ㉠ 노부부와 자녀

(2) 이념 갈등 •   • ㉡ 진보와 보수

3 사상가가 강조한 사상을 〈보기〉에서 고르시오.

보기
ㄱ. 화쟁 사상(和諍思想)
ㄴ. 화이부동(和而不同)

(1) 원효 ( )

(2) 공자 ( )

4 하버마스의 담론 윤리에 대한 설명이 맞으면 ○표, 틀리면 ×표 하시오.

(1) 하버마스는 공정한 담론을 주장했다. ( )

(2) 사회 통합을 위해서는 개인의 사익만을 추구해야 한다. ( )

(3) 모든 사람에게 담론에 참여할 기회를 개방해야 한다고 주장했다. ( )

5 설명이 맞으면 ○표, 틀리면 ×표 하시오.

(1) 통일 한국이 지향해야 할 가치는 평화 통일이다. ( )

(2) 우리는 외국의 힘을 빌려서라도 무력 통일을 이루어야 한다. ( )

(3) 인권은 인류의 보편적 가치이므로 북한 인권 상황 개선을 위해 우리와 국제 사회의 노력이 필요한다. ( )

6 빈칸에 들어갈 알맞은 말을 쓰시오.

(1) 통일을 위해 개인은 ( ) 마음을 지녀야 한다.

(2) 통일 기반 조성과 문화 교류는 ( ) 차원의 노력이다.

(3) 군사 비용은 ( ) 분단 비용이다.

7 통일을 위한 개인적, 국가적 차원의 노력을 〈보기〉에서 고르시오.

보기
ㄱ. 통일에 대한 관심
ㄴ. 국제 사회와 협력 강화

(1) 개인적 차원 ( )

(2) 국가적 차원 ( )

1 사회 갈등과 사회 통합

01 다음 대화 내용 중 사회 통합에 대해 옳지 않은 의견을 말한 학생은?

> 갑: 사회 통합은 경제 성장과 복지를 확대시킬 수 있어.
> 을: 사회가 통합되면 국가 경쟁력을 강화시킬 수 있지.
> 병: 사회가 통합되면 국민을 위한 정책의 효과가 상승될거야.
> 정: 사회 통합이란 사회 내 개인이나 집단이 상호 작용을 통해 하나로 통합되는 과정을 말해.
> 무: 사회 통합은 개인의 행복을 희생하더라도 한 사회의 공동 목표를 추구하는 거야.

① 갑 ② 을 ③ 병 ④ 정 ⑤ 무

02 다음 대화에서 옳지 않은 답변을 한 학생은?

> 교사: 사회 갈등에 대해서 말해 볼까요?
> 유찬: 사회 갈등의 원인을 올바르게 이해함으로써 사회가 발전할 수 있습니다.
> 민영: 사회 갈등은 사회의 발전을 가져올 수 없기 때문에 모든 갈등을 완벽히 없애야 합니다.
> 예진: 자신의 이해관계만을 고집할 경우 사회 갈등이 심화되어 사회가 해체될 수 있습니다.
> 민성: 갈등은 개인 혹은 집단 간의 이해관계가 달라 서로 충돌하는 상황을 말합니다.
> 해진: 우리나라의 경우 지역 갈등, 남북 갈등 등 다양한 갈등을 겪고 있는데, 이러한 갈등은 사회의 발전을 저해할 우려가 있습니다.

① 유찬 ② 민영 ③ 예진
④ 해진 ⑤ 민성

03 사회 갈등의 기능에 대한 옳은 설명만을 〈보기〉에서 있는 대로 고른 것은?

> 보기
> ㄱ. 사회적 문제에 대해 명확하게 인식한다.
> ㄴ. 배려와 관용의 정신을 통해 갈등을 조정하면 사회 문제를 해결할 수 있다.
> ㄷ. 현대 사회는 수직적 인간관계가 중시되므로 모든 갈등은 사회의 발전을 저해한다.
> ㄹ. 사회 갈등의 원인을 바르게 이해하고 적절하게 대처하여 발전적인 사회로 나아갈 수 있다.

① ㄱ, ㄴ ② ㄱ, ㄷ ③ ㄴ, ㄷ
④ ㄱ, ㄴ, ㄹ ⑤ ㄴ, ㄷ, ㄹ

2 소통과 담론의 윤리

04 다음 가상 대담 속의 ㉠에 들어갈 말을 〈보기〉에서 고른 것은?

> 기자: 서로 다른 의견과 갈등, 폭력 등을 극복하려면 어떻게 해야 합니까?
> 사상가: 합리적인 의사소통이 이루어져야 합니다.
> 기자: 그렇게 되려면 어떤 조건이 필요한가요?
> 사상가: 네, 이를 위해서는 [㉠]

> 보기
> ㄱ. 말하는 주체가 진지한 발언 태도를 지녀야 합니다.
> ㄴ. 표현하는 명제의 참, 거짓을 따지지 말아야 합니다.
> ㄷ. 제시하는 의견이 규범적 맥락에서 정당해야 합니다.
> ㄹ. 서로 이해하지 못하는 말의 사용을 허용해야 합니다.

① ㄱ, ㄴ ② ㄱ, ㄷ ③ ㄴ, ㄷ
④ ㄴ, ㄹ ⑤ ㄷ, ㄹ

05 다음 글의 입장으로 가장 적절한 것은?

> 사회 통합을 위해서는 행정 및 경제 체계와 생활 세계가 균형을 이루어야 한다. 그런데 시민이 공적 의사 결정에서 배제되면 이러한 균형이 무너지게 된다. 이 문제를 해결하기 위해서는 공론장에서 시민이 이성적으로 보편화 가능한 합의에 도달할 수 있도록 의사소통의 합리성이 실현되어야 한다.

① 담론의 절차가 아닌 결과를 중요시해야 한다.
② 자기 주장이 강한 사람은 공론장에서 배제되어야 한다.
③ 담론 상황에서는 개인적 선호를 표현할 수 있어야 한다.
④ 공론장에서는 상호 간의 의견에 대해 비판해서는 안 된다.
⑤ 합의된 규범은 개인의 이익에 부합될 때에만 정당성을 갖는다.

06 공자의 소통 윤리에 대한 설명으로 옳지 않은 것은?

① 화(和)는 포용하는 마음을 의미한다.
② 화이부동이라는 말을 통해 조화의 중요성을 강조하였다.
③ 군자는 자신의 도덕 원칙을 지키며 주변과 조화를 추구한다.
④ 소인은 자신의 원칙을 버리고 남에게 동화되는 데만 급급해 한다.
⑤ 군자는 남과 같은 생각을 가진 것 같아 보이지만 화합하지는 않는다.

07 소통과 담론에 대한 설명으로 옳지 않은 것은?

① 소통의 긍정적 효과는 갈등 예방에 있다.
② 담론은 현실을 재구성하게 하는 효과를 지닌다.
③ 소통은 결정된 사안을 상대방에게 통보하는 것이다.
④ 소통은 나와 상대방이 의견을 서로 주고받는 과정이다.
⑤ 담론은 해석의 틀을 토대로 사회 구성원에게 특정한 인식과 가치관으로 현실을 바라보게 한다.

08 원효의 화쟁 사상에 대한 설명으로 옳지 않은 것은?

① 여러 교설은 모두 부처의 가르침에서 비롯된 것이다.
② 시비의 다툼은 자신의 입장만을 정당화하기에 발생한다.
③ 여러 교설이 지향하는 바는 모두 깨달음이라는 점에서 같다.
④ 특수하고 상대적인 각자의 입장에서 벗어나 대승적으로 융합해야 한다.
⑤ 갈등 상황에서 자신에 대한 집착은 버려야 하지만 상대에 대한 편견은 필수적이라고 본다.

09 다음 사상가의 입장으로 가장 적절한 것은?

> 오늘날 시민들은 공적 장소에서 토론할 기회를 제대로 가질 수 없을 뿐만 아니라, 그러한 공적 토론이 시민들에게 권장되지도 않는다. 시민들 간의 합리적 의사소통이 없으면 건강한 민주 사회를 유지하기 힘들다. 이러한 문제를 극복하기 위해서는 자유롭고 평등한 시민들에 의해 공적 문제에 대한 문제 제기와 토론이 활성화되어야 한다.

① 토론의 결과보다 과정을 중요시한다.
② 타인의 주장에 의문을 제기해서는 안 된다.
③ 정치적 문제에 대한 공적 토론은 무가치한 것이다.
④ 의사소통의 효율성을 실현해야 토론의 합의에 도달할 수 있다.
⑤ 이미 결정된 사안에 대한 문제 제기는 민주주의의 발전을 저해한다.

3 통일 문제를 둘러싼 쟁점 및 통일이 지향해야 할 가치

10 남북통일에 대한 설명으로 옳지 않은 것은?

① 세계 평화에 기여한다.
② 인류의 보편적 가치를 저해한다.
③ 이산가족의 고통을 해소시켜 줄 수 있다.
④ 남북한 구성원들이 평화로운 삶을 살게 해 준다.
⑤ 북한 주민들이 인권을 개선하는 데 도움을 준다.

11 ㉠에 들어갈 옳은 답변만을 〈보기〉에서 있는 대로 고른 것은?

> 교사: 남북 분단에 대해 말해 볼까요?
> 학생: [㉠]

보기
ㄱ. 남북 분단은 정치적 문제에 해당합니다.
ㄴ. 현재의 분단 상황은 평화로운 종전 상태입니다.
ㄷ. 분단은 남북한 주민들의 인간다운 삶을 저해합니다.
ㄹ. 분단을 통해 동북아시아 평화에 기여할 수 있습니다.

① ㄱ, ㄴ ② ㄱ, ㄷ ③ ㄴ, ㄷ
④ ㄱ, ㄴ, ㄹ ⑤ ㄱ, ㄷ, ㄹ

12 통일에 관련한 비용에 대한 설명으로 옳지 않은 것은?

① 분단 비용은 소모적 비용이다.
② 통일 비용과 분단 비용은 동시에 들지 않는다.
③ 이산가족의 고통은 무형적 분단 비용에 속한다.
④ 통일 편익은 통일로 인한 유·무형적 혜택을 의미한다.
⑤ 전쟁 가능성에 따른 공포는 유형적 분단 비용에 속한다.

13 통일에 관련한 비용 (가), (나)를 바르게 짝지은 것은?

> (가) 남북한이 지출하는 군사비와 사회적·경제적 발전 기회의 상실 등으로 소모적인 비용이다.
> (나) 통일 과정과 통일 이후에 소요되는 비용이다.

	(가)	(나)
①	분단 비용	통일 편익
②	분단 비용	통일 비용
③	통일 비용	통일 편익
④	통일 비용	분단 비용
⑤	통일 편익	분단 비용

14 ㉠과 ㉡에 들어갈 비용에 대한 옳은 설명을 〈보기〉에서 고른 것은?

> [㉠]은/는 남북한 분단의 결과인 대결과 갈등 때문에 지출되는 유·무형의 비용이고, [㉡]은/는 통일 과정과 통일 이후 남북한 간 격차를 해소하고 이질적인 요소를 통합하는 데 드는 비용을 뜻한다.

보기
ㄱ. ㉠은 소모적 비용이다.
ㄴ. ㉠은 통일 비용, ㉡은 분단 비용이다.
ㄷ. ㉡은 통일 후에도 그 기능을 발휘할 수 있다.
ㄹ. ㉠과 ㉡은 모두 통일에 대한 투자 성격을 지닌 일종의 사회 자본이다.

① ㄱ, ㄴ ② ㄱ, ㄷ ③ ㄴ, ㄷ
④ ㄴ, ㄹ ⑤ ㄷ, ㄹ

15 표는 독일의 통일에 대해 조사한 것이다. ㉠~㉤ 중 옳지 않은 것은?

㉠ 분단 기간	1945~1989년
㉡ 양국 관계	경쟁적, 협력적 관계
㉢ 교류·협력	원활한 추진
㉣ 통일 방식	무력적 흡수 통일
㉤ 통일 후	통일 비용, 사회적 갈등

① ㉠ ② ㉡ ③ ㉢ ④ ㉣ ⑤ ㉤

16 다음 내용에서 추론할 수 있는 바람직한 통일 방향으로 가장 적절한 것은?

> 통일은 우리 민족의 가장 큰 소원 중에 하나이다. 그러나 그 비용이 만만치 않다. 어느 날 갑자기 통일이 온다면 2040년까지 북한 주민의 1인당 소득을 우리 수준에 도달하게 하기 위해서는 무려 2조 1,400억 달러나 들어간다고 한다. 글로벌 투자 은행인 '골드만 삭스'도 급진적 통일 정책은 비용 폭탄을 부른다고 했으며, '장기간의 과도기와 기술 이전 속도를 높일 수 있는 구조적 정책들이 필요하다.'고 언급한 것을 볼 때 그 준비 과정에도 상당한 어려움이 예상된다고 하겠다.

① 급진적 통일 방식이 최선의 방법이다.
② 통일 준비는 오래 전부터 되어 왔기 때문에 남한과 북한의 합의만 필요하다.
③ 남북한의 다양한 사회적·문화적 교류를 통해 점진적으로 통합해 나가야 한다.
④ 주변국과의 협력과 유대를 강화하여 우리의 통일을 지지할 수 있도록 유도해야 한다.
⑤ 통일은 여러 혼란과 경제적·정치적 부담이 예상되므로 상당히 빠른 속도의 통일이 필요하다.

17 다음 대화에서 옳지 않은 답변을 한 학생은?

> 교사: 통일 한국의 미래상에 대해 발표해 볼까요?
> 갑: 국민을 위한 정치를 실현할 것입니다.
> 을: 우수한 전통문화만을 계승하여 남북의 문화를 획일화시킬 것입니다.
> 병: 모든 구성원을 공정하게 대할 것입니다.
> 정: 인간 중심적인 체제를 실현할 것입니다.
> 무: 한반도 비핵화를 통해 세계 평화에 기여할 것입니다.

① 갑 ② 을 ③ 병 ④ 정 ⑤ 무

18 통일을 위한 개인적·국가적 차원의 노력으로 옳지 않은 것은?

① 개인은 북한에 대한 올바른 인식을 해야 한다.
② 개인은 통일에 대한 꾸준한 관심을 기울여야 한다.
③ 국가는 평화 통일을 위한 체계적인 준비를 해야 한다.
④ 국가는 국제 사회의 협력 등 대외적인 노력도 해야 한다.
⑤ 개인은 이산가족 상봉 사업과 같은 인도적인 교류의 장을 마련해야 한다.

19 우리나라의 분단 상황과 관련하여 다음 사례를 통해 얻을 수 있는 시사점으로 가장 적절한 것은?

> 갑작스럽게 통일이 이루어진 이후, 동서독 주민들은 통일 이전의 상이한 체제에서 비롯된 사고방식과 정서의 차이로 심각한 갈등을 겪었다. 서독인은 동독인을 가난하고 게으르다는 의미로 조롱하고, 동독인은 서독인을 거만하고 잘났다는 의미로 조롱하는 현상이 나타났다.

① 군사적 방식으로 하나의 민족 공동체를 수립해야 한다.
② 주변국과의 친분을 강화하여 그들의 도움을 받아야 한다.
③ 경제적 기반을 지키기 위해 통일은 비폭력적으로 이루어져야 한다.
④ 통일의 부작용이 국민 분열을 가져올 수 있으므로 통일은 하지 말아야 한다.
⑤ 남북한의 다양한 사회적, 문화적 교류를 통해 민족의 동질성을 회복해야 한다.

20 ㉠에 들어갈 학생의 대답으로 가장 적절한 것은?

> 교사: 한반도가 통일되면 나타날 현상에 대해 말해 볼까요?
> 학생: ㉠

① 남북한 역량의 낭비가 심화될 것입니다.
② 통일 한국은 핵무장을 통해 평화에 이바지할 수 있습니다.
③ 이산가족들의 상봉 등 인도적으로 가치 있는 일이 일어날 것입니다.
④ 통일 한국은 독재로 인해 인간 존엄성을 구현하기 어려울 것입니다.
⑤ 한반도가 통일되면 일본과의 전쟁에서 승리할 확률이 높아집니다.

21 다음 글을 볼 때 남북통일의 최우선 과제로 가장 적절한 것은?

> 통일은 반드시 이루어야 하는 민족 최대의 과업임에도 불구하고 우리 사회에서 통일의 필요성에 대한 부정적이고 회의적인 시각이 대두되고 있다. 분단의 장기화로 인해 국민들의 관심이 감소하고 통일 비용에 대한 부담감이 커지면서 통일의 당위성에 대한 논란이 가중되어 우리 국민들끼리의 갈등이 발생하고 있는 것이다.

① 남북 간의 정치 체제를 일치시켜야 한다.
② 통일에 대한 국민적 공감대가 형성되어야 한다.
③ 통일 비용을 증대하여 통일 이후를 준비해야 한다.
④ 남북 간의 경제 격차를 제거하여 이념 갈등을 극복해야 한다.
⑤ 최소한의 비용으로 통일을 이루기 위해 무력으로 북한을 흡수 통일해야 한다.

서술형 문제

22 다음 글을 읽고 물음에 답하시오.

> 사회 통합을 위해서는 행정 및 경제 체계와 생활 세계가 균형을 이루어야 한다. 그런데 시민이 공적 의사 결정에서 배제되면 이러한 균형이 무너지게 된다. 이 문제를 해결하기 위해서는 공론장에서 시민이 이성적으로 보편화 가능한 합의에 도달할 수 있도록 의사소통의 합리성이 실현되어야 한다.

(1) 위와 같이 주장한 사상가를 쓰시오.

(2) 위와 같은 윤리 사상의 한계점을 서술하시오.

23 다음 글을 읽고 물음에 답하시오.

> ㉠ 이것은 분단으로 인한 대립, 갈등으로 지출되는 경제적·경제 외적 비용의 총체로서, 분단 상태가 지속되는 과정에서 소모되는 유·무형의 모든 비용이다.

(1) ㉠의 예를 두 가지 이상 쓰시오.

(2) ㉠이 소모적 비용이라 불리는 이유를 서술하시오.

24 통일 한국의 미래상을 제시된 단어를 이용하여 네 가지 쓰시오.

> • 정의 • 민주 • 문화 • 자주

01 하버마스의 담론 윤리에 대한 설명으로 옳지 않은 것은?

① 공론장에서는 경청의 자세가 필요하다.
② 공론장은 폐쇄적인 성격을 지니면 안 된다.
③ 공론장에서는 행정 체계의 효율성이 최우선이다.
④ 공론장에서는 이해 가능한 표현을 사용해야 한다.
⑤ 공정한 절차를 준수한 합의의 결과를 수용해야 한다.

02 다음에 나타난 갈등 양상에 부합하는 진술을 〈보기〉에서 고른 것은?

> 미혼인 박 씨(36)는 결혼 얘기가 나오면 불편하다. 박 씨는 "부모님은 '나이가 들면 결혼하고 아이를 낳고 사는 게 당연하다.'라고 여기시지만 나는 결혼의 중요성을 크게 느끼지 않는다."라며 "결혼에 대한 인식이 사회에서 많이 바뀌고 있는데, 여전히 부모님 세대는 결혼하지 않는 것을 색안경을 끼고 보신다."라고 말했다.

보기
ㄱ. 정치적 이념의 차이로 인해 발생한다.
ㄴ. 노인 부양 문제 등으로 발생하기도 한다.
ㄷ. 지역 이기주의 문제로 나타나기도 한다.
ㄹ. 각 세대가 서로를 이해하지 못해서 발생한다.

① ㄱ, ㄴ ② ㄱ, ㄷ ③ ㄴ, ㄷ
④ ㄴ, ㄹ ⑤ ㄷ, ㄹ

03 다음 사상가의 소통 윤리와 관련된 옳은 설명에만 '√' 표시를 한 학생은?

> 저것은 이것 때문에 생겨나고 이것은 저것 때문에 생겨난다. 옳고 그름을 도(道)의 입장에서 바라본다면 서로 다른 것이 아니라 똑같은 것이다.

구분	갑	을	병	정	무
깨달음을 통해 윤회에서 벗어나 해탈을 해야 한다.	√		√		√
인간의 관점이 아닌 도의 관점에서 사물을 바라봐야 한다.		√		√	√
화이부동이라는 말을 통해 조화의 중요성을 강조하였다.	√	√	√		
서로 다른 것을 그 자체로 인정하고 상호 의존 관계를 이해해야 한다.		√	√	√	√

① 갑 ② 을 ③ 병 ④ 정 ⑤ 무

04 (가)의 입장에 비해 (나)의 입장이 갖는 상대적 특징을 그림의 ㉠~㉤ 중에서 고른 것은?

> (가) 통일에 따른 경제적 효과를 고려하는 것보다 남북한 언어와 문화의 이질화 문제를 해소하는 것이 더 중요하다.
> (나) 분단에 따른 각종 불안 요인을 극복하여 경제 발전의 안정적 토대를 구축하는 것이 더 중요하기 때문에 통일을 이루어야 한다.

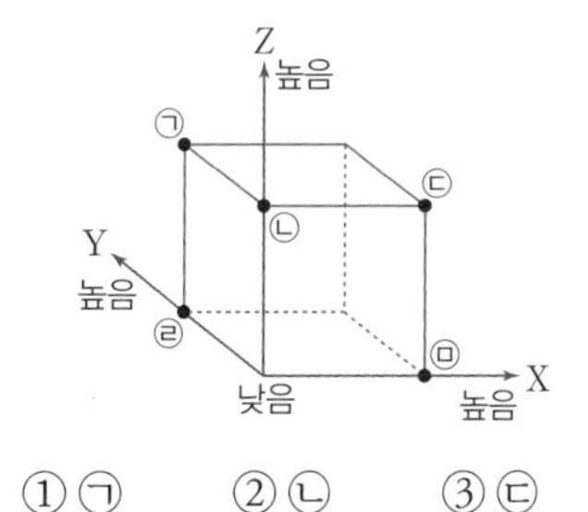

·X : 문화적 통합 측면을 강조하는 정도
·Y : 경제적 실리 측면을 강조하는 정도
·Z : 인도주의적 측면을 강조하는 정도

① ㉠ ② ㉡ ③ ㉢ ④ ㉣ ⑤ ㉤

05 통일에 대한 찬성 근거를 〈보기〉에서 고른 것은?

보기
ㄱ. 경제적 혼란
ㄴ. 이질화된 문화
ㄷ. 세계 평화에 기여
ㄹ. 하나의 민족이라는 민족 정체성

① ㄱ, ㄴ ② ㄱ, ㄷ ③ ㄴ, ㄷ
④ ㄴ, ㄹ ⑤ ㄷ, ㄹ

06 통일과 관련한 비용에 대한 옳은 설명에만 '√' 표시를 한 학생은?

구분	갑	을	병	정	무
분단 비용은 투자적 비용이다.	√		√		√
외국인 투자 감소는 분단 비용에 포함된다.		√		√	√
통일 비용은 생산적 비용이다.	√	√	√		
분단 비용의 증가는 민족 경쟁력에 악영향을 미친다.		√	√	√	√

① 갑 ② 을 ③ 병 ④ 정 ⑤ 무

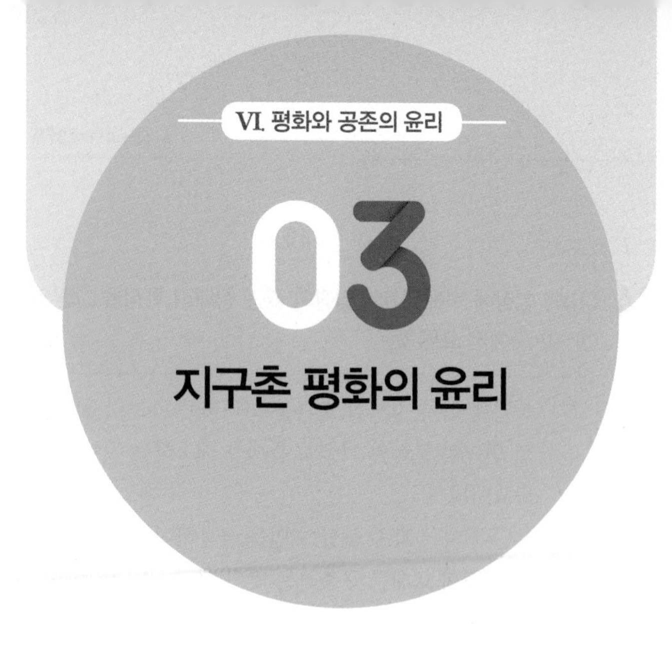

VI. 평화와 공존의 윤리

03 지구촌 평화의 윤리

1 국제 분쟁의 해결과 평화

1. 국제 분쟁

(1) 원인　영토 분쟁, 인종·민족 분쟁, 종교 분쟁, 자원 분쟁 등 다양함

(2) 특징

① 다양한 정치적·경제적·종교적 이해관계가 얽혀 복잡하고 다양하게 나타남

② 오늘날 국제 평화와 정의를 해치는 반인도적 범죄가 증가하고 있음

└ 반인도적 범죄: 집단 살해, 인종 청소와 같은 인간 존엄성을 훼손하는 범죄

(3) 윤리적 문제　평화, 정의, 인권 등의 보편적 가치 훼손

(4) 해결 방안

┌ 헌팅턴은 문명 간의 충돌이 국제 분쟁의 주된 원인이라고 보면서 문명의 조화에 근거한 국제 질서를 구축하여 갈등을 극복할 수 있다고 주장

① 문명의 다양성과 차이 존중　종교적·문화적 차이로 인한 충돌 해결

② 국제적 분배 정의 실현　부(富)의 불평등 분배에서 비롯되는 갈등 해소

③ 형사적 정의 실현

- 테러 집단에 대한 피해국의 직접적인 무력 사용
- 국제 형사 경찰 기구나 국제 형사 재판소(ICC) 등 국제기구를 통한 처벌

2. 국제 관계를 바라보는 관점

관점	내용
현실주의 (모겐소)	• 국가의 이익과 도덕성 충돌 시 국가의 이익 우선 • 국가의 힘을 키워 세력 균형을 유지해야 분쟁 해결 가능
이상주의 (칸트)	• 국가의 이익보다 인간의 존엄성, 자유, 평등 등 보편적인 가치 우선 • 국제기구, 국제법 등 도덕성에 근거한 집단 안보 형성을 통해 분쟁 해결
구성주의 (웬트)	• 상대국과의 관계 정립, 상호 작용이 국익 좌우 • 국가 간 긍정적인 상호 작용을 통해 분쟁 해결

3. 국제 평화를 이루기 위한 노력

(1) 칸트의 영구 평화론　국제법이 적용되는 국제적인 연맹을 창설할 것을 주장 ➡ 국제 연합(UN)의 창설 계기가 됨

└ 국제 관계를 바라보는 이상주의 관점과 일치함

(2) 갈퉁의 적극적 평화론

① 소극적 평화와 적극적 평화를 구분함

└ 소극적 평화: 테러, 전쟁 등 물리적 폭력이 없는 상태

② 직접적인 폭력으로부터 벗어나 소극적 평화뿐만 아니라 구조적 폭력과 문화적 폭력 등의 간접적 폭력까지 제거된 적극적인 평화 상태에 도달해야 한다고 주장

└ 문화적 폭력: 종교, 사상, 예술, 학문 등으로 폭력이 합법화되거나 일반적으로 용인되는 것

└ 적극적인 평화 상태: 인간의 잠재적 능력을 충분히 실현할 수 있는 상태로 그것을 사회·정치 구조로서 유지하는 것

└ 구조적 폭력: 사회 제도나 관습, 정치, 법률 등을 통해 생기는 간접적·정신적 폭력

2 국제 사회에 대한 책임과 기여

1. 세계화에 대한 입장

└ 세계화: 지구의 공간이 상대적으로 축소되고 국제 사회의 상호 의존성이 증가하고 세계 전체가 긴밀하게 연결된 사회 체계로 통합되어 가는 현상

(1) 세계화의 긍정적 영향

① 생활 공간의 확장 ➡ 판매 시장 확대 및 소비 선택의 기회 증가

② 국가 간 자유로운 경쟁과 교류 확대 ➡ 인류의 공동 번영 여건 조성

③ 다양한 문화 교류 ➡ 지구적 차원에서의 문화 간 공존 기대 상승

(2) 세계화의 부정적 영향

① 자본·기술력 보유국과 비보유국 간 빈부 격차(남북문제) 심화

② 국가 간 경제 의존도 심화 ➡ 한 국가의 경제 위기가 세계 경제에 미치는 영향력 증대

③ 각 지역, 각 나라 고유의 정체성 약화 및 문화의 획일화

2. 해외 원조의 윤리적 근거

관점	내용
의무의 관점	• 싱어: 고통을 감소시키고 쾌락을 증진시키는 것이 인류의 의무라고 보는 공리주의적 관점에서 원조의 필요성 강조 • 칸트: 타인을 돕는 것은 보편적인 윤리적 의무 • 롤스: 질서 정연한 사회에 살고 있는 국민들이 불리한 여건에 처해 있는 사회의 국민들을 질서 정연한 사회로 이행하도록 원조해야 함 (└ 차등의 원칙을 국제 사회에 적용하는 것을 반대)
자선의 관점	노직: 개인의 배타적 소유권에 따라서 해외 원조는 개인의 자유로운 선택의 영역, 즉 의무가 아닌 자선이라고 주장 (└ 배타적 소유권: 정당하게 취득한 재산에 대해 다른 개인이나 국가가 결코 침해할 수 없는 권리)

핵심 기출 자료 분석　싱어의 해외 원조 입장

이익 평등 고려의 원칙에서 보면, 고통을 덜어 주어야 할 궁극적이고 도덕적인 이유는 고통은 그 자체로 바람직하지 않기 때문이다. 인종은 이익을 고려하는 데 아무런 상관이 없다. 왜냐하면 중요한 것은 이익 자체이기 때문이다. 어떤 고통에 관하여 그것이 특정한 인종이 겪는 고통이라는 이유로 고려를 덜 한다면 이는 자의적인 차별이 될 것이다.

– 싱어, 『실천 윤리학』 –

분석 | 싱어는 고통받는 사람들은 이익 평등 고려의 원칙에 따라 누구나 차별 없이 도움을 받아야 함을 주장하였다. 그는 공리주의 입장에서 빈곤에 따른 개인의 고통을 덜어 주어야 할 의무가 있으며, 이를 위해 해외 원조가 필요하다고 본다. 즉 해외 원조의 목적은 가난과 굶주림에 따른 고통을 없애기 위해 인류에게 주어진 의무라는 것이다.

1 괄호 안의 내용 중 알맞은 말을 골라 ○표 하시오.

(1) 국제 관계를 바라보는 (현실주의, 이상주의)는 국가 간 도덕적 관계가 성립하지 않는다고 본다.

(2) 국제 관계를 바라보는 (현실주의, 이상주의)는 국가의 이익보다 보편적인 가치를 우선시한다.

(3) (적극적, 소극적) 평화는 구조적·문화적 폭력까지 모두 사라진 상태를 의미한다.

2 사상가와 주장한 이론을 바르게 연결하시오.

(1) 칸트 •   • ㉠ 영구 평화론

(2) 갈퉁 •   • ㉡ 적극적 평화론

3 해외 원조에 대한 사상가들의 윤리적 근거를 〈보기〉에서 고르시오.

보기
ㄱ. 공리주의 ㄴ. 개인의 자선 ㄷ. 윤리적 의무

(1) 칸트 ( )

(2) 싱어 ( )

(3) 노직 ( )

4 설명이 맞으면 ○표, 틀리면 ×표 하시오.

(1) 칸트는 해외 원조를 윤리적 의무로 본다. ( )

(2) 롤스는 해외 원조는 빈곤국이 '질서 정연한 사회'로 이행하도록 돕는 것이라고 본다. ( )

5 빈칸에 들어갈 알맞은 말을 쓰시오.

(1) 싱어는 고통의 ( )와 쾌락의 증진을 주장하며, 원조의 필요성을 강조한다.

(2) 롤스는 ( )을 국제 사회에 적용하지 않는다.

(3) 칸트는 타인의 곤경에 무관심한 태도는 ( ) 에 어긋난다고 주장한다.

내신 기출

1 국제 분쟁의 해결과 평화

01 국제 관계를 바라보는 관점에 대한 설명으로 옳지 않은 것은?

① 이상주의는 국제법의 필요성을 주장한다.
② 이상주의는 무력은 개별 국가의 이익을 위한 수단이라고 본다.
③ 현실주의는 국가 간의 도덕적 관계는 허상에 불과하다고 본다.
④ 현실주의는 국가 간 세력 균형으로 국제 분쟁을 해결할 수 있다고 본다.
⑤ 구성주의는 국가 간 긍정적 상호 작용을 통해 국제 분쟁을 해결할 수 있다고 본다.

02 국제 관계를 바라보는 현실주의와 이상주의에 대한 설명으로 옳지 않은 것은?

① 이상주의는 국제기구를 통해 평화를 실현할 수 있다고 본다.
② 현실주의는 국가 간 세력 균형을 통해 평화를 실현할 수 있다고 본다.
③ 현실주의는 국가들이 자국의 이익만을 추구하기에 분쟁이 발생한다고 본다.
④ 현실주의와 이상주의는 모두 평화를 위해 단일 세계 정부의 수립을 주장한다.
⑤ 이상주의는 국가 간 이해관계의 조정을 통해 국제 평화가 달성될 수 있다고 본다.

03 갑, 을 사상가들의 입장으로 옳지 않은 것은?

갑: 평화란 물리적 폭력은 물론 구조적·문화적 폭력까지 없는 상태이다. 을: 평화를 위해 국제 연맹을 창설해야 한다.

① 갑: 모든 전쟁의 종식은 곧 평화를 의미한다.
② 갑: 문화적 폭력은 적극적 평화의 실현을 방해한다.
③ 을: 타국에 대한 무력 개입을 삼가야 한다.
④ 을: 국제법은 자유로운 여러 국가들의 연방 체제에 기초해야 한다.
⑤ 갑, 을: 진정한 평화를 위해 전쟁은 종식되어야 한다.

04 국제 평화와 관련하여 칸트가 제시한 영구 평화를 위한 조항으로 옳지 않은 것은?

① 세계 공화국을 건설해야 한다.
② 상비군을 점진적으로 폐지해야 한다.
③ 공화정이 국제 평화를 위한 최적의 정치 체제이다.
④ 세계 시민법은 보편적 우호의 조건에 국한되어야 한다.
⑤ 전쟁은 나쁘지만 타국의 침입에 대한 방어전은 수행해야 한다.

주관식

05 다음과 관련 있는 국제 관계를 바라보는 관점을 쓰시오.

- 국제 관계에서 국가는 자국의 이익만을 추구한다고 보고, 국가 간 힘의 논리를 강조하는 입장
- 국제 분쟁 해결을 위해 국가 간 세력 균형이 필요하다고 주장

06 국제 평화에 대한 갈퉁의 입장을 〈보기〉에서 고른 것은?

보기
ㄱ. 구조적 폭력의 형태로 억압과 착취를 들 수 있다.
ㄴ. 적극적 평화는 전쟁, 테러 등 폭력의 제거로 완성된다.
ㄷ. 소극적 평화의 달성만으로는 완전한 평화를 실현할 수 없다.
ㄹ. 평화를 '인간 안보' 차원보다 '국가 안보' 차원으로 이해해야 한다.

① ㄱ, ㄴ ② ㄱ, ㄷ ③ ㄴ, ㄷ
④ ㄴ, ㄹ ⑤ ㄷ, ㄹ

07 표는 국제 관계를 바라보는 관점을 비교한 것이다. (가)~(라)에 들어갈 내용으로 적절한 것은?

구분	(가)	이상주의
핵심 개념	힘, 권력	(나)
갈등 원인	자국의 이익 추구	무지, 오해
갈등 해결	(다)	(라)
한계	군비 경쟁 유도	현실과 이상 간의 괴리

① (가): 현실주의
② (나): 감정
③ (다): 세계 공화국 건설
④ (다): 성선설에 기반한 국가 간의 배려와 이해
⑤ (라): 국가 간의 세력 균형

2 국제 사회에 대한 책임과 기여

08 해외 원조에 대한 갑, 을 사상가들의 입장으로 옳지 않은 것은?

갑: 기본적 욕구를 충족하고 남는 소득이 있으면 소득의 1%를 기부해야 한다.
을: 원조는 고통받는 사회들이 '질서 정연한 사회'가 되도록 돕는 것이다.

① 갑: 공리주의적 관점에 따라 원조를 시행해야 한다.
② 갑: 큰 희생 없이 타국의 빈민을 도울 수 있다면 돕는 것이 타당하다.
③ 을: 원조를 통해 국제 정의를 실현해야 한다.
④ 을: 국제 사회에 차등의 원칙을 적용해야 한다.
⑤ 갑, 을: 해외 원조는 자선이 아닌 의무의 차원이다.

09 해외 원조를 바라보는 싱어의 입장에 대한 설명으로 옳지 않은 것은?

① 해외 원조는 공리주의 입장에서 이해해야 한다.
② 원조는 만인이 공정하게 분담해야 할 의무이다.
③ 선진국의 가난한 시민도 원조의 대상이 될 수 있다.
④ 원조의 대상을 정하는 기준이 국적이 되어서는 안 된다.
⑤ 기본적 욕구를 충족하고도 남는 소득이 있는 시민들은 소득의 최대 1%를 기부해야 한다.

주관식

10 직접적인 폭력과 전쟁에서 벗어나기 위해서 국제법 적용을 통한 평화 연맹을 구성해야 한다고 주장한 사상가를 쓰시오.

11 해외 원조를 바라보는 노직의 관점에 대한 설명으로 옳지 않은 것은?

① 원조는 자선의 차원이다.
② 원조는 칭찬받을 행위이다.
③ 원조는 어느 정도 국가에서 강제해야 한다.
④ 원조는 남을 돕는 의미에서 '선물을 주는 행위'와 같다.
⑤ 원조를 강제하는 것은 강도가 시민의 돈을 빼앗는 것과 같다.

12 다음 세계화에 대한 입장을 옳게 이해한 것은?

> 무한정의 범지구적 경쟁은 우리를 생산적이지 않은 파괴적인 경쟁으로 몰아세운다. 세계화된 시장에서 경쟁력 있는 상품을 만들기 위해 값싼 원료와 값싼 생산 입지를 찾아 자본은 범지구적으로 움직인다. 이제 사람들은 그 자체로 소중하게 대접받는 것이 아니라 일개 생산 요소에 불과한 '노동력'으로 전락한다.

① 인류의 균등한 발전을 돕는다.
② 인간의 삶의 무대를 축소시킨다.
③ 경제적 종속 문제를 발생시킬 수 있다.
④ 새로운 동반자와 새로운 기회를 제공한다.
⑤ 세계의 협력이 강화되어 환경 문제를 해결할 수 있다.

13 다음 사상가의 입장만을 〈보기〉에서 있는 대로 고른 것은?

> 연간 소득의 1%를 기부하지 않는 것은 끔찍한 빈곤과 그로 인한 죽음을 무한정 지속시키는 데에 무관심 혹은 동조하는 것일 뿐이다.

보기

ㄱ. 해외 원조를 공리주의적 입장에서 이해한다.
ㄴ. 원조와 관련하여 지리적 인접성을 중시한다.
ㄷ. 원조 대상을 선정할 때 출신 국가를 고려해서는 안 된다.
ㄹ. 해외 원조에 있어 '고통의 감내와 쾌락의 증진'이라는 당위주의적 원칙을 고려해야 한다.

① ㄱ, ㄴ　② ㄱ, ㄷ　③ ㄴ, ㄷ
④ ㄱ, ㄴ, ㄹ　⑤ ㄴ, ㄷ, ㄹ

14 해외 원조와 관련하여 싱어의 관점에서 노직을 비판한 내용으로 적절하지 않은 것은?

① 원조를 전적으로 개인의 자율에 맡기는 것은 옳지 않은 판단이다.
② 선진국은 약소국의 빈곤에 책임이 있으므로 그에 대한 채무로써의 원조를 다해야 한다.
③ 민족, 국가, 인종을 초월하여 기아에 허덕이는 사람들의 고통을 줄여 주기 위한 원조는 범국가적 의무이다.
④ 인간은 누구나 평등하므로 이웃을 돕는 것과 외국 사람을 돕는 것 사이에는 어떠한 도덕적 차이도 없어야 한다.
⑤ 도움을 줌으로써 얻을 수 있는 이익이 비용보다 클 경우, 도움을 받는 사람이 어느 공동체에 속해 있든 상관없이 도움을 주어야 할 윤리적 의무가 있다.

15 해외 원조에 대한 갑, 을 사상가들의 입장을 〈보기〉에서 고른 것은?

> 갑: 수백만 명이나 되는 사람들이 자신의 나라가 자유롭거나 적정한 체제를 설립하고 '잘 정돈'되기도 전에 죽어갈 것이다. 원조의 의무는 인류 전체의 공리 증진을 위해 지속되어야 한다.
> 을: 과거 정부에서 행한 해외 원조는 바라는 만큼 빈곤을 줄이는 데 효과적이지 않았다. 그 이유 중 상당한 부분을 차지하는 것이 원조가 빈곤을 줄이는 것을 목표로 하지 않았다는 점이다.

보기
ㄱ. 갑: 고통받는 사회가 부유한 사회가 되도록 원조해야 한다.
ㄴ. 갑: 국제 사회의 최소 수혜자에게 가장 유리하도록 원조할 필요는 없다.
ㄷ. 을: 원조의 의무는 정치적, 문화적으로 잘 정돈된 사회의 실현이다.
ㄹ. 갑, 을: 해외 원조는 당위의 차원이지 자선의 차원이 아니다.

① ㄱ, ㄴ ② ㄱ, ㄷ ③ ㄴ, ㄷ
④ ㄴ, ㄹ ⑤ ㄷ, ㄹ

서술형 문제

16 다음을 읽고 물음에 답하시오.

> (가) 원조의 의무는 원조 대상이 얼마나 떨어져 있느냐에 의해 정해지지 않는다. 우리는 도덕적으로 중요한 다른 것을 희생시키지 않으면서 어떤 나쁜 일이 발생하는 것을 막을 수 있다면 의무적으로 그렇게 해야 한다.
> (나) 원조의 목적은 고통받는 사회가 질서 정연한 국제 사회의 성원이 되도록 하는 데 있다.

(1) (가), (나)에 해당하는 사상가를 각각 쓰시오.

(2) (가), (나)의 원조 대상을 비교하여 서술하시오.

17 칸트가 전쟁 중에 금기시한 행위를 두 가지 이상 서술하시오.

18 다음 글을 읽고 물음에 답하시오.

> 직접적 폭력은 언어적 폭력과 신체적 폭력으로 나눌 수 있다. 이러한 폭력은 시간의 흐름에 따라 다시 폭력을 재현하므로 마음의 상처를 남긴다. 구조적 폭력은 정치적·억압적·경제적·착취적 폭력으로 구분된다. 문화적 폭력은 종교와 사상, 언어와 예술, 법과 과학, 대중 매체와 교육 전반에 영향을 미쳐서 구조적 폭력과 직접적 폭력을 정당화하는 역할을 한다.

(1) 위 내용을 주장한 사상가를 쓰시오.

(2) (1)에 답한 사상가의 입장에서 평화를 두 가지로 구분하고, 그 의미를 서술하시오.

01 강연자가 지지할 주장으로 옳지 않은 것은?

> 우리는 지구 온난화 또는 테러와 같은 글로벌 위험에 직면하고 있습니다. 이러한 위험은 무차별적이라는 특징이 있고, 그 범위가 방대하여 통제가 불가능하기 때문에 어떤 국가도 안전하다고 볼 수 없습니다. '글로벌 위험 사회'의 인류는 유토피아를 꿈꾸기보다는 최악의 상황에 놓이지 않기를 원하기에 글로벌 공동체의 구성원이 되는 것입니다.

① 글로벌 위기의 대응 원칙은 위험의 최소화이다.
② 글로벌 위험에 대한 예방의 중요성이 증대되고 있다.
③ 글로벌 위험은 인류 전체를 광범위하게 위협하고 있다.
④ 글로벌 위험은 세계 시민주의의 근거를 약화시키고 있다.
⑤ 글로벌 위험은 인류 공존을 위한 노력의 필요성을 자각시키고 있다.

02 롤스에 비해 싱어가 주장하는 해외 원조에 대한 입장의 상대적 특징을 그림에서 고른 것은?

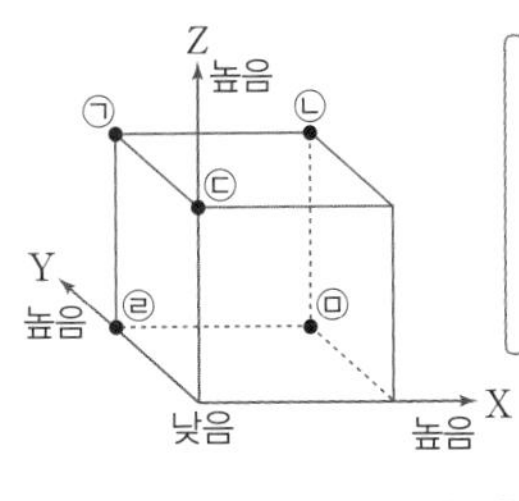

- X : 원조의 과제로 사회 제도의 개선을 강조하는 정도
- Y : 원조의 목표로 개인들의 복지 향상을 강조하는 정도
- Z : 원조의 근거로 이익 평등 고려 원칙을 강조하는 정도

① ㉠ ② ㉡ ③ ㉢ ④ ㉣ ⑤ ㉤

03 빈칸 ㉠에 공통으로 들어갈 현상에 대한 설명으로 옳지 않은 것은?

> 세계화의 문제점에 대한 반작용으로서 [㉠] 이/가 강화되고 있다. [㉠] 은/는 문화의 획일화에 반발하면서 개별 국가나 민족의 고유성과 지역성을 보존하려는 현상을 말한다.

① 지역 공동체의 배타성이 강해질 수 있다.
② 지역 경제 블록을 형성하는 경우도 있다.
③ 세계의 정치, 경제, 문화의 중심이 다원화된다.
④ 세계의 트렌드에 뒤처지게 되는 문제점이 있다.
⑤ 지역적인 문화를 세계로 확산시키는 모습으로도 나타난다.

04 싱어의 해외 원조에 대한 옳은 설명에만 '√' 표시를 한 학생은?

구분	갑	을	병	정	무
실천 이성의 명령하에 보편화 가능한 준칙에 의거한 의무이다.	√		√		√
공리주의 원칙에 의거한다.		√		√	√
거리의 인접성으로 인해 원조 대상에 차별을 두어서는 안 된다.	√	√	√		
개인의 양심에 따른 선택이 아닌 인류에게 주어진 의무이다.		√	√	√	√

① 갑 ② 을 ③ 병 ④ 정 ⑤ 무

수능·평가원·교육청 기출

| 교육청 기출 |

01 갑, 을의 입장에 대한 설명으로 옳은 것은?

> 갑: 도덕적으로 중요한 일들을 희생시키지 않고 절대 빈곤을 감소시킬 수 있는 사람들은 절대 빈곤에 빠진 사람들을 도울 의무가 있다. 이익 평등 고려의 원칙에 따라 빈곤으로 고통받는 모든 사람들에게 원조를 해야 한다.
> 을: 우리는 국제 관계가 질서 정연한 국가들의 자유롭고 평등한 상호 관계가 되도록 노력해야 한다. 원조는 고통받는 국가들이 질서 정연한 사회로 나아가지 못하게 하는 제반 여건에서 벗어나도록 하는 것에 그쳐야 한다.

① 갑은 빈곤국의 구성원은 원조의 주체가 될 수 없다고 본다.
② 을은 가난한 국가들이 모두 원조의 대상은 아니라고 본다.
③ 갑은 을과 달리 원조를 모든 국가의 도덕적 의무라고 본다.
④ 을은 갑과 달리 차등의 원칙에 따라 원조해야 한다고 본다.
⑤ 갑, 을은 원조의 목적을 인류 전체의 평등 실현이라고 본다.

| 교육청 기출 |

02 해외 원조에 대한 갑, 을 사상가들의 입장으로 옳은 것은?

> 갑: 만약 어떤 사회가 무질서로 인해 고통받고 있다면, 그 사회가 적정 수준의 정치 문화를 형성하여 질서 정연한 사회가 될 수 있도록 도와야만 한다.
> 을: 도움을 줌으로써 얻게 되는 이익이 비용보다 클 경우, 도움을 받는 사람이 어떠한 공동체에 속해 있든 상관없이 도움을 주어야 할 윤리적 의무를 가진다.

① 갑: 약소국에 대한 개인적 차원의 원조는 필요 없다.
② 갑: 인류의 균등한 복지 수준을 목표로 원조해야 한다.
③ 을: 개인적 삶의 개선보다 사회 구조를 개선해야 한다.
④ 을: 인류 전체의 행복 증진을 원조의 목적으로 삼아야 한다.
⑤ 갑, 을: 원조는 인도주의적 관점에서 자선으로 접근해야 한다.

| 평가원 기출 |

03 갑, 을 사상가들의 입장으로 옳은 것은?

> 갑: 공정으로서의 정의와 달리 만민법은 사회·경제적 불평등이 최소 수혜자에게 이익이 될 것을 요구하지 않는다. 모든 사회가 '질서 정연한 사회'가 될 때까지 만민법에 따라 원조의 의무를 이행해야 한다.
> 을: 세계를 지금 이대로 내버려 둔다면 수백만 명의 사람들이 자신의 나라가 '질서 정연한 사회'가 되기 전에 영양실조와 가난으로 죽어 갈 것이다. 원조의 의무는 인류 전체의 공리 증진을 위해 지속되어야 한다.

① 갑: 모든 빈곤국을 원조의 대상으로 간주해야 한다.
② 갑: 원조 정책은 지구적 차등 원칙에 근거해야 한다.
③ 을: 질서 정연한 사회의 빈민은 원조의 대상일 수 없다.
④ 을: 원조의 의무는 국경을 초월한 세계 시민적 의무이다.
⑤ 갑, 을: 원조를 통해 모든 사회의 복지 수준을 일치시켜야 한다.

| 평가원 기출 |

04 갑, 을, 병 사상가들의 입장에 대한 설명으로 옳은 것은?

> 갑: 경제적 여유가 있는 사람이라면 고통에 빠진 사람들을 위해 소득 중 일부는 기부해야 한다. 원조함으로써 우리 자신에게 다른 더 큰 피해가 생기지 않는 한 마땅히 원조해야 한다.
> 을: 개인이 정당하게 취득한 재산의 배타적 소유권을 타인의 삶과 행복을 명목으로 침해해서는 안 된다. 원조는 개인의 자유로운 선택의 영역이다.
> 병: 인권이 보장되고 민주적 의사 결정이 제도화된 사회의 구성원이라면 해외 원조를 반대할 이유가 없다. 원조는 고통받는 사회의 자유와 평등 확립을 목적으로 삼아야 한다.

① 갑은 모든 개인의 원조 의무를 규정하는 보편 원리는 없다고 본다.
② 을은 해외 원조를 최소 국가가 강제해야 하는 의무라고 본다.
③ 병은 정의의 원칙이 확립된 자원 빈곤국은 원조 대상이 아니라고 본다.
④ 갑, 병은 국제기구를 통한 원조만이 정당화될 수 있다고 본다.
⑤ 을, 병은 국가 간 부의 격차 해소 후에는 원조 의무가 없다고 본다.

| 수능 기출 응용 |

05 사상가 갑, 을의 입장으로 가장 적절한 것은?

> 갑: 풍요한 사회의 시민들만 풍요로움을 누리는 것은 부당하다. 인류 전체의 이익 증진을 위해 절대 빈곤으로 고통받는 사회의 사람들을 원조해야 한다.
> 을: 자원이 부족하다고 해서 질서 정연한 사회가 될 수 없는 경우는 거의 없다. 어떤 사회가 질서 정연한 사회가 되는 결정적 요인은 자원의 수준보다는 정치 문화이다. 불리한 여건으로 고통받는 사회가 정치 문화를 바꾸도록 원조해야 한다.

① 갑: 원조를 위해서 풍요한 사회의 자원을 활용해서는 안 된다.
② 갑: 풍요한 사회의 시민들은 원조 대상에서 모두 제외되어야 한다.
③ 을: 자원이 부족한 국가만을 원조 대상으로 간주해서는 안 된다.
④ 을: 정의의 제2원칙에 따라 국가 간 자원을 재분배해야 한다.
⑤ 갑, 을: 공리의 원리를 국제적 차원으로 확대 적용해서는 안 된다.

| 교육청 기출 |

06 갑, 을 사상가들의 입장으로 가장 적절한 것은?

> 부에 관한 전 지구적 분배 상황은 인류의 공통 자원을 소수가 부당하게 착취한 결과입니다. 인류 전체의 이익 증진을 위해 빈곤으로 고통받는 사람들에게 자신의 소득 중 일부를 원조함으로써 원조의 의무를 다해야 합니다.

> 한 나라의 부와 복지 수준을 결정하는 주된 요인은 그 나라의 정치 문화이지 자원 수준이 아닙니다. 따라서 질서 정연한 사회의 사람들은 고통받는 사회들의 자유와 평등을 확립하기 위해 원조의 의무를 지닙니다.

① 갑: 풍족한 사회에서 원조는 의무가 아닌 자선으로만 행해진다.
② 갑: 원조의 대상은 빈곤한 사회의 개인이 아닌 사회 그 자체이다.
③ 을: 지구적 평등주의에 입각해서 모든 빈곤국을 원조해야 한다.
④ 을: 국가 간 천연자원 분포의 우연성은 원조의 고려 대상이 아니다.
⑤ 갑, 을: 원조의 목적은 인류 간 평균적 부의 차이를 좁히는 것이다.

| 수능 기출 |

07 해외 원조에 대한 갑, 을 사상가들의 입장으로 옳지 않은 것은?

> 갑: 원조는 만인이 공정하게 분담해야 할 전 지구적 의무이다. 기본적 욕구를 충족하고 남는 소득이 있으면 소득의 1%를 기부하여 세계의 빈민을 도와야 한다.
> 을: 원조는 차등의 원칙을 국제 사회에 적용하는 것이 아니다. 원조의 의무는 고통받는 사회들이 만민의 사회의 충분한 구성원이 되도록 돕는 역할을 한다.

① 갑: 큰 희생 없이 타국의 빈민을 도울 수 있다면 도와야 한다.
② 갑: 인류 전체의 공리 증진을 위해 원조의 의무를 실천해야 한다.
③ 을: 고통받는 사회가 질서 정연한 사회가 되도록 원조해야 한다.
④ 을: 국제 사회의 최소 수혜자에게 가장 유리하도록 원조해야 한다.
⑤ 갑, 을: 해외 원조는 자선이 아닌 당위의 차원에서 실시 해야 한다.

| 평가원 기출 |

08 다음 사상가의 입장으로 가장 적절한 것은?

> 공정으로서의 정의에 의하면 질서 정연한 사회란 그 구성원들의 선을 증진하고 공적 정의관에 의해 효과적으로 규제되는 사회이다. 그런데 정의의 원칙을 자기 사회 내에 있는 사람들에게만 적용하고 세계를 지금 이대로 내버려 둔다면, 수백만 명이나 되는 사람들이 자신의 나라가 질서 정연한 사회가 되기 전에 빈곤으로 인해 죽어갈 것이다. 우리는 고통을 느끼는 모든 존재의 이익을 평등하게 고려해야 하므로 빈곤으로 인해 고통 받는 사람들을 도와야만 한다.

① 원조 대상자의 국적은 원조 여부를 결정하는 데 중요하지 않다.
② 원조는 전 지구적 차원의 윤리적인 의무로 정당화될 수 없다.
③ 원조 대상에서 질서 정연한 사회의 빈곤한 시민은 제외되어야 한다.
④ 원조는 인류의 공리 증진이 아닌 지구적 정의 실현을 지향해야 한다.
⑤ 원조의 최종 목적은 고통받는 사회의 정치 문화를 개선하는 것이다.

| 교육청 기출 |

09 **갑, 을 사상가들의 입장으로 옳은 것은?**

> 갑: 어떤 나쁜 일이 일어나는 것을 방지할 수 있고, 그 일을 방지함으로써 그에 상응하는 도덕적 중요성을 가진 다른 일이 희생되지 않는다면, 우리는 그렇게 해야 한다.
> 을: 만민은 정의롭거나 적정 수준의 정치 체제와 사회 체제의 유지를 저해하는 불리한 조건하에 사는 다른 만민을 도와주어야 할 의무가 있다.

① 갑: 개인이 아닌 국가가 해외 원조의 주체가 되어야 한다.
② 갑: 지리적으로 가까운 지역의 빈민을 우선적으로 도와야 한다.
③ 을: 가난하고 질서 정연한 사회는 원조 대상국이 될 수 있다.
④ 을: 국가 빈곤도를 기준으로 원조 대상국 순위를 정해야 한다.
⑤ 갑, 을: 원조 대상국들의 복지 수준 평준화가 원조의 목표는 아니다.

| 교육청 기출 |

10 **다음 사상가가 주장하는 바람직한 대화의 자세로 옳지 않은 것은?**

> 이상적 의사소통이 이루어지기 위해서는 모든 대화 참여자에게 발언할 수 있는 동등한 기회가 주어져야 한다. 또한 주장의 근거를 제시하거나 요구하여 사실을 확인할 수 있어야 한다. 그리고 모든 대화 참여자들은 자신의 입장, 감정, 바람 등을 진실하게 말해야 한다.

① 상대방의 주장을 충분히 경청해야 한다.
② 자신의 오류 가능성을 인정하고 대화해야 한다.
③ 상대방을 동등한 인격의 소유자로 대해야 한다.
④ 자신의 주장에 대한 객관적인 근거를 제시해야 한다.
⑤ 개인적인 욕구, 희망 사항을 제외하고 발언해야 한다.

| 평가원 기출 |

11 **갑, 을 사상가들의 입장으로 가장 적절한 것은?**

> 갑: 어떤 국가에서 그 구성원들에게 가해지는 잔악성과 고통이 극심하지만 그 국가의 어떠한 세력도 그러한 문제를 해결할 능력이 없는 것처럼 보일 경우, 정의로운 전쟁을 통한 인도주의적 개입이 요구될 수 있다.
> 을: 어떤 국가도 다른 국가의 체제와 통치에 대해 폭력으로 개입해서는 안 된다는 것이 영구 평화를 위한 예비 조항이다. 한 국가에 대한 폭력적 개입은 결국 모든 국가의 자율성을 위태롭게 하는 결과를 가져올 것이다.

① 갑: 전쟁은 도덕적 비판의 대상일 뿐이며 결코 정당화될 수 없다.
② 갑: 인권 침해만으로는 정당한 전쟁의 조건이 완비되지 않는다.
③ 을: 평화 조약이란 국가 간 적대 행위의 일시적 중지에 불과하다.
④ 을: 영원한 군비 경쟁을 통해서만 영구 평화를 실현할 수 있다.
⑤ 갑, 을: 전쟁은 국제 정의를 실현하기 위한 수단이 될 수 없다.

| 교육청 기출 응용 |

12 **(가)의 입장에 비해 (나)의 입장이 갖는 상대적 특징을 그림의 ㉠~㉤ 중에서 고른 것은?**

> (가) 통일에 따른 경제적 효과를 고려하는 것보다 남북한 언어와 문화의 이질화 문제를 해소하는 것이 더 중요하다. 또한 이산가족의 만남, 북한 주민의 보편적 삶의 권리 실현을 위해 통일이 되어야 한다.
> (나) 통일 문제를 문화적 동질성 회복과 인권 신장의 관점에서 고찰할 필요도 있다. 그러나 분단에 따른 각종 불안 요인을 극복하여 경제 발전의 안정적 토대를 구축하는 것이 더 중요하기 때문에 통일이 되어야 한다.

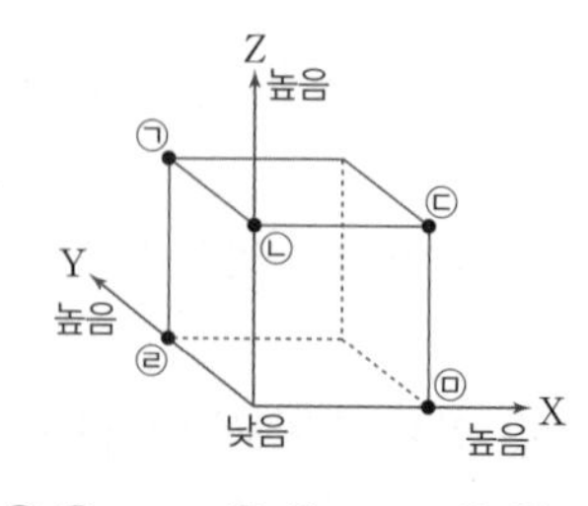

·X : 문화적 통합 측면을 강조하는 정도
·Y : 경제적 실리 측면을 강조하는 정도
·Z : 인도주의적 측면을 강조하는 정도

① ㉠ ② ㉡ ③ ㉢ ④ ㉣ ⑤ ㉤

| 교육청 기출 |

13 (가)의 입장에 비해 (나)의 입장이 갖는 상대적 특징을 그림의 ㉠~㉤ 중에서 고른 것은?

(가) 국제 관계는 본질적으로 지속적인 권력 투쟁의 연속이다. 그 속에서 국가들은 힘의 논리를 바탕으로 자국의 이익을 우선적으로 추구한다.
(나) 국제 관계는 합리적 이성을 바탕으로 한 대화와 협력에 의해 이루어진다. 국가들은 다양한 제도들을 통해 국제 사회의 질서를 유지하고 균형과 조화를 추구한다.

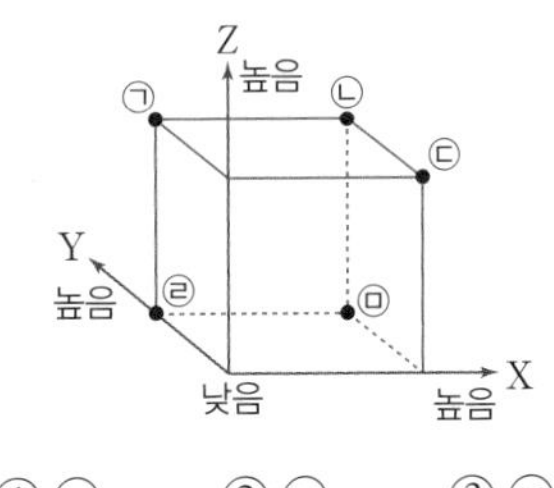

·X : 분쟁 해결을 위해 국제법을 중시하는 정도
·Y : 국제 정치에서 보편적 윤리를 중시하는 정도
·Z : 전쟁 억지를 위해 세력 균형을 강조하는 정도

① ㉠ ② ㉡ ③ ㉢ ④ ㉣ ⑤ ㉤

| 평가원 기출 응용 |

14 다음 서양 사상가의 주장으로 옳은 것은?

세계 평화는 받는 것이 아니라 성취해야 하는 것이다. 평화란 모든 전쟁의 종결을 의미하므로 그 앞에 '영원한'이라는 수식어를 붙이는 것은 용어의 중복일 따름이다. 평화는 도덕적 입법의 최고 자리에 위치한 이성이 명령하는 보편적 의무이다. 국가들은 서로를 하나의 인격체로 대하고, 무력과 기만을 근절해 평화를 예비해야 한다. 공화국으로 전환한 계몽된 자유 국가들이 연방을 결성하고, 호혜적인 질서를 수립함으로써 평화를 확정해야 한다.

① 자유 국가들 간의 연방 단계에서 세계 정부를 수립해야 한다.
② 세계 시민법은 보편적 우호 조건을 규정하는 데 국한되어야 한다.
③ 도덕적 입법의 한계를 세계 정부의 강제력으로 보완해야 한다.
④ 세계 평화의 정착을 위해 개별 국가의 주권은 폐지되어야 한다.
⑤ 세계 평화를 위하여 세계 대전을 통해 단일한 세계 국가를 만들어야 한다.

| 교육청 기출 |

15 (가) 사상가의 입장에서 볼 때, (나)의 ㉠에 들어갈 진술로 가장 적절한 것은?

(가)	국내법의 관점에서 각 국가의 시민적 체제는 공화적이어야 하며, 국제법의 관점에서 자유로운 국가들의 연합으로서의 국제 연맹이 요구된다. 그리고 세계 시민법의 입장에서 모든 나라의 국민들이 어디든지 자유롭게 방문할 수 있도록 해야 한다.
(나)	[㉠] 그러면 국제 평화가 실현될 수 있을 것이다.

① 다른 나라의 내정에 적극적으로 개입하라.
② 모든 국가의 주권을 국제 연맹에 양도하라.
③ 민족 국가의 구성원이 아닌 세계 시민으로 살아가라.
④ 군사력을 바탕으로 하는 세력 균형 정책을 추구하라.
⑤ 각 국가의 주권을 존중하면서 상호 협력을 도모하라.

| 수능 기출 |

16 갑, 을 사상가들의 입장으로 적절한 것만을 〈보기〉에서 있는 대로 고른 것은?

갑: 우리는 이익 평등 고려의 원칙에 따라 절대 빈곤에 처한 사람들을 도와야 한다. 사치품을 구입할 여유가 있는 사람들이 기부하지 않는 것은 막을 수 있는 죽음이 무한정 지속되는 현실에 무관심함을 드러내는 것일 뿐이다.
을: 질서 정연한 사회들의 장기 목표는 고통받는 사회들을 질서정연한 만민 사회로 가입시키는 것이다. 이는 고통받는 사회가 자신의 문제를 합당하게 관리할 수 있게 도와 만민 사회의 구성원이 되도록 하려는 것이다.

| 보기 |

ㄱ. 갑: 자국민에 대한 우선적 원조가 도덕적으로 정당한 경우도 있다.
ㄴ. 갑: 모든 사람은 빈곤 해소를 위한 원조에 동등한 부담을 져야 한다.
ㄷ. 을: 적정 수준의 제도 확립에 막대한 부가 꼭 필요한 것은 아니다.
ㄹ. 갑, 을: 인권이 보장된 민주주의 국가도 원조 대상에 포함된다.

① ㄱ, ㄴ ② ㄱ, ㄷ ③ ㄴ, ㄹ
④ ㄱ, ㄴ, ㄷ ⑤ ㄴ, ㄷ, ㄹ

MEMO

내신

다품

천재교육

내신 다품

정답과 해설

고등 생활과 윤리

내신 다품

내신 다품

고등 생활과 윤리

정답과 해설

I. 현대의 삶과 실천 윤리

01 현대 생활과 실천 윤리

개념 암기 09쪽

1 (1) 미래 세대 (2) 활용 (3) 메타 2 (1) ㄷ (2) ㄴ (3) ㄱ
3 (1) X (2) ○ 4 (1) 윤리적 공백 (2) 기술 윤리학 (3) 메타 윤리학
5 (1) ㉡ (2) ㉠

내신 기출 09~12쪽

01 ④ 02 ③ 03 ③ 04 ③ 05 ④ 06 ③ 07 ② 08 ④
09 ⑤ 10 ④ 11 ③ 12 실천 윤리학 13 ③ 14 (1) 실천 윤리학 (2) 이론 윤리학 15 ④ 16 해설 참조 17 해설 참조

01 제시문은 과학 기술의 발전에 따른 현대 사회의 변화로 인해 새로운 윤리 문제를 해결할 새로운 윤리가 요청됨을 강조하고 있다. 이는 새로운 윤리 문제를 기존의 전통적 윤리만으로 해결할 수 없음을 의미한다.

02 (가)는 생명 윤리 영역과 관련된 윤리적 쟁점이고, (나)는 환경 윤리 영역과 관련된 윤리적 쟁점이다. ㄴ은 뇌사와 심폐사 논쟁의 내용이므로 생명 윤리 영역에 해당되고, ㄷ은 자연에 대한 인간의 도덕적 책임과 관련되므로 환경 윤리 영역에 해당된다.

03 칼럼은 자율 주행 자동차의 기술에만 주목할 것이 아니라 자율 주행 자동차가 유발하는 윤리적 문제에 대한 성찰이 필요함을 강조하고 있다.

04 갑은 음란물 출판의 합법화를 찬성하는 입장, 을은 반대하는 입장이다. 갑은 음란물 출판을 금지하는 것은 표현의 자유를 침해하는 것이라고 보며, 을은 음란물 출판의 합법화는 범죄율을 높이고 국민 정서를 불안하게 하는 등 사회적으로 악영향을 미친다고 본다.

05 갑은 인간 배아 대상 실험에 찬성하고, 을은 반대한다. 갑은 인간과 인간이 되기 전 단계를 구분해야 한다고 본다. 반면 을은 배아는 인간이 될 가능성이 있는 존엄한 존재이므로 배아에 대한 실험은 인간 존중에 위배된다고 본다.

06 가상 편지는 도덕 과학적 관점을 제시하고 있다. 도덕 과학적 관점은 뇌 과학을 통해 인간 도덕성의 근원을 밝히고, 인간의 도덕성을 향상시킬 수 있다고 본다.

07 실천 윤리학은 이론 윤리학이 구체적인 행위 지침을 충분히 제시하지 못한다는 점과 과학 발전으로 등장한 새로운 문제에 대해 윤리적 성찰이 필요하다는 이유로 등장하였다.

08 제시문의 사상가는 요나스이다. 요나스는 과학 기술의 발전에 따른 문제를 해결하기 위해 자연과 미래 세대까지 책임의 대상을 확대하고, 책임질 능력을 가진 인간에게 예견적 책임의 의무가 있음을 강조한다.

왜 틀렸을까? 선택지 뜯어 보기

① 자연과 인간의 상호 간에 책임의 의무가 있다.
인간만이 책임질 수 있는 능력이 있으므로 인간에게만 자연에 대한 일방적 책임의 의무가 있다.

② 기존의 윤리로도 윤리적 공백을 극복할 수 있다.
기존의 전통 윤리로는 과학 기술 발전에 따른 윤리적 공백을 극복할 수 없으므로 새로운 책임 윤리로 윤리적 공백을 극복해야 한다.

③ 책임질 능력이 없어도 책임의 의무는 가져야 한다.
책임질 수 있는 능력은 책임져야 하는 당위로 연결된다. 따라서 책임질 능력이 있는 인간만이 책임의 의무를 갖는다.

⑤ 윤리적 성찰보다 과학 기술의 발전을 우선해야 한다.
과학 기술의 발전만을 앞세워 윤리적 책임을 놓치고 있으므로 과학 기술의 발전보다 윤리적 성찰을 우선해야 한다.

09 제시문의 사상가는 요나스이다. 요나스는 인간만이 책임질 수 있는 능력을 가지고 있으며 이러한 능력은 책임져야 하는 당위로 연결된다고 본다.

10 A 윤리학은 이론 윤리학이다. 이론 윤리학은 도덕적 행위를 정당화하는 근거를 탐구한다. ①, ②는 기술 윤리학, ③은 메타 윤리학, ⑤는 실천 윤리학에 해당된다.

만점 노트 윤리학의 구분

이론 윤리학	실천 윤리학
• 도덕적 행위에 대한 이론적 분석과 정당화 • 도덕 판단의 근거가 되는 도덕 원리 체계화	• 도덕 원리를 적용하여 구체적인 삶의 문제 해결 • 여러 분야의 문제를 해결하기 위해 학제적 성격
메타 윤리학	**기술 윤리학**
• 도덕적 언어의 의미와 논리적 타당성 검토 • 윤리학의 학문적 성립 가능성 검토	• 특정 사회의 관습, 사회 규범 등에 대해 객관적(가치 중립적)으로 기술

11 제시문의 '나'는 기술 윤리학, '어떤 사람들'은 메타 윤리학의 입장이다. 나는 어떤 사람들에게 도덕적 사실을 가치 중립적으로 기술해야 함을 간과한다고 비판할 수 있다.

12 실천 윤리학은 다양한 영역의 윤리 문제를 해결하기 위해 학제적으로 접근하며, 이론 윤리학에서 제공한 도덕 원리를 근거로 현실의 구체적 문제를 해결하고자 한다.

13 A는 메타 윤리학이다. 메타 윤리학은 도덕적 언어의 논리적 타당성과 의미 분석을 핵심으로 삼는다.

14 이론 윤리학은 도덕 원리나 이론적 근거를 제공하고, 실천 윤리학

은 이를 토대로 삶의 구체적 윤리 문제의 해결책을 제시한다.

15 갑은 이론 윤리학, 을은 실천 윤리학의 입장이다. 이론 윤리학과 실천 윤리학은 모두 보편적 도덕 원리나 이론에 관심을 갖는다. 학제적 접근으로 도덕 문제를 해결하는 것은 실천 윤리학에만 해당된다.

서술형 문제

16 모범 답안 (1) (가): 이론 윤리학, (나): 실천 윤리학
(2) 이론 윤리학에서 제시한 도덕 원리와 명확한 도덕 기준을 토대로 실천 윤리학에서는 구체적인 삶의 문제에 대한 해결책을 제시한다.

만점 포인트 이론 윤리학과 실천 윤리학

구분	채점 기준
상	이론 윤리학과 실천 윤리학의 관계를 바르게 서술한 경우
중	이론 윤리학과 실천 윤리학을 서술하였으나, 두 윤리학의 관계를 서술하지 못한 경우
하	이론 윤리학과 실천 윤리학 중 어느 한 가지만 서술한 경우

17 모범 답안 확장된 책임의 범위는 인간이 이미 행위한 것에 대한 책임뿐만 아니라 인간이 지속적으로 행위할 것에 관한 책임을 포함한다.

만점 포인트 요나스의 책임의 범위

구분	채점 기준
상	이미 행위한 것과 지속적으로 행위할 것을 언급하여 책임의 범위를 서술한 경우
중	이미 행위한 것과 지속적으로 행위할 것 중 한 가지만 언급하여 책임의 범위를 서술한 경우
하	이미 행위한 것과 지속적으로 행위할 것과 관계 없는 책임의 범위를 서술한 경우

내신 1등급 13쪽

01 ⑤ **02** ② **03** ③ **04** ③

01 A는 메타 윤리학, B는 기술 윤리학, C는 이론 윤리학이다. ①은 기술 윤리학, ②는 이론 윤리학, ③은 메타 윤리학에 대한 설명이다. ④ 보편적 도덕 원리에 대한 탐구를 중시하는 것은 이론 윤리학이다.

02 '나'는 메타 윤리학, '어떤 사람들'은 이론 윤리학의 입장이다. ㉠에는 메타 윤리학의 입장에서 이론 윤리학에 대해 내릴 수 있는 평가가 들어가야 한다.

왜 틀렸을까? 선택지 뜯어 보기

① 보편적인 도덕 법칙 정립의 중요성을 간과한다
이론 윤리학은 보편적인 도덕 법칙 정립의 중요성을 강조한다.

③ 사회의 도덕적 관습에 대한 객관적 기술을 중시한다
한 사회의 도덕적 관습이나 전통에 대한 객관적 기술을 중시하는 것은 기술 윤리학이다.

④ 도덕 원리에 대한 이론적 정당화의 중요성을 간과한다
이론 윤리학은 도덕 원리에 대한 이론적 정당화의 중요성을 강조한다.

⑤ 윤리학의 학문적 성립 가능성에 대한 탐구를 중시한다
윤리학의 학문적 성립 가능성에 대한 탐구를 중시하는 것은 메타 윤리학이다.

03 (가)는 이론 윤리학, (나)는 실천 윤리학이다. 이론 윤리학과 실천 윤리학은 도덕 원리의 중요성을 인정한다는 점에서 공통적이지만, 이론 윤리학은 학제적 접근을 추구하지 않고, 실천 윤리학은 학제적 접근을 추구한다.

04 그림의 강연자는 요나스이다. 요나스는 인류의 존속 가능성을 파괴하지 않도록 행동해야 한다는 당위적 명령을 제시한다.

왜 틀렸을까? 선택지 뜯어 보기

① 책임의 대상은 현세대의 인간으로 한정해야 하는가?
아니요. 요나스는 책임의 대상을 현세대뿐 아니라 자연과 미래 세대까지로 확대해야 한다고 본다.

② 과학 기술을 통해 모든 윤리 문제를 해결할 수 있는가?
아니요. 요나스는 과학 기술의 발전으로 인해 발생하는 문제를 해결하기 위해서 책임 윤리가 필요하다고 본다.

④ 책임의 의무는 행위의 결과에 대한 책임으로 충분한가?
아니요. 요나스는 결과적 책임만으로는 윤리적 공백을 극복할 수 없으며, 예견할 수 있는 모든 결과에 대해 책임지는 자세를 가져야 한다고 본다.

⑤ 자연에 대한 주인 의식을 가지고 자연을 이용해야 하는가?
아니요. 요나스는 정복 지향적 자연관을 비판하고 자연에 대한 책임 의식을 가져야 한다고 본다.

만점 노트 요나스의 책임 윤리

요나스의 책임 윤리
• 책임질 수 있는 능력을 가진 인간만이 책임의 의무를 가짐 • 정언 명령: 네 행위의 결과가 인간 미래 삶의 가능성을 파괴하지 않도록 행위하라 • 공포의 발견술: 희망보다는 공포를 통해 알려지지 않은 미래의 위험에 대해 숙고해야 함

02 현대 윤리 문제에 대한 접근

개념 암기 15쪽

1 (1) 열반 (2) 정언 명령 (3) 질적 **2** (1) ㄷ (2) ㄴ (3) ㄹ (4) ㄱ
3 (1) X (2) ○ (3) ○ **4** (1) 성인(군자) (2) 연기설 (3) 아퀴나스 (4) 계산 **5** (1) ㉡ (2) ㉠ (3) ㉢

내신 기출 15~19쪽

01 ④ 02 ② 03 ② 04 ① 05 (1) 자비 (2) 보살 06 ⑤
07 ④ 08 ⑤ 09 ① 10 ③ 11 자연법 윤리 12 ② 13 ①
14 ⑤ 15 ① 16 ④ 17 ③ 18 ④ 19 ③ 20 해설 참조
21 해설 참조

01 대화의 스승은 유교 사상가 공자이다. 공자는 인간은 도덕성을 지닌 존재이지만, 지나친 욕구로 잘못된 행동을 할 수 있으므로 도덕성을 유지하기 위한 수양이 필요하다고 본다.

02 (가)는 불교 윤리 사상, (나)는 유교 윤리 사상이다.
ㄴ- 불교에서는 만물이 상호 의존적으로 존재하므로 독립적으로 존재하는 것은 없다.
ㄷ- 유교에서는 인이 확대된 도덕 공동체 속에서의 삶을 지향한다.

03 공자는 인을 실천하기 위한 방법으로 충(忠), 서(恕)를 제시한다. 이 가운데 서는 내 마음을 미루어 타인을 배려한다는 의미를 담고 있다.

왜 틀렸을까? 선택지 뜯어 보기

① 예와 같은 인위적 규범에서 벗어나야 한다.
도교 윤리의 입장이다. 공자는 잘못된 욕구를 극복하고 예를 회복해야 한다고 본다.

③ 모든 존재가 연기에 의해 존재함을 알아야 한다.
불교 윤리의 입장이다.

④ 도의 관점에서 선악·미추를 구별하지 않아야 한다.
도교 윤리의 입장이다. 공자는 도덕적으로 살아가기 위해서는 옳고 그름을 구분해야 한다고 본다.

⑤ 인간의 욕구를 긍정적으로 인식하고 충족시켜야 한다.
공자는 인간의 욕구 충족을 강조하지 않았다. 지나친 욕구 충족보다는 예에 맞게 행동하는 것을 강조하였다.

04 제시된 사상은 불교의 연기설이다. 불교에서는 만물은 상호 의존적으로 존재하므로 고정 불변하는 실체는 존재하지 않는다고 본다.

만점 노트 불교의 연기설

연기설
- 모든 존재와 현상은 다양한 원인과 조건에 의해 생겨나고 멸함
→ 모든 존재와 현상이 상호 의존적으로 연결됨
- 어떤 존재도 다른 존재와 독립적으로 존재하지 않음

05 (1)은 연기를 통해 생겨나는 사랑의 마음인 자비이고, (2)는 위로는 지혜를 구하고 아래로는 자비를 실천하는 대승 불교의 이상적 인간인 보살이다.

06 (가)는 불교의 연기설이다. 연기설에서는 모든 존재의 상호 의존성을 강조하며 만물에 대한 자비를 실천해야 한다고 본다. 따라서 (나)의 갑에게 모든 존재가 상호 의존적으로 연결되어 있음을 강조할 것이다.

07 제시문의 사상가는 장자이다. 장자는 인의(仁義)의 도덕성은 인위적인 것이며, 옳고 그름을 구분하는 기준도 상대적인 것이므로 시비, 미추, 선악을 구분해서는 안 된다고 본다.

08 제시문은 도가 사상가인 장자의 이야기이다. 도교에서는 만물이 도의 관점에서 평등하다고 본다.

왜 틀렸을까? 선택지 뜯어 보기

① 자연은 인간의 삶을 위해 필요한 도구이다.
도교에서는 인간의 지나친 욕심으로 자연을 훼손해서는 안 된다고 본다.

② 도의 관점에서 인간만이 평등한 존재이다.
도교에서는 인간을 포함한 모든 만물이 도의 관점에서 평등하다고 본다.

③ 지나친 욕심을 극복하고 예를 회복해야 한다.
유교의 입장이다.

④ 법과 제도를 준수함으로써 도덕적 삶을 살아야 한다.
도교에서는 법과 제도를 인위적인 것이라 인식하고 부정한다.

09 갑은 공자, 을은 장자이다. 공자는 인이나 예와 같은 도덕성의 실천을 강조하지만, 장자는 이것을 인간의 자연적 본성을 훼손하는 인위적인 것이라며 비판한다.

10 (가)의 사상가는 칸트이다. 칸트는 상황과 조건에 관계없이 무조건 따라야 하는 도덕 법칙을 준수할 것을 강조한다.

왜 틀렸을까? 선택지 뜯어 보기

① 사회 전체의 행복을 가져오는 행위를 하라.
칸트는 결과보다 동기를 중시한다. 사회 전체의 행복보다는 어떤 동기로 도덕적 행위를 했는가가 더 중요하다.

② 행위의 동기보다 바람직한 결과를 중시하라.
결과는 상황에 따라 달라지는 것이므로, 변하지 않는 선의지에 따라 행동하는 것이 더 중요하다.

④ 도덕 법칙을 다른 목적을 위한 수단으로 삼아라.
칸트는 도덕 법칙은 다른 목적을 위한 수단이 될 수 없으며, 그 자체로 존중받아야 한다고 주장한다.

⑤ 좋은 결과를 가져오는 행위의 도덕적 가치를 인정하라.
칸트에게 좋은 결과를 가져오는 행위는 도덕적 가치가 없으며 오직 도덕 법칙을 따르려는 선한 의지에 따른 행위만이 도덕적 가치가 있다.

11 자연법 윤리의 대표적 사상가인 아퀴나스는 자연법의 제1의 원리로 '선을 추구하고 악을 피하라.'를 제시하고 이러한 원리에 따라 행위할 것을 주장한다.

12 (가)의 사상가는 칸트이다. 칸트는 개인이 세운 준칙이 보편적인 도덕 법칙이 될 수 있도록 행위하라는 정언 명령을 제시한다. 따라서 칸트는 〈문제 상황〉의 악성 댓글이 보편적 법칙이 될 수 없으므로 부당하다고 볼 것이다.

13 제시문의 사상가는 벤담이다. 벤담은 쾌락을 산출하고 고통을 줄이는 행위가 바람직한 행위이며, 모든 쾌락에는 질적 차이가 없으

므로 양적인 계산이 가능하다고 보았다.

ㄷ- 쾌락의 양적 차이뿐만 아니라 질적 차이까지 고려하는 것은 밀의 입장이다.

ㄹ- 벤담은 행위의 동기보다 결과를 더 중시한다.

14 갑은 벤담, 을은 규칙 공리주의 사상가이다. 갑과 을은 모두 공리주의자이므로 인간을 쾌락을 추구하고 고통을 피하는 존재라 인식하며, 도덕성을 평가할 때 동기보다 결과를 중시한다.

만점 노트 행위 공리주의와 규칙 공리주의

행위 공리주의	규칙 공리주의
개별 행위의 유용성을 평가	규칙의 유용성을 평가
개별 행위를 매번 계산하기 어려움, 최대 행복을 가져오는 행위가 상식적 도덕에 어긋날 수 있음	규칙이 서로 상충할 때 대안을 제시하기 어려움

15 갑은 벤담, 을은 밀이다. ㉠에는 벤담의 입장에서 밀에게 제기할 수 있는 비판이 들어가야 한다. 따라서 쾌락에는 질적 차이가 없다는 내용이 들어가는 것이 적절하다.

16 그림의 강연자는 매킨타이어이다. 매킨타이어는 기존의 윤리가 해야 할 행위에만 치우쳐, 행위자의 성품이나 인격에 소홀히 한 것을 비판하며 행위 중심의 윤리에서 행위자 중심의 윤리로의 변화를 추구한다.

17 제시문은 최근 등장한 도덕 과학적 접근이다. 도덕 과학적 접근은 뇌의 자극이나 약물을 통해 도덕성을 향상시킬 수도 있다고 본다. ①은 배려 윤리, ②는 공리주의, ④는 칸트의 의무론, ⑤는 덕 윤리에 해당된다.

18 (가)는 배려 윤리 사상이다. 배려 윤리에서는 타인이 처해 있는 구체적인 상황과 맥락을 고려하여 배려를 실천할 것을 강조한다.

19 갑은 칸트, 을은 벤담이다. 칸트는 결과와 무관하게 도덕적으로 옳은 행위가 존재한다고 보며, 벤담은 행위의 도덕성은 결과를 기준으로 평가해야 한다고 본다.

왜 틀렸을까? 선택지 뜯어 보기

ㄱ. 인간이 가진 도덕성은 과학을 통해 증명 가능한가?

도덕 과학적 접근에서 긍정할 질문이며 칸트와 벤담은 모두 부정의 대답을 할 질문이다.

ㄴ. 행위의 도덕성은 결과를 기준으로 평가해야 하는가?

칸트는 행위의 동기를 중시하므로 부정의 대답을, 벤담은 최대 다수의 최대 행복이라는 결과를 중시하므로 긍정의 대답을 할 질문이다.

ㄷ. 결과와 무관하게 도덕적으로 옳은 행위가 존재하는가?

칸트는 결과와 무관하게 무조건적으로 옳은 보편적 도덕 법칙이 존재한다고 보기 때문에 긍정의 대답을, 벤담은 결과를 기준으로 유용성 정도를 평가하므로 부정의 대답을 할 질문이다.

ㄹ. 행위의 기준인 보편적인 도덕 원리는 존재하지 않는가?

칸트는 보편적 도덕 법칙을 정언 명령의 형태로 제시하므로 부정의 대답을, 벤담 역시 유용성의 원리를 기준으로 행위의 옳고 그름을 평가하므로 부정의 대답을 할 질문이다.

서술형 문제

20 **모범 답안** (1) 심재, 좌망

(2) 만물과 나 사이의 구별 없이 만물을 모두 평등하게 바라보는 제물의 경지이다.

만점 포인트 도교에서 추구하는 이상적 경지

구분	채점 기준
상	'제물'이라는 용어를 언급하여 도교의 이상적 경지를 서술한 경우
중	'제물'이라는 용어를 언급하지 않고 도교의 이상적 경지를 서술한 경우
하	도교의 이상적 경지를 서술하지 못한 경우

만점 노트 도교 윤리 사상의 특징

도교 윤리 사상

- 도(道): 우주 만물의 근원, 모든 만물에 내재된 법칙
  → 만물이 모두 도의 관점에서 평등함
- 상대적 세계관: 도의 관점에서 만물이 평등하므로 인간의 관점에서 선악, 미추, 시비 등을 구별할 수 없음
- 무위자연: 인위적인 것(인간이 만든 도덕, 제도, 법 등)에서 벗어나 자연과 조화를 이루는 삶

21 **모범 답안** 도덕성을 평가하는 기준은 행위의 결과가 아니라 동기이다.

만점 포인트 벤담과 칸트의 사상

구분	채점 기준
상	갑은 벤담, 을은 칸트임을 알고 행위의 결과와 동기를 언급하여 서술한 경우
중	갑은 벤담, 을은 칸트임을 알았지만, 행위의 결과와 동기를 언급하지 못하고 서술한 경우
하	갑은 벤담, 을은 칸트임을 모르고, 행위의 결과와 동기를 언급하지 못하고 서술한 경우

내신 1등급 20~21쪽

01 ① 02 ② 03 ③ 04 ① 05 ④ 06 ⑤ 07 ⑤ 08 ⑤

01 갑은 칸트, 을은 매킨타이어이다. 칸트는 매킨타이어에게 보편적 윤리를 통해 도덕적 행위의 근거를 마련해야 한다고 비판할 수 있다.

왜 틀렸을까? 선택지 뜯어 보기

② 자연법을 준수함으로써 자연의 질서에 따라 행위해야 한다.

자연법 윤리의 입장이다.

③ 사회 전체에 최대의 유용성을 가져오는 행위를 해야 한다.

공리주의의 입장이다.

④ 도덕 법칙은 공동체의 역사와 전통에 따라 달라질 수 있다.

매킨타이어가 칸트에게 할 수 있는 비판이다. 덕 윤리에서는 추구해야 할 덕이 공동체의 역사와 전통에 따라 다를 수 있다고 본다.

⑤ 도덕적 행위는 상황의 구체적 맥락을 고려해 이루어져야 한다.

매킨타이어가 칸트에게 할 수 있는 비판이다. 덕 윤리에서는 도덕 법칙의 무조건적 준수를 비판하고 상황의 구체적 맥락에 따른 도덕적 행위를 해야 한다고 본다.

02 제시문에 나타난 관점은 불교 윤리이다. 불교에서는 이 세상의 모든 것은 고정된 것이 아니며 지속적으로 변화하기 때문에 불변하는 실체는 존재하지 않는다고 본다.

03 갑은 벤담, 을은 칸트이다. 벤담은 인간은 모두 쾌락을 추구하고 고통을 피하며, 인간 행위의 목적은 쾌락(행복)을 산출하는 것이라고 본다.

자료 심층 분석

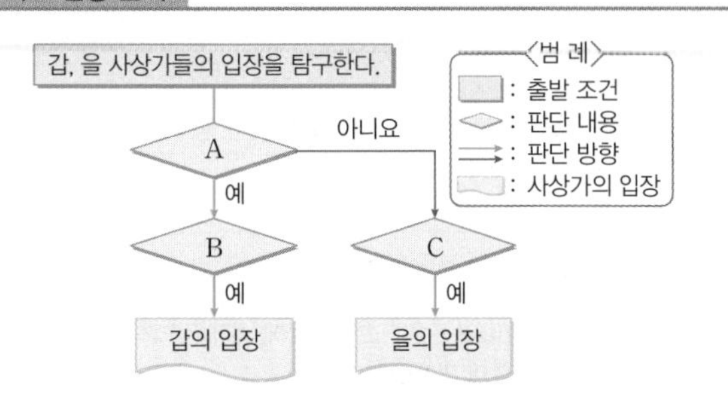

① A: 행위의 의도를 기준으로 도덕성을 평가해야 하는가? N, Y
② B: 인간의 욕구와 쾌락을 억제해야 도덕성이 유지되는가? N
(벤담은 인간이 쾌락을 추구하고 고통을 피하는 존재라고 본다.)
③ B: 모든 행위의 목적은 쾌락 또는 행복을 산출하는 것인가? Y
④ C: 개인이 세운 모든 준칙은 보편적 도덕 원칙이 되는가? N
(칸트는 개인이 세운 준칙이 보편적 도덕 원칙이 될 수 있도록 행위하라고 한 것이지 모든 준칙이 보편적 도덕 원칙이 될 수 있다고 한 것은 아니다.)
⑤ C: 도덕 법칙은 시대와 상황에 따라 달라질 수 있는가? N
(칸트에게 도덕 법칙은 절대적이고 보편적인 것이다.)

04 (가)는 유교 사상, (나)는 도교 사상이다. 유교 사상에 비해 도교 사상은 예를 인위적인 것으로 보아 부정하고, 인위적인 가치관을 거부하는 경향이 높으며, 인간과 만물이 도의 관점에서 평등함을 강조하는 경향이 높다. 따라서 X는 낮고, Y는 높으며, Z도 높다.

05 대담의 사상가는 길리건이다. 길리건은 구체적 상황과 맥락을 고려하는 바람직한 배려를 실천해야 한다고 주장한다.

06 (가)는 도교 사상, (나)는 불교 사상이다. (가), (나)는 모두 만물을 차별하지 않고 존중해야 한다고 본다.

07 (가)의 갑은 도덕 과학적 접근을 추구하는 사상가, 을은 나딩스, 병은 매킨타이어이다.

자료 심층 분석

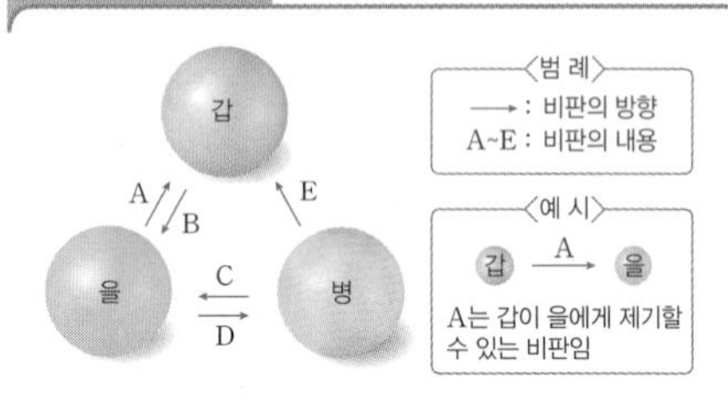

① A: 뇌를 자극함으로써 배려의 감정을 향상시킬 수 있다.
→ 갑이 을에게 할 수 있는 비판
② B: 도덕성은 감정에서 비롯되므로 객관적 측정이 불가능하다.
→ 을이 갑에게 할 수 있는 비판
③ C: 타인과의 관계와 공동체를 고려하여 행위해야 한다.
→ 을, 병 모두의 특징이므로 서로 비판할 수 없음
④ D: 도덕 법칙은 구체적 상황을 고려하지 못하므로 부적절하다.
→ 을, 병 모두의 특징이므로 서로 비판할 수 없음

08 제시문에 나타난 관점은 유교이다. 유교에서는 국가를 인의 도덕성이 확장된 도덕 공동체라 인식하고 공동체 구성원으로서의 삶을 강조하므로 사회에서 벗어나 개인적 수양에 집중하는 것은 유교에서 주장하는 삶의 태도로 적절하지 못하다.

03 윤리 문제에 대한 탐구와 성찰

개념 암기 23쪽

1 (1) 사실 판단 (2) 도덕 원리 (3) 도덕적 토론 **2** (1) ㄱ (2) ㄷ (3) ㄴ **3** (1) ○ (2) X **4** (1) 거경 (2) 일일삼성 (3) 소크라테스 (4) 중용 **5** (1) ㉢ (2) ㉠ (3) ㉡

내신 기출 23~26쪽

01 ③ **02** ④ **03** 사실 판단 **04** ④ **05** ② **06** ⑤ **07** ③ **08** ⑤ **09** ② **10** ① **11** (1) 신독 (2) 일일삼성 **12** ③ **13** ④ **14** ② **15** ① **16** 해설 참조 **17** 해설 참조

01 도덕적 탐구는 다양한 윤리 문제를 해결하고 타인을 배려하는 역지사지의 정신을 함양하는 데 도움을 주기 때문에 필요하다.

02 도덕적 탐구 과정의 특징은 다음과 같다.

과정	특징
윤리적 쟁점 확인	윤리 문제가 발생하게 된 이유 확인
자료 수집 및 분석	관련된 자료를 풍부하게 수집하여 검토
입장 채택	윤리적 쟁점에 대한 자신의 주장 선택
정당화 근거 제시	도덕 원리와 사실 판단을 들어 자신의 주장 지지
최선의 대안 도출	타인의 의견을 구하거나 토론의 과정 거침

03 ㉠에 들어갈 적절한 말은 사실 판단이다. 사실 판단은 도덕 원리와 도덕 판단을 통해 도출할 수 있다. 사실 판단은 '태아를 죽이는 임신 중절은 무고한 인간을 죽이는 것이다.'이다.

04 비판적 사고는 도덕 판단에서 사용되는 사실 판단과 도덕 원리를 검토하는 과정이다.
ㄱ- (가)는 사실의 영역에 속하므로 진위 판단이 확실하다.
ㄷ- 사실 판단에 대한 설명이므로 (가)에 해당한다.

05 도덕 원리는 '사회적 유용성을 낳는 행위는 바람직하다.'이고, 도덕 판단은 '뇌사 판정은 바람직하다.'이다. 따라서 대전제와 결론을 통해 유추할 수 있는 소전제의 내용은 '뇌사 판정은 사회적 유용성을 가져온다.'이다.

06 역할 교환 검사는 도덕 판단에 사용된 도덕 원리를 자기 자신에게 적용할 수 있는지 검토해 보는 것이다. ②는 포섭 검사, ③은 보편화 결과 검사, ④는 반증 사례 검사에 해당된다.

07 제시문은 어떤 학자들이 객관적인 사실의 영역에서 가치의 영역인 도덕 판단을 도출하는 논리적 오류를 범하고 있다고 주장한다.

08 제시문의 갑은 자신의 이익을 위해 더 받은 돈을 돌려주지 않았다. 이에 대해 을은 '모든 사람이 더 받은 돈을 돌려주지 않는다면 어떻게 될까?'라는 명제를 통해 갑의 행위를 보편화했을 때 문제점이 없는지 검토할 수 있다.

만점 노트 도덕 원리 검사

도덕 원리 검사

- 포섭 검사: 도덕 원리를 보다 상위의 도덕 원리에 따라 판단
- 역할 교환 검사: 도덕 원리를 자신에게 적용할 수 있는지 판단
- 반증 사례 검사: 도덕 원리에 반대되는 사례가 없는지 판단
- 보편화 결과 검사: 도덕 원리를 보편적으로 모든 사람에게 적용할 수 있는지 판단

09 제시문은 한국 사상가 이이의 주장이다. 이이는 잘못된 습관은 쉽게 고쳐지지 않으므로 윤리적 성찰과 반성을 통해 학문으로 나아갈 수 있다고 주장하였다.

10 제시된 사상가는 소크라테스이다. 소크라테스는 재물과 명예보다는 정신의 훌륭함에 힘써야 하며, 이를 위해서는 반성하는 삶의 자세가 요구된다고 주장하였다.

11 유교에서는 윤리적 성찰을 하기 위한 자세로 홀로 있을 때도 몸가짐과 마음가짐을 신중히 해야 한다는 신독, 매일 자신에게 세 가지의 물음을 던져 삶을 성찰해야 한다는 일일삼성을 강조한다.

12 제시문의 사상가는 포퍼이다. 포퍼는 누구나 참여할 수 있는 토론을 통해 합리적인 시각으로 윤리 문제를 객관적으로 바라보게 되고, 자신의 의견을 검증할 수 있다고 본다.

13 윤리적 성찰은 개인의 도덕적 정체성 형성을 돕고, 도덕적 탐구는 윤리 문제에 대한 이해 및 분석에 관심을 둔다. ④ 현상의 원인과 결과를 관찰과 실험을 통해 설명하는 것은 경험적 탐구이다.

14 토론의 과정 가운데 '재반론하기'는 이전 단계의 '반론하기'에서 상대방으로부터 받은 반론이 적절하지 않음을 밝히는 과정이다. 이 과정에서 상대방의 반론을 지지하거나 상대의 의견과 무관하게 자신의 주장을 관철시키는 것은 적절하지 않다.

15 제시문의 사상가는 아리스토텔레스이다. 아리스토텔레스는 인간에게 있어 품성적 덕은 타고나는 것이 아니라 지속적 실천을 통해서 형성되는 것이라고 본다.

서술형 문제

16 **모범 답안** (1) 만약 누군가가 당신에게 악성 댓글을 쓴다면 당신은 상대방의 표현의 자유를 존중할 수 있습니까?
(2) 만약 모든 사람이 표현의 자유라는 이유를 들어 악성 댓글을 쓴다면 어떻게 되겠습니까?

만점 포인트 역할 교환 검사와 보편화 결과 검사

구분	채점 기준
상	(1), (2)의 비판을 모두 바르게 서술한 경우
중	(1), (2) 중 한 가지 비판만 바르게 서술한 경우
하	(1), (2) 비판을 바르게 서술하지 못한 경우

17 **모범 답안** 갑, 을은 모두 윤리적으로 성찰하는 삶의 중요성을 강조한다.

만점 포인트 증자와 소크라테스의 윤리적 성찰

구분	채점 기준
상	갑, 을이 모두 윤리적으로 성찰하는 삶의 중요성을 강조했다는 점을 서술한 경우
하	윤리적으로 성찰하는 삶의 중요성과 관계 없는 내용을 서술한 경우

내신 1등급 27쪽

01 ⑤ **02** ③ **03** ⑤ **04** ⑤

01 (가)는 환경 개발은 인간의 삶을 풍요롭게 하기 때문에 정당한 행위라고 보는 입장이다. ㉠에 들어갈 내용은 '환경 개발은 인간에게 이익이 된다.'이다. 따라서 이에 대한 반론의 근거로 환경 개발이 오히려 인간에게 손해를 준다는 내용이 들어가야 한다.

02 ㉠은 도덕적 탐구이다. 도덕적 탐구에서는 도덕 원리의 옳고 그름을 판단하는 당위적 차원의 탐구도 중시한다.

03 토론의 핵심 쟁점을 찾는 문제에서는 갑, 을이 서로 다른 주장을 펼치고 있는 질문을 찾아야 한다.

왜 틀렸을까? 선택지 뜯어 보기

① 토론을 통해 유의미한 결과를 도출해야 하는가?
갑, 을은 모두 토론을 통해 유의미한 결과를 도출해야 한다고 본다.

② 토론은 개인의 주관적 판단을 확고하게 해 주는가?
갑, 을 모두 토론이 개인의 주관적 판단에 보편성을 부여해 준다고 본다.

③ 다양한 의견을 수용하는 토론이 이루어져야 하는가?
갑, 을 모두 다양한 의견을 수용하는 토론이 이루어져야 한다고 본다.

④ 토론은 바람직한 해결 방안을 찾는 데 도움이 되는가?
갑, 을 모두 토론을 통해 바람직한 해결 방안을 찾을 수 있다고 본다.

04 가상 편지의 필자는 유교에서 강조하는 경(敬)의 자세인 신독을 통해 악성 댓글에 대한 윤리적 성찰을 해야 하며 잘못된 행동을 개선할 것을 주장한다.

단원 마무리 28~31쪽

01 ③ **02** ② **03** ③ **04** ⑤ **05** ② **06** ① **07** ④ **08** ①
09 ⑤ **10** ② **11** ③ **12** ① **13** ① **14** ③ **15** ② **16** ②

01 제시문의 '나'는 실천 윤리학의 입장, '어떤 사람들'은 기술 윤리학의 입장이다. 실천 윤리학의 입장에서는 기술 윤리학의 입장을 가진 사람에게 도덕 문제를 위한 구체적 지침의 필요성을 간과한다고 비판할 수 있다.

02 갑은 실천 윤리학, 을은 기술 윤리학의 입장이다. ① 기술 윤리학에 해당된다. ③, ④ 이론 윤리학에 해당된다. ⑤ 메타 윤리학에 해당된다.

03 (가)는 이론 윤리학, (나)는 실천 윤리학이다. ① 기술 윤리학에 해당된다. ②, ⑤ 메타 윤리학에 해당된다. ④ 실천 윤리학의 입장에서 윤리 문제의 해결은 가치를 분별하는 도덕 원리나 도덕 판단과 무관하지 않다.

04 제시문은 불교 사상이다. 불교에서는 연기설을 바탕으로 만물이 원인과 조건이 상호 의존성 속에서 생멸하므로 나에 대한 집착에서 벗어나 자비를 실천할 것을 주장한다.

05 그림의 고대 동양 사상가는 공자이다. 공자는 사회 혼란의 원인은 인간의 도덕성 타락이라 인식하고 이를 해결하기 위해 사욕을 극복하고 예를 회복할 것을 주장한다.

왜 틀렸을까? **선택지 뜯어 보기**

① 인위적 규범에서 벗어나 소박한 삶을 추구해야 합니다.
도교에서 추구하는 삶의 자세이다.

③ 연기를 깨닫고 차별이 없는 사랑을 실천해야 합니다.
불교에서 추구하는 삶의 자세로, 자비를 의미한다.

④ 자연의 질서를 따르는 무위의 삶을 추구해야 합니다.
도교에서 추구하는 삶의 자세이다.

⑤ 시비를 구별하지 않는 자유로운 삶을 추구해야 합니다.
도교에서 추구하는 삶의 자세이다.

06 제시문의 사상가는 노자이다. 노자는 서로 다른 만물도 모두 도에서 비롯된 것이며, 도에 따라 만물이 극에 달하면 원래의 모습으로 돌아간다고 주장한다.

왜 틀렸을까? **선택지 뜯어 보기**

② 타고난 덕성을 함양하기 위해 예를 회복해야 한다고 본다.
유교의 입장에 해당된다. 노자는 예를 자연적 본성을 훼손하는 인위적인 것이라 본다.

③ 인간이 마땅히 지켜야 할 규범이 자연에 내재한다고 본다.
노자는 인간의 규범을 인위적인 것이라 보고, 무위자연의 삶을 강조한다.

④ 성인의 가르침을 배워 분별적인 지혜를 쌓아야 한다고 본다.
노자는 만물에는 우열이 없으므로 선악, 미추, 시비를 구별해서는 안 된다고 본다.

⑤ 일체의 모든 행위를 하지 않아야 무위에 이를 수 있다고 본다.
노자가 주장한 무위는 일체의 모든 행위를 하지 않는 것을 의미하지 않는다. 노자는 인위의 행위를 거부하고 자연의 본성에 따라 행위해야 한다고 본다.

07 갑은 장자, 을은 석가모니이다. 장자는 만물의 타고난 모습을 있는 그대로 긍정하며 자연과 하나가 되는 삶을 살아야 한다고 보고, 석가모니는 항상 변화하는 현상 세계에 집착해서는 안 된다고 본다. 장자와 석가모니는 세계를 주재하는 절대적 존재의 필요성을 인정하지 않았다.

08 제시문의 사상가는 요나스이다. 요나스는 현대 과학 기술의 발전이 인류의 존속을 위협하지 않도록 과학 기술의 긍정적인 면보다 부정적인 면에 주목하여 자연과 미래 세대까지 책임지는 확장된 책임의 개념을 제시한다.

09 제시문의 사상가는 칸트이다. 칸트는 '의무에 맞는 행위'와 '의무에서 비롯된 행위'를 구분한다. 의무에 맞는 행위는 자연적 경향성에 따랐으나 결과적으로 의무에 맞게 된 행위이기 때문에 도덕적 가치가 없지만, 의무에서 비롯된 행위는 오직 의무를 지키려는 선의지에서 비롯된 행위이므로 도덕적 가치를 지닌다.

왜 틀렸을까? **선택지 뜯어 보기**

① 공동체의 전통과 덕목에 부합하도록 행위해야 합니다.
덕 윤리의 관점에서 할 수 있는 조언이다.

② 자연적 경향성에서 비롯된 준칙에 따라 행위해야 합니다.
칸트는 자연적 경향성에서 비롯된 준칙은 보편적 도덕 법칙이 될 수 없다고 본다.

③ 선한 목적을 위해 조건적인 명령에 따라 행위해야 합니다.
칸트는 목적을 위해 이루어지는 조건적인 명령을 가언 명령이라 보고, 무조건적인 명령인 정언 명령을 따라야 한다고 본다.

④ 사회적으로 칭찬과 인정을 받을 수 있도록 행위해야 합니다.
칸트는 도덕적 행위의 결과와 상관없이 의무 의식에 따라 행위해야 한다고 본다.

10 제시문의 사상가는 벤담이다. 벤담은 공익은 사익의 총합이며, 이해 당사자들의 쾌락을 극대화하는 행동이 도덕적으로 정당하다고 본다.

자료 심층 분석

> 공동체의 행복은 공동체 구성원들의 행복의 총합이다. 어떤 행동이 공동체의 행복을 증가시키는 경향이 감소시키는 경향 보다 더 클 경우, 그 행동은 공리의 원리에 일치한다고 말할 수 있다. 우리는 마땅히 이 원리에 일치하는 행동을 해야 한다.
>
> 〈사례〉
>
> 고등학생 A는 자전거를 사기 위해 용돈을 모으고 있다. 그러다가 TV에서 '난민 돕기 운동' 광고를 보고 모은 용돈을 기부해야 할지 고민하고 있다.

① 정언 명령에 따라 어려운 처지의 사람을 도우세요.
– 칸트의 입장

② 이해 당사자들의 쾌락을 최대화하도록 행동하세요.

③ 실천적 지혜를 발휘해 유덕한 사람이 되도록 행동하세요.
– 덕 윤리의 입장

④ 기부의 결과를 따지기보다 배려심을 발휘하여 행동하세요.
– 배려 윤리의 입장

⑤ 공익은 사익의 총합보다 크다는 것을 고려하여 선택하세요.
– 공리주의에서는 공익은 사익의 총합으로 본다.

11 제시문은 도덕 과학적 접근의 입장이다. 도덕 과학적 접근에서는 윤리적 행위를 유발하는 요인을 과학적으로 측정하고 변화시킬 수 있다고 주장한다. 대표적으로 신경 윤리학과 진화 윤리학이 있다.

12 갑은 나딩스, 을은 벤담이다. 나딩스는 윤리적 행위의 근거를 배려라고 보고, 벤담은 윤리적 행위의 기준을 쾌락과 고통이라고 본다. 따라서 나딩스는 벤담에게 최대 다수의 행복을 추구하는 것보다 구체적인 인간관계의 맥락을 고려하는 것이 더 중요하다고 비판할 수 있다.

13 제시문의 사상가는 나딩스이다. 나딩스는 기존의 정의 윤리에서 소홀했던 배려, 보살핌, 공감 등도 도덕성에서 중요한 요소임을 강조하며 사람들 간의 상호 의존성과 유대감을 중시하는 배려 윤리를 강조한다.

왜 틀렸을까? 선택지 뜯어 보기

② 배려보다는 논리적 추론을 통해 도덕 문제를 해결해야 한다.
나딩스는 논리적 추론보다 배려를 통해 도덕 문제를 해결해야 한다고 본다.

③ 자연적 배려는 이성에 의해 동기가 부여됨으로써 실천된다.
나딩스는 자연적 배려를 자연적 감정을 통해 실천할 수 있다고 본다.

④ 자연적 배려는 모성애와 같은 윤리적 배려에 근거한다.
나딩스는 윤리적 배려가 모성애와 같은 자연적 배려에 근거하고 있다고 본다.

⑤ 정의 윤리와 배려 윤리는 서로 배타적이어서 양립할 수 없다.
나딩스는 정의 윤리와 배려 윤리가 상호 보완적인 관계라고 본다.

14 '재반론하기' 단계에서는 '주장하기'에서 자신이 제시했던 주장에 대해 더 확고한 근거를 들어 주장의 정당성을 밝혀야 한다.

- 주장하기: 인공 지능은 우리 사회 발전에 도움이 된다.
- 반론하기: 인공 지능이 인간의 일자리를 차지하여 사회 발전을 어렵게 한다.
- 재반론하기: 인공 지능이 사회 발전에 도움이 되는 사례 제시 → 인공 지능으로 인해 새로운 일자리가 창출된다.
- 정리하기: 인공 지능에 대한 비판적 검토를 통해 바람직한 방향을 찾아야 한다.

15 가상 편지의 필자는 유교에서 인(仁)의 실천 방법으로 제시한 서(恕)를 통해 자신의 마음을 미루어 타인을 배려하는 자세를 갖출 것을 강조한다. 따라서 가상 편지에서는 자신에 대한 성찰을 바탕으로 타인을 존중할 것을 강조한다고 볼 수 있다.

16 제시문의 사상가는 소크라테스이다. 소크라테스는 물질이나 명예와 같은 물질적 가치는 중시하면서 정신적인 훌륭함과 같은 정신적 가치를 소홀히 하는 사람들에게 윤리적으로 성찰하는 삶의 태도를 갖출 것을 강조한다. 소크라테스는 다른 사람과의 대화는 진리 탐구의 방법이 될 수 있으며, 자기 삶에 대한 반성을 통해서 진정 가치 있는 삶을 살 수 있다고 본다.

II. 생명과 윤리

01 삶과 죽음의 윤리 ~ 02 생명 윤리

개념 암기 34쪽

1 (1) 선택 옹호주의 (2) 수단 (3) 심폐사 2 (1) ㄱ (2) ㄹ (3) ㄴ (4) ㄷ
3 (1) ㄴ, ㄷ (2) ㄱ, ㄹ 4 (1) 모를 권리 (2) 우생학 (3) 삶의 주체
(4) 쾌고 감수 능력

내신 기출 34~38쪽

01 ⑤ 02 ③ 03 ② 04 인공 임신 중절 05 ① 06 ② 07 ②
08 ④ 09 ⑤ 10 ② 11 ③ 12 ③ 13 ⑤ 14 ④ 15 ⑤
16 ① 17 ⑤ 18 ⑤ 19 ⑤ 20 ⑤ 21 해설 참조 22 해설 참조

01 갑은 인공 임신 중절에 대해 반대, 을은 찬성하는 입장이다. 갑은 태아를 인간과 동일한 하나의 인간이라 보고 태아의 생명을 존중해야 함을 근거로 인공 임신 중절에 반대한다. 반면 을은 태아는 인간이 아니며, 태아의 생명권보다는 여성의 자율적 선택권을 우선하며 인공 임신 중절에 찬성한다.

02 갑은 태아를 인간과 동일한 존재로 보는 입장이고, 을은 태아를 인간 몸의 일부인 세포 조직으로 보는 입장이다. 따라서 갑은 을에게 태아는 인간이므로 발생 단계에 따라 다르게 판단해서는 안 된다고 비판할 수 있다.

만점 노트 인공 임신 중절 찬반 명제

찬성	반대
• 태아는 성인과 달리 제한적 지위만을 갖는다. • 태아의 생명권보다 여성의 선택권이 우선한다. • 태아가 가진 조건은 인간에 포함시키기에 불충분하다. • 태아는 출생 이후에야 비로소 인간의 특성을 갖게 된다.	• 무고한 인간인 태아를 해쳐서는 안 된다. • 태아는 완전한 인격체로서 지위를 갖는다. • 임신의 지속 여부는 선택의 영역이 될 수 없다. • 발달 정도에 따라 인간의 지위는 달라지지 않는다.

03 을은 태아가 여성 신체의 일부일 뿐이며 아직 인간이 아니므로 인공 임신 중절에 찬성하고 있다. 따라서 을은 여성에게 태아에 대한 소유권이 있다고 보는 입장이다. ①, ③, ④, ⑤는 모두 인공 임신 중절에 반대하는 입장이다.

04 태아를 인공적으로 분리, 임신 종결 등을 통해 인공 임신 중절임을 알 수 있다.

05 제시문은 생식 보조술이 출산율을 높이고 사회적으로 긍정적인 영향을 미친다는 이유로 찬성한다. 이에 대한 반박은 생식 보조술을 반대하는 입장이므로 〈보기〉에서 생식 보조술에 반대하는 근거를 고르면 된다.

06 (가)는 유교, (나)는 도교의 죽음관이다. 유교에서는 죽음보다는 현실의 삶을 중시하며, 도덕성을 위해서는 죽을 수도 있음을 강조한다. 도교에서는 죽음을 기가 모이고 흩어지는 현상으로 인식하며 삶과 죽음을 구별하거나 차별해서는 안 된다고 주장한다.

왜 틀렸을까? 선택지 뜯어 보기

① (가)는 현실의 도덕적 삶보다 죽음 이후 세계를 중시한다.
유교에서는 죽음 이후의 세계보다는 현실의 도덕적 삶을 더 중시한다.

③ (나)는 삶과 죽음을 구별하며 삶의 가치를 중시한다.
도교에서는 삶은 기가 모이고, 죽음은 기가 흩어지는 현상일 뿐이므로 삶과 죽음을 구별하거나 차별해서는 안 된다고 본다.

④ (나)는 죽음을 인간이 피해야 할 가장 큰 고통이라 본다.
도교에서는 죽음은 사계절의 변화와 같이 자연스러운 현상으로 받아들여야 한다고 본다.

⑤ (가), (나)는 죽음이 또 다른 세계로 윤회하는 계기라 본다.
죽음을 또 다른 세계로 윤회하는 계기로 보는 것은 불교의 입장이다.

07 제시문의 서양 사상가는 에피쿠로스이다. 에피쿠로스는 인간이 세계의 다른 존재처럼 원자로 구성되어 있으며, 죽음은 인간을 이루던 원자가 분리되는 현상이라고 본다. 또한 죽음을 경험할 수 없으므로 두려워할 필요가 없다고 주장하면서 죽음에 대한 공포에서 벗어나 삶에 충실해야 한다고 본다.

08 가상 설문 조사에 응답한 사상가는 하이데거이다. 하이데거는 죽음에 대한 자각은 현존재의 가장 고유한 과제이며, 죽음을 통해 현실의 삶을 성찰하고 자아를 발견할 수 있다고 본다.

09 갑은 칸트이다. 칸트는 자신과 타인의 인격을 수단이 아닌 목적으로 대우하라고 주장하므로 고통스런 상황 때문에 자살을 고민하는 A에게 자신의 고유한 인격적 가치를 존중하는 선택을 하라고 조언할 것이다.

10 갑은 안락사를 찬성하는 입장, 을은 반대하는 입장이다. 갑은 환자의 고통 해소를 이유로 안락사를 찬성하고, 을은 생명이 존엄하다는 이유로 안락사를 반대한다. 따라서 갑은 을에게 인간에게 자신의 죽음을 선택할 권리가 있다고 비판할 수 있다.

만점 노트 안락사에 관한 찬반 명제

반대 근거	찬성 근거
• 인간 생명을 목적이 아닌 수단으로 볼 수 있음 • 다른 목적으로 오·남용될 수 있음 • 생명 경시 풍조를 심화할 수 있음	• 인간에게는 인간답게 죽을 권리가 있음 • 환자와 가족의 고통을 줄일 수 있음 • 의료 자원을 효율적으로 배분할 수 있음

11 갑은 죽음의 기준으로 뇌사를 지지하는 입장, 을은 심폐사를 지지하는 입장이다. 갑은 인간의 고유한 기능을 유지하도록 하는 핵심 기관이 뇌이며, 뇌사를 인정하면 장기 이식으로 의료 자원이 효율적으로 분배될 수 있다고 본다. 을은 인간의 존엄성을 존중하는 것은 심폐사이며 뇌가 정지되어도 심장은 기능을 하므로 뇌사를 허용해서는 안 된다고 본다. 갑, 을은 모두 죽음의 기준을 세우는 것이 중요하다고 본다.

12 갑은 배아와 인간의 지위가 다르지 않다고 보고 배아 복제에 반대하는 입장이고, 을은 배아는 인간이 아닌 단순한 세포 덩어리이므로 인간의 질병 치료를 위해서 배아 복제는 허용되어야 한다는 입장이다. 따라서 갑은 을에게 인간의 행복 추구권보다 배아의 생명권이 더 중요하다고 비판할 수 있다.

13 칼럼에서는 유전자 조작을 통해 인간의 생명 탄생에 개입하는 것이 존엄한 존재인 인간의 존엄성을 훼손할 수 있음을 경계하고 있다.

14 제시문은 「생명 윤리 및 안전에 관한 법률」 중 일부이다. 이 법률에서는 유전자 치료는 불가피한 경우에만 허용해야 하며, 치료법이 없는 질병과 같은 질병 치료 분야에서만 활용해야 함을 명시하고 있다.

15 제시문의 사상가는 요나스이다. 요나스는 인간에게 자신이나 타인에게 알려지지 않은 채로 태어나 생활할 수 있는 모를 권리가 있다고 주장한다. 요나스는 모를 권리가 있는 인간의 유전자를 조작하거나 인간에게 유전 정보를 제공하는 것은 인간의 자유로운 삶을 훼손하는 것이라고 본다.

16 갑은 싱어, 을은 레건이다. 갑은 공리주의적 관점에서 쾌고 감수 능력을 지닌 동물의 이익을 인간과 평등하게 고려해야 한다고 보고, 을은 의무론적 관점에서 삶의 주체인 동물의 권리를 존중해야 한다고 본다. 갑, 을은 모두 쾌고 감수 능력을 지닌 동물을 존중해야 한다고 보고, 인간뿐 아니라 동물도 도덕적 고려 대상으로 본다.

자료 심층 분석

보기

ㄱ. A: 인간과 동물의 이익 관심을 평등하게 고려해야 한다. (○)
➡ 싱어에게만 해당되는 진술이다. 싱어는 동물도 인간처럼 쾌고 감수 능력을 지니고 있으므로 이익 평등 고려의 원칙에 따라 인간과 동물의 이익 관심을 평등하게 고려해야 한다고 본다.

ㄴ. B: 쾌고 감수 능력을 지닌 동물을 존중해야 한다. (○)
➡ 싱어와 레건 모두에게 해당되는 진술이다. 싱어는 도덕적 고려의 유일한 기준을 쾌고 감수 능력이라 보고, 레건은 삶의 주체인 동물이 가지는 조건 중 하나로 쾌고 감수 능력을 제시하므로 싱어와 레건 모두 쾌고 감수 능력을 지닌 동물을 존중해야 한다는 데 동의한다.

ㄷ. B: 의무론적 관점에서 동물의 권리를 침해해서는 안 된다. (×)
➡ 레건에게만 해당되는 진술이다. 싱어는 공리주의적 관점에서 동물의 이익 관심의 존중을 주장하므로 싱어가 할 진술로 적절하지 않다.

ㄹ. C: 인간뿐 아니라 동물도 도덕적 고려의 대상이 된다. (×)
➡ 싱어와 레건 모두에게 해당되는 진술이다. 싱어와 레건은 모두 인간 중심주의적 시각에서 벗어나 도덕적 고려의 대상을 동물까지 확대할 것을 주장한다.

17 제시문은 인간과 동물을 구분 짓고 동물을 억압하는 사고방식이 인간 간의 관계에도 영향을 끼쳐 특정 인간에 대한 억압을 가능하게 하고 존엄성을 침해할 수 있다고 주장한다.

18 게시된 글은 동물 실험에 반대하는 입장이다. 동물 실험을 반대하는 입장에서는 동물과 인간의 도덕적 지위는 다르지 않으며, 동물도 고통을 느끼는 존재이므로 도덕적으로 고려해야 한다고 본다.

19 제시문은 동물 실험에 찬성하는 입장이다. 동물 실험에 찬성하는 입장에서는 인간과 동물은 생물학적으로 유사하여 동물 실험의 결과를 인간에게 적용할 수 있으므로 인간의 건강 증진에 기여할 수 있다고 주장한다. 하지만 이에 대해 반박하는 동물 실험 반대 입장에서는 인간과 동물이 공유하는 질병은 극히 일부이며, 동물 실험의 결과가 인간에게 유효하지 않을 수 있다는 이유를 들어 동물 실험에 반대한다.

20 제시문은 동물 실험의 결과로 판매된 약이 인간에게 치명적인 해를 주었던 사례를 제시하고 있다. 이를 통해 동물 실험 결과를 인간에게 적용하는 데에는 한계가 있음을 알 수 있다.

서술형 문제

21 모범 답안 (1) 갑: 장자, 을: 에피쿠로스
(2) 갑, 을은 모두 죽음을 두려워할 필요가 없다고 본다.
만점 포인트 장자와 에피쿠로스의 죽음에 대한 견해

구분	채점 기준
상	갑은 장자, 을은 에피쿠로스임을 알고 죽음에 대한 공통적 입장을 서술한 경우
중	갑은 장자, 을은 에피쿠로스임을 알지 못하였으나, 죽음에 대한 공통적 입장을 서술한 경우
하	갑은 장자, 을은 에피쿠로스임을 알았으나, 죽음에 대한 공통적 입장을 서술하지 못한 경우

22 모범 답안 토끼 실험은 쾌고 감수 능력을 가진 토끼의 이익 관심을 고려하지 않기 때문에 정당하지 않다.
만점 포인트 동물 실험에 대한 싱어의 입장

구분	채점 기준
상	쾌고 감수 능력, 이익 관심 고려의 용어를 모두 사용하여 서술한 경우
중	쾌고 감수 능력, 이익 관심 고려의 용어 중 한 가지 용어만 사용하여 서술한 경우
하	쾌고 감수 능력, 이익 관심 고려의 용어를 사용하지 않고 서술한 경우

내신 1등급 39쪽

01 ④ 02 ④ 03 ② 04 ②

01 (가)는 에피쿠로스, (나)는 플라톤이다. 에피쿠로스는 죽음은 경험할 수 없으므로 죽음에 대한 공포에서 벗어나 현실에 충실할 것을 주장하였고, 플라톤은 죽음을 통해 영혼이 육체에서 벗어나 영원불변하는 이데아를 인식할 수 있다고 보았다.

왜 틀렸을까? 선택지 뜯어 보기

① (가): 죽음은 또 다른 세계로 윤회하는 계기가 된다.
불교의 입장이다.

② (가): 죽음을 통해 영혼에서 벗어나 참된 지혜를 얻는다.
플라톤의 입장이다.

③ (나): 죽음에 대한 공포에서 벗어나 행복을 추구해야 한다.
에피쿠로스의 입장이다.

⑤ (가), (나): 죽음 이후에 인간은 어떤 것도 인식하지 못한다.
에피쿠로스는 죽음이 감각의 상실을 의미하므로 죽음 이후에 어떤 것도 인식하지 못한다고 보지만, 플라톤은 죽음을 통해 영혼이 육체에서 벗어나 참된 진리인 이데아를 인식할 수 있다고 본다.

02 갑은 인공 임신 중절을 반대하는 입장, 을은 찬성하는 입장이다. 갑은 태아는 하나의 인격체이므로 발달 정도에 따라 인간이라는 지위가 달라지지 않는다고 본다. 을은 태아는 생명체이기는 하지만 인격체는 아니므로 출산 이후부터 인간으로서 지위를 가지며 임신 지속 여부는 여성의 자율적 선택에 따라야 한다고 본다. 갑, 을은 모두 태아를 살아 움직이는 하나의 생명체라 인식한다.

03 수행 평가의 사상가는 칸트이다. 칸트는 인간에게 동물에 대한 직접적인 의무는 없지만, 동물에 대한 잔인함이나 폭력성이 인간을 대하는 도덕성과 관련된 자연적 소질을 약화시키고 인간성을 훼손할 수 있기 때문에 동물을 고려할 간접적 의무가 있다고 주장한다.

04 갑은 레건, 을은 싱어이다. 레건은 의무론적 관점에서 일부 포유류의 도덕적 권리를 존중해야 한다고 본다. 싱어는 공리주의적 관점에서 이익 평등 고려의 원칙에 따라 쾌고 감수 능력을 지닌 모든 동물의 이익 관심을 존중해야 한다고 본다.

자료 심층 분석

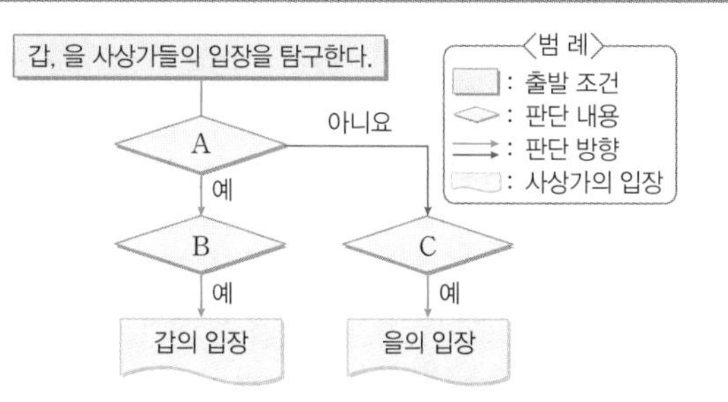

① A: 동물을 도덕적 고려의 대상으로 존중해야 하는가?
레건과 싱어 모두 동물을 도덕적 고려의 대상으로 존중해야 한다고 본다.
② B: 성장한 일부 포유류만이 도덕적 권리를 갖는가?
레건은 모든 동물이 아니라 욕구, 미래 의식, 기억, 쾌고 감수 능력, 복지와 선호 등을 갖추고 있는 성장한 일부 포유류만이 삶의 주체로서 도덕적 권리를 갖는다고 본다.
③ B: 쾌고 감수 능력은 도덕적 고려를 위한 필요충분조건인가?
레건은 삶의 주체로서 도덕적 고려의 대상이 되기 위해서는 쾌고 감수 능력 이외에도 다른 조건들이 필요하다고 보았다. 쾌고 감수 능력을 도덕적 고려를 위한 필요충분조건으로 보는 것은 싱어의 입장이다.
④ C: 인간과 동물을 동일한 방식으로 대우해야 하는가?
싱어는 이익 평등 고려의 원칙에 따라 인간과 쾌고 감수 능력을 가진 동물의 이익 관심을 동등하게 대우할 것을 주장한다. 그러나 이것이 동일한 방식의 대우를 의미하는 것은 아니다.
⑤ C: 쾌고 감수 능력이 없는 동물도 도덕적 고려 대상인가?
싱어에게 도덕적 고려의 유일한 기준은 쾌고 감수 능력이다.

만점 노트 싱어와 레건의 동물 윤리

싱어	• 동물은 쾌고 감수 능력을 지니므로 동물의 이익 또한 인간의 이익처럼 평등하게 고려해야 함 → 동물 실험은 동물에게 고통을 유발하므로 부당함 ⇒ 인간과 동물을 차별하는 것은 종차별주의
레건	• 삶의 주체인 동물은 인간과 동일하게 존중받을 권리가 있음 → 동물 실험은 동물의 권리를 존중하지 않고 단지 동물을 인간을 위한 수단으로 이용하는 것이므로 부당함 ⇒ 삶의 주체인 동물의 내재적 가치를 존중해야 함

03 사랑과 성 윤리

개념 암기 41쪽

1 (1) 인격적 가치 (2) 결혼 (3) 합의 2 (1) ㄷ (2) ㄱ (3) ㄴ
3 (1) ○ (2) X 4 (1) 성차별 (2) 성적 자기 결정권 (3) 성 상품화
5 (1) ㉡ (2) ㉠

내신 기출 41~44쪽

01 ② 02 ④ 03 ② 04 ③ 05 음양론 06 ⑤ 07 ③
08 ④ 09 ④ 10 ③ 11 ④ 12 ① 13 ④ 14 (1) 불감훼상
(2) 입신양명 15 해설 참조 16 해설 참조 17 해설 참조

01 제시문은 성의 여러 가지 의미를 보여 준다. 성은 남녀를 생물학적으로 구분하는 생물학적 성, 사회·문화적인 남성다움과 여성다움을 의미하는 사회·문화적 성, 인간의 성적 욕망과 관련된 욕망으로서의 성으로 구분할 수 있다. 이 중 사회·문화적 성은 각 시대와 상황에 따라 상이하게 나타나며 성차별을 정당화하는 데 사용되기도 한다.

02 (가)는 성에 대한 보수주의 입장, (나)는 성에 대한 중도주의 입장이다. 보수주의에서는 결혼과 출산을 중심으로 하는 성만이 정당하다고 보고, 중도주의에서는 사랑을 동반한 성만이 정당하다고 본다. 보수주의와 중도주의 모두 성은 상호 간의 사랑을 전제로 이루어져야 한다는 데에 동의한다. 이와 다르게 성에 대한 자유주의적 입장에서는 성이 그 자체로 쾌락을 가져다주고 쾌락은 그 자체로 추구할 만한 목적을 지니고 있다고 본다. 그래서 사랑과 성을 결부하여 성적 자유를 제한하는 것은 옳지 않다고 주장한다.

만점 노트 성에 대한 다양한 입장

보수주의	결혼이라는 합법적 제도 안에서 출산, 양육에 대한 책임을 질 수 있는 성을 추구 → 성은 개인적 영역인 동시에 사회 안정, 질서 유지와 밀접한 관련
중도주의	인간의 고유한 인격을 유지할 수 있도록 사랑과 결합된 성을 추구 → 결혼과 결부되지 않아도 사랑을 동반한 성적 관계는 허용
자유주의	성숙한 사람들의 상호 동의를 전제로 타인에게 해를 끼치지 않는 성을 추구 → 결혼, 사랑과 결부되지 않아도 성적 관계는 정당화될 수 있음

03 갑은 성에 대한 보수주의 입장, 을은 자유주의 입장이다. 갑은 성이 개인적 영역인 동시에 사회 안정과도 관련되므로 결혼과 출산을 통한 성만이 정당하다고 본다. 을은 자발적 동의를 토대로 한 성에 대한 자율적인 선택을 존중해야 한다고 본다.

04 제시문의 사상가는 프롬이다. 독일의 정신 분석학자이자, 인문주의 철학자인 프롬은 사랑은 받는 것이 아니라 주는 능동적 행위라 보고, 사랑은 타인의 요구에 대한 나의 반응을 나타내는 책임, 상대가 성장하고 발전하기를 바라는 마음인 존경 등의 공통적 요소를 포함한다고 주장한다. 프롬은 사랑에는 무엇보다 책임, 존경, 이해, 보호 등과 같은 인격적 가치가 내포되어야 한다고 주장하였다.

05 제시된 전통 윤리 이론은 음양론이다. 음양론은 음양에 따라 만물이 생성하고 번영하듯 남녀도 상호 의존적이고 대등하게 조화를 이루는 존재라고 본다.

06 자료는 성 평등 지수를 나타내는 유리 천장 지수의 개념과 세계 유리 천장 지수를 도표로 나타낸 것이다. 이를 통해 수치가 높은 스웨덴보다 수치가 낮은 대한민국에서 성 불평등 정도가 심각할 것이라는 점을 유추할 수 있다.

07 칼럼에서는 양성평등이 여성뿐만 아니라 왜곡된 남성성으로 인해 고통받던 남성들을 위해서도 반드시 필요한 것이라고 주장한다. 따라서 ㉠에는 왜곡된 여성성과 남성성을 바로잡도록 돕는 것이라는 내용이 적절하다.

08 갑은 성 상품화에 반대하는 입장, 을은 찬성하는 입장이다. 갑은 성 상품화가 성이 가진 인격적 가치를 훼손하며, 인간을 목적이 아닌 수단으로만 대우하는 행위라는 이유로 반대한다. 을은 성 상품화가 합법적인 방식의 정당한 이윤 추구 행위이며, 성적 자기 결정권의 정당한 행사라는 이유로 찬성한다. 따라서 갑은 을에게 성 상품화가 인간의 존엄성을 훼손할 수 있다고 비판할 수 있다.

만점 노트 성 상품화에 대한 찬반 근거

반대 근거	찬성 근거
• 성의 인격적 가치 배제 • 인간 존엄성의 훼손 • 외모 지상주의 조장	• 자본주의 사회에서 합법적인 방식의 정당한 이윤 추구 • 성적 자기 결정권의 정당한 행사 • 성적 표현의 자유 존중

09 A는 성적 자기 결정권이다. 성적 자기 결정권은 타인이나 외부의 강압 없이 스스로 자신의 성적 행위를 결정할 수 있는 권리이지만, 타인의 권리를 존중하고 자신의 인격을 손상시키지 않는 범위 내에서만 행사되어야 한다.

10 제시문은 가족 간의 심각한 대화 단절 현상을 제시하며, 가족 간에 대화가 지속적으로 이루어지는 가정의 학생이 성적 향상도도 높다는 결과를 보여 준다. 이를 통해 가족과의 정서적 유대가 가족 내에서만 영향을 미치는 것이 아니라 사회생활에도 영향을 미친다는 것을 알 수 있다.

11 제시문은 가족 해체 현상을 극복하기 위한 개인의 노력과 더불어 사회와 국가의 노력이 필요함을 강조하고 있다. ㄱ, ㄷ은 가족 해체 현상을 극복하기 위한 개인적 노력에 해당된다.

12 제시문의 사상은 음양론이다. 음양론에서는 음양이 서로 대등하면서도 상호 의존적인 관계로 만물을 생성하듯, 남녀도 상호 의존적이며 보완적인 관계임을 강조한다.

13 (가)는 배려 윤리 사상가이다. 배려 윤리의 관점에서 (나)의 올바른 부부 관계를 확립하려면 배려, 공감 등을 토대로 부부가 서로 보살핌을 주고받는 관계를 형성해야 한다.

14 불감훼상은 효의 시작으로 부모로부터 물려받은 몸을 깨끗하고 온전하게 하는 것이고, 입신양명은 효의 완성으로 후세에 이름을 떨쳐 부모를 영광되게 하는 것이다.

서술형 문제

15 **모범 답안** 성 상품화가 인간의 존엄성을 침해할 수 있기 때문이다.

만점 포인트 성 상품화에 대한 칸트의 견해

구분	채점 기준
상	인간의 존엄성을 언급하여 반대 이유를 서술한 경우
하	인간의 존엄성을 언급하지 않고 반대 이유를 서술한 경우

16 **모범 답안** 여성의 성(性)은 자연적인 것이 아니라 사회·문화적으로 학습되고 내면화된 것이다.

만점 포인트 여성성에 대한 보부아르의 입장

구분	채점 기준
상	여성의 성이 사회·문화적으로 학습되고 내면화되었다는 점을 서술한 경우
하	여성의 성이 자연적인 것이라고 서술한 경우

17 **모범 답안** 출산을 통해 사회 구성원을 재생산한다. 사회생활에 필요한 규범을 습득하게 하여 사회화를 돕는다.

만점 포인트 가족이 사회에 미치는 영향

구분	채점 기준
상	가족이 사회에 미치는 영향을 두 가지 모두 바르게 서술한 경우
중	가족이 사회에 미치는 영향을 한 가지만 바르게 서술한 경우
하	가족이 사회에 미치는 영향을 서술하지 못한 경우

내신 1등급 45쪽

01 ① 02 ② 03 ③ 04 ①

01 갑은 성에 대한 보수주의 입장, 을은 중도주의 입장이다. 보수주의 입장은 결혼과 출산을 전제로 부부간의 신뢰와 사랑을 바탕으로 하는 성적 관계만을 정당하다고 본다. 중도주의 입장은 결혼과 결부되지 않아도 사랑을 전제로 인격적 가치를 실현하는 성적 관계는 정당하다고 본다.

02 그림의 ㉠에는 성 상품화가 정당화될 수 없는 이유가 들어가는 것이 적절하다. 성 상품화는 인간의 성이 지니는 인격적 가치를 훼손한다. 또한 인간의 성은 물질적 가치로 환산될 수 없기 때문에 성 상품화는 정당화되어서는 안 된다.

03 갑은 효도법을 제정하여 부모 부양의 의무를 다하지 않는 자녀를 처벌해야 한다는 입장이고, 을은 효가 개인적인 영역이므로 법적인 비난의 대상이 될 수 없다는 입장이다.

왜 틀렸을까? 선택지 뜯어 보기

① 효는 개인적 영역의 행위에 속하는가?

갑은 효를 개인적 영역인 동시에 사회적 영역의 행위로 분류될 수 있다고 보지만, 을은 개인적 영역의 행위라 본다. 따라서 갑, 을 모두 효를 개인적 영역의 행위로 분류될 수 있다고 본다.

② 효는 실현되어야 할 중요한 가치인가?

갑, 을 모두 효가 실현되어야 할 중요한 정신적 가치임을 인정한다.

④ 효의 실천은 사회적인 영향을 끼치는가?

갑, 을 모두 효의 실천 여부가 사회에 영향을 끼친다고 본다.

⑤ 불효로 인해 사회 문제가 발생할 수 있는가?

갑, 을 모두 불효로 인해 사회 문제가 발생할 수 있다고 본다.

04 (가)는 배려 윤리의 관점이다. 배려 윤리는 보살핌, 배려, 돌봄 등을 특징으로 하므로 〈문제 상황〉을 해결하기 위해 가족 구성원에 대한 공감과 배려를 실천해야 한다고 주장할 것이다.

단원 마무리 46~49쪽

01 ②	02 ③	03 ②	04 ③	05 ①	06 ⑤	07 ③	08 ③
09 ④	10 ④	11 ④	12 ⑤	13 ①	14 ④	15 ②	16 ①

01 제시문의 사상가는 장자이다. 장자는 삶은 기가 모이는 것이며 죽음은 기가 흩어지는 자연스러운 현상으로 인식하여 죽음을 슬퍼할 필요가 없다고 주장한다.

왜 틀렸을까? 선택지 뜯어 보기

① 연기의 이치를 깨달아 고락에서 벗어나야 한다.
불교의 입장에 해당된다.

③ 내세의 행복을 위해 선업을 쌓는 삶을 살아야 한다.
장자는 내세의 행복을 위해 선한 행위를 하라고 주장하지 않는다.

④ 삶과 죽음의 이치를 깨달아 인의의 삶에 힘써야 한다.
유교의 입장에 해당된다. 장자는 인의를 인위적인 것으로 인식한다.

⑤ 죽음은 자연의 과정이지만 상례를 통해 애도해야 한다.
장자는 죽음은 자연스러운 현상이므로 슬퍼할 필요가 없다고 본다.

02 갑은 태아가 인간 생명체이지만 이미 태어난 인간과는 다른 도덕적 지위를 갖기 때문에 부분적으로 인공 임신 중절은 허용될 수 있다는 입장이다. 을은 태아가 잠재적 인간이며 미래의 합리적이고 자의식적인 존재가 될 수 있기 때문에 인공 임신 중절은 허용될 수 없다는 입장이다. 갑, 을은 모두 태아를 단순한 세포 조직처럼 함부로 대우해서는 안 된다고 본다.

03 제시문의 사상가는 하이데거이다. 하이데거는 인간만이 죽음에 대해 성찰할 수 있는 존재라고 본다. 그는 인간은 죽음을 직시함으로써 현실의 삶을 좀 더 의미 있게 살아갈 수 있으며, 죽음에 대한 참된 인식은 실존에 대한 자각으로 연결될 수 있다고 주장한다.

04 갑은 공자, 을은 장자이다. 공자는 죽음보다 현실의 도덕적 삶이 더 중요하다고 인식하고, 장자는 삶과 죽음은 기가 모이고 흩어지는 현상이므로 구별하거나 차별해서는 안 되며 죽음을 슬퍼할 필요가 없다고 본다.

05 갑은 태아가 잠재적 인간에 불과하므로 임신부의 자율적 선택을 통한 낙태는 허용되어야 한다는 입장이다. 을은 태아는 무고한 인간이므로 태아를 죽이는 행위인 낙태는 허용되어서는 안 된다는 입장이다.

왜 틀렸을까? 선택지 뜯어 보기

② 을은 임신 중단에 대한 여성의 선택권을 보장해야 한다고 본다.
을은 낙태를 반대하는 입장이므로 여성의 선택권보다 태아의 생명권을 우선해야 한다고 본다.

③ 갑은 을과 달리 태아를 존엄성을 지닌 인간으로 본다.
을이 갑과 달리 태아를 존엄성을 지닌 인간으로 본다.

④ 을은 갑과 달리 낙태가 법적으로 허용되어야 한다고 본다.
갑은 을과 달리 낙태가 법적으로 허용되어야 한다고 본다.

⑤ 갑, 을은 무고한 태아의 생명권이 제한될 수 없다고 본다.
무고한 태아의 생명권이 제한될 수 없다고 보는 것은 을만의 입장이다. 갑은 여성의 선택권을 보장하기 위해 낙태가 허용되어야 한다는 입장이다.

06 가상 대담의 사상가는 하버마스이다. 하버마스는 치료가 아닌 강화를 위한 유전자 조작은 인간의 존엄성을 파괴하여 인간을 도구화하고, 세대 간의 평등한 균형을 파괴한다고 본다.

07 ㉠에는 생명 옹호주의의 입장이 들어가야 한다. 생명 옹호주의는 태아의 생명권을 존중하는 입장으로 태아가 존엄성을 가진 인간이기 때문에 보호해야 한다는 입장이다.

만점 노트 인공 임신 중절에 대한 찬반 논거

반대 근거(생명 옹호주의)	찬성 근거(선택 옹호주의)
• 태아는 인간으로 성장할 잠재성이 있음 • 태아는 인간이므로 태아의 생명도 존엄함 • 태아는 무고한 인간이므로 해쳐서는 안 됨	• 태아는 여성 몸의 일부로 여성에게 소유권이 있음 • 여성은 태아를 생산하므로 태아에 대한 권리 있음 • 여성은 자기 신체에 대해 자율적으로 선택할 권리 있음 • 인간에게는 자기방어와 정당방위의 권리가 있음

08 제시문은 치료를 위한 체세포 유전자 치료는 허용되어야 하지만, 유전학적 강화를 위한 생식 세포 치료는 부모가 자녀의 삶을 일방적으로 결정하며, 세대 간의 평등성을 훼손하기 때문에 허용되어서는 안 된다고 본다.

09 갑은 배아 단계부터 유전자 가위를 활용하여 난치병 치료와 유전병을 가지고 태어날 아기의 고통을 미연에 방지해야 한다는 입장이다. 을은 난치병 치료를 위한 유전자 가위 기술은 인정하나, 배아 단계에서의 사용은 맞춤형 아기를 만드는 데 사용될 수 있으므로 제한이 필요하다는 입장이다.

10 제시문의 사상가는 싱어이다. 싱어는 공리주의적 관점에서 쾌고 감수 능력을 지닌 동물과 인간의 이익을 동등하게 고려해야 한다고 주장한다. 따라서 동물에게 불필요한 고통을 주는 실험은 금지해야 한다고 본다.

자료 심층 분석

보기

ㄱ. 동물의 이익 관심을 고려하지 않는 동물 실험은 부당한가? (○)
➡ 싱어는 쾌고 감수 능력을 가진 동물의 이익 관심을 동등하게 고려해야 한다고 본다.

ㄴ. 실험실 동물을 착취하는 것은 종 차별주의적 행위인가? (○)

➡ 싱어는 쾌고 감수 능력을 가졌다는 면에서 인간과 동물이 동등한 대우를 받아야 함에도 불구하고 우리와 다른 종이라는 이유로 고통을 주는 것은 종 차별주의적 행위라고 본다.

ㄷ. 동물에게 불필요한 고통을 주는 실험을 금지해야 하는가? (○)

➡ 싱어는 동물도 쾌고 감수 능력이 있으므로 인간의 작은 이익을 위해 동물에게 큰 고통을 주는 실험을 금지해야 한다고 본다.

ㄹ. 인간과 동일한 권리들을 지닌 동물을 실험하면 안 되는가? (×)

➡ 싱어는 동물이 인간과 동일한 권리를 지니고 있다고 생각하지 않는다.

11 갑은 레건이다. 레건은 의무론적 관점에서 삶의 주체인 동물은 내재적 가치와 권리를 가지므로 인간은 삶의 주체인 동물들의 권리를 존중해야 한다고 본다. 레건은 싱어와 달리 쾌고 감수 능력을 도덕적 고려의 유일한 기준으로 삼지 않고, 쾌고 감수 능력, 기억, 미래 의식, 희망, 선호 등의 기준까지 갖춘 동물을 삶의 주체라고 여긴다.

12 갑은 성에 대한 보수주의 입장, 을은 중도주의 입장이다. 갑은 결혼과 출산을 전제로 한 성적 관계의 정당성을, 을은 사랑을 전제로 한 성적 관계의 정당성을 주장한다. 갑, 을은 모두 성적 관계에서는 사랑이 필요하다고 본다.

13 제시문의 사상가는 프롬이다. 프롬은 사랑을 능동적으로 참여하는 활동이라 보고, 사랑을 통해 서로의 개성을 긍정하는 합일을 지향할 수 있으며 자신뿐 아니라 상대방의 생동감도 고양시킬 수 있다고 본다.

14 제시문의 사상은 유교의 입장이다. 유교에서는 남녀의 역할의 차이가 있으며, 이를 통해 남녀가 도의가 성립되고, 도의에 의해 예의가 제정되고, 그 다음에야 만사가 안정된다고 본다.

15 제시문의 '나'는 음양이 서로 다르지만 상호 의존적으로 작동하여 만물이 생성, 변화되듯이 남녀도 서로의 역할은 다르지만 대등하며 상호 의존적인 관계라 주장한다. 그런데 '어떤 사람들'은 남녀에 우열이 있으므로 남성은 양으로서 존엄하고 여성은 음으로서 비천하다고 주장한다. 따라서 나의 입장에서는 어떤 사람들에게 음양은 구별되는 것이지만 차등 관계는 아님을 모르고 있다고 비판할 수 있다.

16 제시문은 프롬의 주장이다. 프롬은 사랑이란 능동적인 활동이라고 보고, 자신을 희생하여 상대방이 원하는 것을 들어주는 것은 진정한 사랑이 아니라고 주장한다.

III. 사회와 윤리

01 직업과 청렴의 윤리

개념 암기 51쪽

1 (1) ○ (2) ○ (3) X **2** (1) 예 (2) 노동 (3) 구원
3 ㄱ, ㄴ, ㄷ **4** (1) ㉠ (2) ㉢ (3) ㉣ (4) ㉡

내신 기출 51~54쪽

01 ② **02** ① **03** ② **04** 정명 사상 **05** ③ **06** ⑤ **07** ①
08 ② **09** ⑤ **10** ④ **11** ⑤ **12** ⑤ **13** ⑤ **14** 해설 참조
15 해설 참조

01 갑은 맹자, 을은 순자이다. 맹자는 육체노동과 정신노동을 구별하고, 이 둘을 동일한 것으로는 보지 않는다. 맹자와 순자 모두 직업을 통한 부의 획득 자체를 부정하지는 않는다.

만점 노트 맹자와 순자의 직업관

맹자	도덕적 삶[恒心]을 지속하기 위해서 경제적 안정을 위한 일정한 생업[恒産]이 필요함
순자	예(禮)의 제도와 규범으로 적성과 능력에 따라 사회적 신분과 직분을 분담하여 역할을 수행해야 함

02 플라톤은 사회 질서 유지를 위해서 타고난 성향에 따라 각자 한 가지 일에 배치되어야 한다고 주장한다. 따라서 분업의 원리에 따르는 것이 바람직하다고 본다.

03 갑은 공자, 을은 플라톤이다. 통치자나 수호자가 사적인 재산을 소유해서는 안 된다고 주장한 사람은 플라톤이다.

04 공자는 자기 직분에 충실한 정명의 자세를 강조하였다. 정명은 각자가 자기 이름에 충실해야 한다는 의미이다.

05 직업윤리의 일반성은 모든 직업에서 공통적으로 지켜야 하는 행동 규범을 의미하며, 사회나 시대의 변화에 관계없이 자신이 맡은 직분에 최선을 다하는 책임 의식 등이 대표적인 예이다.

만점 노트 직업윤리의 일반성과 특수성

일반성	직업 생활의 일반적인 규범으로 정직, 성실, 배려, 직업적 양심 등을 지칭한다.
특수성	특정 직업에 요구되는 윤리 규범으로 간호사의 환자 비밀 보호, 승무원의 승객 안전 보호 등이 있다.

06 대인과 소인의 일, 마음을 수고롭게 하는 사람과 몸을 수고롭게 하는 사람을 구별하는 내용에서 알 수 있듯이 맹자는 정신노동과

육체노동을 구분 짓고, 두 노동은 상보적 역할을 통해 사회의 안정적 질서 유지에 기여한다고 본다.

07 제시문의 사상가는 마르크스이다. 마르크스는 분업화된 노동으로 인해 소외 문제와 노동력 착취가 발생한다는 점을 지적하면서 노동 소외 극복을 위해 자본주의 철폐를 주장하였다.

자료 심층 분석

첫 번째 관점: 노동은 본래 자연을 변형하는 주체적이고 능동적인 활동이다.
마르크스는 주체적이고 능동적인 활동으로서의 노동을 인간의 본질이라고 본다.
두 번째 관점: 노동의 소외를 극복하기 위해 자본가에 예속된 노동을 해야 한다.
마르크스는 노동의 소외를 극복하기 위해서는 자본주의 철폐가 필요하다고 본다.
세 번째 관점: 분업화된 노동으로 인해 소외 문제와 노동력의 착취가 발생한다.
마르크스는 소외 문제와 노동력 착취가 자본주의 체제, 즉 분업화된 노동의 결과라고 본다.
네 번째 관점: 자본의 지휘와 규율의 강화는 노동자의 자아실현에 도움이 된다.
자본의 지휘와 규율의 강화는 자본주의 노동의 특징이며, 이는 노동자의 소외를 불러온다고 본다.

08 갑은 칼뱅, 을은 마르크스이다. 칼뱅은 직업이 소명으로서 의미를 지닌다고 이해한다. 마르크스는 자본주의 사회 속 노동이 인간 본질 실현을 어렵게 하고, 인간이 노동으로 부터 소외되는 현상이 발생한다고 본다.

09 전문직은 고도의 교육과 훈련을 통해서 사회적으로 승인된 자격을 취득한 사람을 의미한다. 그렇기 때문에 사회적 영향력이 크며, 그에 걸맞은 책임 의식이 요구된다.

10 갑은 기업의 유일한 사회적 책임은 이윤 추구라고 주장하는 프리드먼이고, 을은 기업은 적극적인 사회적 책임을 지녀야 한다고 보는 입장이다.

11 제시문의 한국 사상가는 정약용이다. 정약용은 목민관의 자세에서 청렴이 중요함을 강조하였다. 정약용은 『목민심서』에서 관리들의 폐해를 지적하며 백성을 다스리는 바른 도리에 관해 설명한다. 그는 나라와 백성을 생각하는 관리는 무엇보다 자신의 사사로운 이익을 넘어서야 하며 청렴의 자세를 지녀야 한다고 말한다.

12 (가)는 사회 윤리 입장이다. 사회 윤리 입장에서는 문제 해결을 위한 사회적 제도의 개선을 강조한다. 캠페인 활동은 개인의 인식 개선을 위한 것으로 개인 윤리적 차원의 접근이다.

13 제시문은 기업의 주된 목적은 이윤 추구이지만, 기업은 전체 사회의 일원으로서 사회 구성원 없이 이윤 창출을 할 수 없다는 사실에 주목한다. 따라서 기업이 적극적인 사회적 책임을 지녀야 한다고 본다.

서술형 문제

14 모범 답안 허준과 장영실은 공통적으로 직업을 통해 사회와 자신에 대한 책임을 다하려 노력하였다.

만점 포인트 허준과 장영실의 직업 정신

구분	채점 기준
상	사회와 자신에 대한 책임을 다하였다는 점을 서술한 경우
중	사회와 자신 중 한 가지에만 책임을 다하였다는 점을 서술한 경우
하	직업 정신과 관련 없는 내용을 서술한 경우

15 모범 답안 (1) ㉠: 단체권, ㉡: 단체 행동권

(2) 노동 삼권은 근로자의 인간다운 생활을 보장하기 위해 헌법에서 보장하는 노동자의 권리이다.

만점 포인트 노동 삼권

구분	채점 기준
상	근로자의 인간다운 생활을 언급하여 바르게 서술한 경우
하	근로자의 인간다운 생활과 관계 없는 내용을 서술한 경우

내신 1등급 55쪽

01 ② **02** ⑤ **03** ⑤ **04** ③

01 제시문의 사상가는 칼뱅이다. 칼뱅은 모든 직업이 신의 부름에 따라 주어지는 것이므로 직업을 성실하게 수행하여 봉사를 실천해야 한다고 본다.

자료 심층 분석

첫 번째 관점: 누구나 지니는 원죄(原罪)를 속죄하는 유일한 수단이다.
칼뱅은 직업을 원죄를 속죄하는 수단이 아닌 신의 소명으로 본다.
두 번째 관점: 부의 축적을 궁극적 목적으로 삼지 않는다.
칼뱅은 부의 축적이 아닌 신의 영광을 직업의 궁극적 목적으로 삼는다.
세 번째 관점: 신에 의해 주어진 거룩한 소명(召命)이다.
칼뱅은 직업을 신의 거룩한 부르심, 즉 소명으로 본다.
네 번째 관점: 신으로부터 구원이 확정된 사람만 참여하는 활동이다.
칼뱅은 모든 직업이 신의 소명이므로, 직업의 성공을 위해 근면, 성실, 검소한 직업 생활이 필요하다 본다.

02 갑은 을과 달리 직업을 단순히 물질적 욕구를 충족시키는 수단으로 삼아서는 안 된다고 본다. 을에 비해 갑의 입장이 갖는 특징은 X축은 높고, Y축과 Z축은 낮다.

03 제시문의 사례는 기업의 적극적 책임을 보여 준다. 기업의 적극적 책임의 이행 시 소비자로부터 좋은 기업으로 인정받으며, 기업은 소비자의 신뢰를 얻어 장기적으로 이익을 증진할 수 있다.

만점 노트 기업의 사회적 책임에 대한 관점

프리드먼	기업의 목적은 이윤 극대화이며, 법적 이윤 추구를 넘어서는 사회적 책임을 기업에게 강요해서는 안 됨.
애로우	기업은 법을 지키는 차원을 넘어서 사회적 책임을 적극적으로 이행해야 하며, 이것은 기업의 장기적 이윤 추구에 도움이 됨.

04 제시문의 사상가는 정약용이다. 정약용은 목민관이 본분을 다하기 위해 공적인 일과 사적인 일을 구별하여 공적인 일을 받들어야 한다고 보았다. 청백리 정신을 강조한 정약용은 『목민심서』에서 "수령 노릇을 잘하려는 자는 반드시 자애로워야 하고, 자애로워지려는 자는 반드시 청렴해야 한다."라고 하여 청렴의 중요성을 주장하였다.

02 사회 정의와 윤리

개념 암기 57쪽

1 (1) 개인 윤리 (2) 사회 윤리 (3) 니부어 **2** (1) 분배적 정의 (2) 필요 (3) 가상 **3** (1) ㉢ (2) ㉠ (3) ㉡ **4** (1) ○ (2) X **5** ㄱ, ㄷ, ㄹ

내신 기출 57~61쪽

01 ③ **02** ④ **03** ⑤ **04** ② **05** ④ **06** ③ **07** ① **08** ② **09** ④ **10** ④ **11** ② **12** ③ **13** ④ **14** ③ **15** ① **16** ④ **17** 해설 참조 **18** 해설 참조

01 제시문의 사상가는 니부어이다. 니부어는 사회 문제 해결을 위해 정치적 강제력의 적용이 필요하다고 보지만, 이를 최대화해야 한다고는 주장하지 않는다. 또한 니부어는 집단의 도덕성은 개인의 도덕성에 비하여 현저히 낮다고 본다.

02 (가)는 개인 윤리의 관점이고, (나)는 사회 윤리의 관점이다. 사회 윤리의 관점에서는 사회의 구조와 제도의 개선을 통해 윤리 문제를 해결해야 한다고 주장한다.

만점 노트 개인 윤리와 사회 윤리

개인 윤리	• 개인의 도덕적 의사 결정 능력, 실천 의지, 습관의 결여에서 문제 원인을 파악 • 개인의 도덕성 회복을 통한 윤리 문제 해결을 중시
사회 윤리	• 개인보다는 사회 구조나 제도에서 문제 원인을 찾음 • 사회 구조와 제도의 개선을 통한 윤리 문제 해결을 중시

03 노력에 의한 분배의 단점은 노력을 평가할 객관적 기준 마련이 어렵다는 점이다. 노력으로 분배하는 것은 생산 의욕을 저하시키지 않는다.

04 제시문의 사상가는 왈처이다. 왈처는 공동체의 역사적·문화적 맥락에 따른 현실적으로 다양한 정의 기준을 주장한다. 따라서 가상적 상황에서 분배의 원칙을 도출해야 한다고 보지 않는다.

05 제시문의 사상가는 롤스이다. 롤스는 개인의 기본적 자유는 복지를 위해 제한될 수 없으며, 사회 구조는 사회적 약자의 협력을 이끌 수 있는 공정한 질서가 요청된다고 본다. 또한 롤스는 절차의 공정성에 대해 논의하였고, 최소 수혜자에게 도움이 될 때 불평등이 정당화된다고 보았다.

만점 노트 롤스의 정의의 원칙

제1원칙	모든 사람은 기본적 자유에 대하여 동등한 권리를 가져야 한다.
제2원칙	사회적·경제적 불평등은 다음 두 조건을 만족하도록 조정되어야 한다. 첫째, 최소 수혜자에게 최대 이익이 되어야 한다. 둘째, 공정한 기회 균등의 원칙에 따라 모든 사람에게 직책과 직위가 개방되어야 한다.

06 갑은 우대 정책을 찬성하는 입장이고, 을은 우대 정책을 반대하는 입장이다. 여성 우대 정책이 또 다른 차별(역차별)을 발생시킨다는 주장은 우대 정책을 반대하는 입장이다.

07 제시문의 사상가는 노직이다. 노직은 천부적 재능은 공유 자산으로 여겨져서는 안 된다고 본다. 그는 어떤 개인이 정당하게 노동하여 최초로 재화를 취득하거나, 정당하게 양도받았다면 그 소유는 정당하다고 본다. 다만 재화의 획득과 양도 과정에서 부정의가 있을 때는 이를 국가가 바로 잡을 수 있다고 본다.

08 고대 어떤 사상가는 아리스토텔레스이다. 아리스토텔레스에게 공정한 분배는 서로 다른 공적과 가치에 비례한 차등적 배분이다.

만점 노트 아리스토텔레스의 정의

분배적 정의	서로 다른 공적과 가치에 비례한 차등한 분배 예 명예, 재화, 공직 등
교정적 정의	교섭에 있어서 잘못된 것을 바로잡는 것

09 갑은 롤스, 을은 노직이다. 노직은 국가의 기능은 개인이 가진 권리와 재산을 강도, 절도, 사기 등으로부터 보호하는 역할에 있다고 보고 최소 국가를 옹호하였다.

10 갑은 칸트, 을은 베카리아이다. 베카리아는 사형이 종신형에 비해 사회적 효용이 낮은 형벌이므로 폐지되어야 한다고 주장하였다.

11 갑은 루소, 을은 베카리아이다. 두 사상가 모두 국가가 범죄에 대

해 내리는 형벌을 사회 계약의 위반에 대한 배상이라고 본다.

12 제시문의 사상가는 칸트이다. 칸트는 응보론의 입장에서 사형을 찬성하였다.

13 제시문은 공리주의에 대한 설명이다. 공리주의는 형벌의 긍정적 결과가 형벌의 수단을 정당화한다고 보며, 형벌은 시민 사회의 선을 증진시키는 수단으로 행해져야 한다고 본다.

14 갑은 칸트, 을은 공리주의자의 주장이다. 칸트는 공리주의자들에게 응보적 처벌이 이루어지도록 사형 제도가 존치되어야 한다는 점을 간과한다고 비판할 것이다.

15 갑은 칸트, 을은 베카리아이다. 칸트는 응보론의 관점에서 사형제의 존치를 주장하였으며, 베카리아는 사형이 범죄 억제 효과가 낮다는 점에서 사형제 폐지를 주장하였다. 두 사상가는 모두 형벌과 사형은 공적 정의를 실현하는 것이어야 한다고 보았다.

16 루소는 살인을 저질러 계약을 위반한 자는 공공의 적으로 간주되어야 한다고 보았다.

서술형 문제

17 모범 답안 (1) 니부어

(2) 사회 정책과 제도의 개선을 통해 계층 간 갈등을 완화하세요. 개인의 양심 함양과 함께 정치적 강제력을 병행하여 사회 부정의를 해결하세요.

만점 포인트 니부어의 사회 윤리

구분	채점 기준
상	정책과 제도의 개선, 정치적 강제력을 언급하여 서술한 경우
중	정책의 제도의 개선, 정치적 강제력 중 한 가지만 언급하여 서술한 경우
하	니부어의 관점과 관계 없는 내용을 서술한 경우

18 모범 답안 다른 사람의 목숨을 앗아간 흉악 범죄자의 죗값을 치루는 데 사형은 정당하다. 사형 제도는 일반인들에게 범죄를 예방하는 효과가 크며, 사회 방위를 위해서라도 흉악범을 완전히 격리할 수 있는 제도가 여전히 필요하다.

만점 포인트 사형 제도의 찬성 논거

구분	채점 기준
상	사형 제도의 찬성 논거를 두 가지 이상 서술한 경우
중	사형 제도의 찬성 논거를 한 가지만 서술한 경우
하	사형 제도의 반대 논거를 서술한 경우

내신 1등급 62~63쪽

01 ② 02 ⑤ 03 ③ 04 ③ 05 ③ 06 ① 07 ④ 08 ⑤

01 제시문의 사상가는 니부어이다. 니부어는 집단 이기주의의 문제는 개인의 도덕적 성찰만으로는 극복되기 어렵다고 보면서 정치적 강제력이 병행되어야 한다고 본다.

02 갑은 노직, 을은 롤스이다. 최소 수혜자의 처지를 개선하기 위한 소득 재분배를 위한 과세는 롤스만 긍정한다.

03 갑은 롤스, 을은 공리주의자의 입장이다. 롤스는 법과 제도가 아무리 효율적일지라도 정의롭지 못하다면 폐기되어야 한다고 본다.

04 제시문의 사상가는 왈처이다. 왈처는 복합 평등으로서의 정의를 주장하면서 사회적 가치들이 자신의 고유한 영역 안에 머무름으로써 복합 평등이 실현될 때 정의로운 사회가 될 수 있다고 주장하였다.

만점 노트 **왈처의 복합 평등의 다원적 정의**

복합 평등	특정 영역의 사회적 가치가 지배적 역할을 하여 다른 영역을 획득하는 데 기여하는 것을 금지하고 자신의 고유한 영역 안에 머무는 것
다원적 정의	공동체의 역사적 · 문화적 맥락에 따른 현실적으로 다양한 정의 기준의 인정

05 갑은 베카리아, 을은 칸트이다. 칸트는 사형을 찬성한 사상가로, 공적 정의 앞에서 최상의 균형자는 사형이라고 본다. 칸트는 "시민 사회가 모든 구성원의 동의로써 해체될 때조차도 감옥에 있는 마지막 살인자는 반드시 처형되어야 한다."라고 말한다.

06 제시문의 사상가는 루소이다. 루소는 사형은 사회 계약의 목적 달성에 부합한다고 보면서 베카리아의 사형 폐지론을 비판할 것이다.

07 갑은 칸트, 을은 공리주의자이다. 칸트는 유용성 차원에서 사형 제도의 존폐를 논하는 것은 인격을 수단화한다고 본다.

08 제시문의 사상가는 베카리아이다. 베카리아는 형벌은 범죄 예방을 목적으로 행해져야 하며, 사형보다 종신 노역형이 범죄 예방 효과가 크다고 보고 사형 제도 폐지를 주장하였다.

자료 심층 분석

첫 번째 관점: 형벌은 사회 계약의 위반에 대한 배상이다.
베카리아는 형벌을 사회 계약을 위반한 것에 대한 배상이라고 본다.
두 번째 관점: 형벌은 범죄 예방을 목적으로 하는 필요악이다.
베카리아는 공리주의의 관점이다. 따라서 범죄 예방을 목적으로 한다.
세 번째 관점: 사형은 살인죄에 대한 동등한 원리에 부합하는 정당한 처벌이다.
칸트의 주장이다.
네 번째 관점: 유용성의 원리를 바탕으로 사형 제도의 존폐 여부를 결정해야 한다.
베카리아는 사형제 존폐의 여부도 유용성의 원리로 검토해야 한다고 본다.

03 국가와 시민의 윤리

개념 암기 65쪽

1 (1) 유교 (2) 이기적인 (3) 겸애 2 (1) ㄱ (2) ㄴ 3 (1) ○ (2) X (3) X (4) ○ 4 (1) 최후의 수단 (2) 처벌 (3) 공개적 (4) 정의

내신 기출 65~68쪽

01 ③ 02 ④ 03 ③ 04 ⑤ 05 ⑤ 06 ② 07 ④ 08 ④ 09 ④ 10 ④ 11 ④ 12 ① 13 ③ 14 해설 참조 15 해설 참조

01 민본주의는 백성이 나라의 근본이고 백성이 튼튼해야 나라가 평안하다는 사상을 의미한다. 이러한 입장은 군주의 권위만을 내세운다고 보기 어렵다.

02 제시문의 사상가는 아리스토텔레스이다. 아리스토텔레스는 국가는 인간 본성에 따라 성립되는 최고선으로서 권위를 누린다고 본다.

03 제시문의 사상가는 흄이다. 흄은 정치적 의무는 정부로부터 얻은 혜택, 즉 이익이 있을 때만 발생한다고 본다.

04 갑은 아리스토텔레스, 을은 로크이다. 로크는 국가의 구성원으로서 갖는 권리와 의무가 천부적으로 주어진다고 보지 않았다.

05 갑은 아리스토텔레스이고 을은 흄이다. 아리스토텔레스는 국가에 대한 복종을 무조건적 의무로 본다. 이와 달리 흄은 국가에 충성을 다해야 하는 것은 무조건적인 의무가 아니라 혜택이 존재할 때 지키는 조건적 의무로 본다.

왜 틀렸을까? 선택지 뜯어 보기

① 갑: 규모가 큰 공동체일수록 고귀한 선을 추구한다.

아리스토텔레스에 의하면 규모가 크면 클수록 더 좋고 고귀한 선을 추구한다. 따라서 국가는 최고의 공동체로서 선한 공동체이다.

② 갑: 국가는 시민들이 선한 생활을 할 수 있는 토대가 된다.

아리스토텔레스에게 국가는 시민이 선한 생활을 할 규범과 가치를 전달해 주는 역할을 한다.

③ 을: 동의가 없어도 정부의 혜택이 존재할 때 정치적 의무는 성립한다.

흄은 동의 없이도 혜택이 존재하다면 국가에 복종해야 한다고 본다.

④ 을: 정부의 핵심적 역할은 시민의 안전한 삶을 보장하는 것에 있다.

흄은 시민의 안전이 국가가 제공하는 혜택이라고 본다.

06 제시문의 사상가는 맹자이다. 맹자는 나라의 근본을 군주로 삼은 것이 아니라 민본(民本), 즉 나라의 근본을 백성으로 삼았다.

07 갑은 흄, 을은 로크이다. 로크는 국가에 복종하기로 한 동의에는 명시적 동의뿐 아니라 묵시적 동의도 있다고 여겼다.

만점 노트 국가 권위의 정당성에 대한 관점

아리스토텔레스	인간은 본성적으로 정치적 존재이며, 정치 공동체 속에서만 최선의 삶이 가능하다.
로크	시민들의 자발적 동의로 위임된 국가 권위를 통해서 시민들의 권리를 보장할 수 있다.
흄	국가로부터 이익을 얻거나 국가가 베푸는 혜택을 누리기 때문에 국가 권위나 법에 복종해야 한다.

08 제시문은 시민들이 참여를 통해 공공 현안에 직접 참여해야 한다고 주장하고 있다. 이를 통해 정치적 무관심의 한계를 지닌 대의제를 보완해야 한다고 본다.

09 롤스는 시민 불복종은 부당한 법률을 의도적으로 어기는 것으로, 이에 대한 처벌을 감수해야 한다고 보았다.

10 롤스는 시민 불복종은 공유된 정의관에 따를 때 정당화된다고 본다. 따라서 개인의 도덕 원칙이나 종교적 신념에 의한 정당화는 가능하지 않다.

11 제시문의 사상가는 소로이다. 소로는 자신의 양심에 따라 불의한 법과 정책에 즉각 불복종해야 함을 주장하였다.

12 시민 불복종은 불의한 법률을 변화시키기 위해 시민들의 저항 의식이 표출된 것이다.

13 롤스는 시민 불복종은 합법적인 모든 시도가 효과가 없을 때 실시되어야 하며, 불복종이 정당화되려면 불복종으로 인한 처벌을 감수해야 한다고 보았다.

왜 틀렸을까? 선택지 뜯어 보기

갑: 특정 집단의 이익 실현과 정의 실현을 불복종의 목적으로 삼아야 합니다.

시민 불복종은 특정 입장의 이익 실현을 목적으로 삼지 않는다.

을: 비폭력적이면서 공개적이지 않은 방법을 통해 법에 불복종해야 합니다.

시민 불복종은 공개적인 방법으로 진행되어야 한다.

병: 다수의 의사에 의해 정해진 법에 대해서는 무조건 복종해야 합니다.

시민 불복종은 법을 위반하는 행위이다.

정: 불복종이 정당화되려면 불복종으로 인한 처벌을 감수해야 합니다.

불복종이 정당화되기 위해서는 법을 어김으로서 받는 처벌을 감수해야 한다.

무: 합법적인 모든 시도가 효과가 없을 때 불복종이 실시되어야 합니다.

시민 불복종은 최후의 수단이다.

서술형 문제

14 모범 답안 (1) (가): 동의, (나): 본성

(2) (가)의 한계는 명시적이든 묵시적이든 현실적으로 시민이 정치적 의무를 이행하기로 국가와 계약을 맺거나 동의했다고 보는 경우는 거의 없다는 점이다. (나)의 한계는 정치적 의무가 보편적

인 인간 본성에서 비롯된다고 보기 어려우며, 국가 공동체가 다른 공동체와 비교하여 우선적인 충성과 헌신을 요구할 만큼 최상의 공동체가 아닌 경우도 존재한다는 점이다.

만점 포인트 동의론과 혜택론의 한계

구분	채점 기준
상	동의론과 혜택론의 한계를 모두 서술한 경우
중	동의론과 혜택론의 한계 중 한 가지만 서술한 경우
하	동의론과 혜택론의 한계와 관련 없는 내용을 서술한 경우

15 **모범 답안** (1) (가): 민주주의, (나): 민본주의

(2) 민본주의는 백성을 위한 정치를 지향하고, 민주주의는 시민을 위한 정치를 지향한다. 따라서 두 사상은 통치 권력이 국민의 의사를 존중하여 행사되어야 한다는 점에서 공통적인 입장을 지닌다.

만점 포인트 민주주의와 민본주의의 공통점

구분	채점 기준
상	국민의 의사 존중을 언급하여 두 사상의 공통점을 서술한 경우
하	두 사상의 공통점을 서술하지 못한 경우

내신 1등급 69쪽

01 ⑤ 02 ④ 03 ③ 04 ④

01 갑은 아리스토텔레스, 을은 흄이다. 아리스토텔레스에 따르면 국가는 본질적으로 인간의 사회적·정치적 본성에 의해 형성되는 것이라고 주장하였다. 인간 본성에 따라 성립된 국가는 자연스럽게 권위를 갖게 된다. 흄은 국가에 대한 복종 의무는 이익을 누린다는 조건이 필요하다고 본다.

02 제시문의 사상가는 밀이다. 밀은 그의 저서 『자유론』에서 국가가 시민의 자유를 제한할 수 있는 경우는 오직 그 사람의 행동이 다른 사람에게 해악을 끼칠 때만 가능하다고 주장하였다.

자료 심층 분석

| 보기 |

ㄱ. 자기 자신에 대해서는 각자가 주권자로 간주된다. (○)

➡ 밀은 각자 자신이 주권자로서 스스로의 삶을 계획하고 결정할 주권자라고 본다.

ㄴ. 국가는 시민의 기본권을 보장해야 할 의무가 있다. (○)

➡ 밀은 국가가 시민의 자유를 지켜 주는 역할을 해야 한다고 본다. 즉 시민의 기본권 보장의 의무는 국가에 있다.

ㄷ. 남에게 해를 입히는 행위에 대해서는 사회가 간섭할 수 있다. (○)

➡ 밀은 자신에게만 미치는 행위에 대해서는 개인이 절대적인 자유를 누리지만, 다른 사람에게 해악을 끼치는 행위에 대해서는 사회가 간섭할 수 있다고 본다.

ㄹ. 선한 목적의 실현을 위해 개인에 대한 사회의 개입은 모두 허용된다. (×)

➡ 밀은 선한 목적을 실현하기 위함일지라도 개인의 자유를 침해하는 사회의 개입은 인정하지 않는다.

03 갑은 소로, 을은 롤스이다. 소로와 롤스는 불의한 법의 개정을 위해서라도 시민 불복종의 의도는 동료 시민들에게 공개되어야 한다고 주장한다.

04 갑은 로크, 을은 롤스이다. 롤스는 시민 불복종이 정의 실현에 기여한다고 보면서, 시민 불복종을 행사하는 것은 시민의 정치적 의무에 포함된다고 보았다.

단원 마무리 70~73쪽

01 ④ 02 ① 03 ⑤ 04 ① 05 ③ 06 ④ 07 ⑤ 08 ④
09 ③ 10 ④ 11 ③ 12 ④ 13 ② 14 ④ 15 ① 16 ③

01 갑은 베버, 을은 공자이다. 베버는 프로테스탄트의 금욕을 바탕으로 한 영리 활동이 근대 기업가의 소명이라고 보았다. 공자는 정명 사상을 바탕으로 각자가 자기 직분에 충실할 때 공동체가 유지된다고 보았다.

02 갑은 마르크스, 을은 베버이다. 마르크스에게 자본주의 사회에서 근대 노동자의 노동은 소외된 노동이다. 따라서 자본주의 속에서 노동자의 소외는 극복되지 않는다.

03 갑은 맹자, 을은 순자이다. 맹자와 순자 모두 직업의 사회적 분업에 긍정하였다. 맹자는 대인과 소인의 역할이 다르다고 보았고, 순자는 사농공상의 질서를 강조하였다. 따라서 맹자와 순자 모두 각 사람들이 능력과 재능을 고려한 사회적 역할 분담이 이루어져야 한다고 본다.

왜 틀렸을까? 선택지 뜯어 보기

① 갑: 군주는 백성의 생업 보장보다 법적 규제에 힘써야 한다.

맹자는 왕도 정치의 시작을 백성의 생업 보장에 있다고 본다. 따라서 백성의 생업 보장보다 법적 규제에 힘쓴다는 것은 맹자의 주장이라 볼 수 없다.

② 갑: 직업 종사자는 누구도 일정한 마음을 지닐 수 없다.

맹자는 선비는 일정한 생업이 없더라도 일정한 마음을 지닐 수 있다고 하였다. 따라서 누구도 일정한 마음을 지닐 수 없다고 본 것은 아니다.

③ 을: 정신을 쓰는 노동보다 육체를 쓰는 노동이 우위에 있다.

순자는 육체적 노동이 정신을 쓰는 노동보다 우위에 있다고 보지 않았다.

④ 을: 무위자연의 도를 본받아 직업을 차별하지 말아야 한다.

무위자연의 도는 도가의 주장이다.

04 제시문의 강연자는 환경 오염과 같은 부정적 외부 효과에 대한 책임을 기업이 지녀야 한다고 보고 있다.

05 제시문의 사상가는 프리드먼이다. 프리드먼은 기업의 목적은 이윤 극대화이며, 합법적 이윤 추구를 넘어서는 다른 사회적 책임을 기업에 강요해서는 안 된다고 본다.

06 제시문의 사상가는 니부어이다. 니부어는 개인 간의 갈등은 도덕적이고 합리적인 방법으로 조정될 수 있으나, 집단 간의 갈등은 그것이 불가능하다고 여겼다.

07 갑은 니부어, 을은 롤스이다. 니부어는 사회의 도덕적 이상은 정의라고 주장하였다. 롤스는 정의를 사회 제도의 제1덕목이라고 주장하였다.

왜 틀렸을까? 선택지 뜯어 보기

① 갑은 개인의 선의지가 없어도 사회 정의가 확립될 수 있다고 본다.
니부어는 개인의 선의지와 정치적 강제력을 병행하여 사회 정의를 확립해야 한다고 본다.

② 을은 취득 및 양도 절차가 공정하면 그 결과도 공정하다고 본다.
취득과 양도 절차가 공정하면 결과도 공정하다고 본 사상가는 노직이다.

③ 갑은 을과 달리 개인보다 사회가 도덕성 측면에서 우월하다고 본다.
니부어는 개인이 사회보다 도덕성의 측면에서 우월하다고 본다.

④ 을은 갑과 달리 정당한 강제력으로 사회 문제를 해결해야 한다고 본다.
니부어와 롤스 모두 정당한 강제력으로 사회 문제를 해결해야 한다고 본다.

⑤ 갑, 을은 정의를 사회가 추구해야 할 최고의 도덕적 이상으로 본다.
니부어와 롤스 모두 정의를 사회가 추구할 최고의 도덕적 이상으로 본다.

08 제시문의 사상가는 노직이다. 노직은 개인의 타고난 재능과 같은 우연적 요소는 모두 개인의 것이라고 보았다. 노직은 우연성이 배제된 상태에서 계약이 이루어져야 한다고 주장하지 않았다.

09 갑은 노직, 을은 마르크스, 병은 롤스이다. 롤스는 사회는 사회 구성원의 상호 이익을 위한 협동체이며, 사회 구조는 사회적 약자의 협력을 이끌 수 있게끔 구성되어야 한다고 보았다.

10 갑은 베카리아, 을은 칸트이다. 칸트는 응보론에 입각하여 평형의 원리에 따라 처벌의 양과 질을 결정해야 한다고 본다.

11 갑은 공리주의자인 벤담, 을은 응보론자인 칸트, 병은 사형제 폐지를 주장한 베카리아이다.

자료 심층 분석

보기

ㄱ. A: 사회 전체의 이익보다 살인범의 생명권을 우선해야 하는가? (×)
➡ 공리주의자는 무엇보다 사회 전체의 이익의 실현, 즉 공리의 실현을 목적으로 한다.

ㄴ. B: 사형은 범죄 억제 목적을 달성하기 위한 응보적 처벌인가? (×)
➡ 응보론은 사형을 집행함에 있어 범죄 억제 목적을 전제하는 것이 아니라 그 자체로서 처벌하는 응보론을 주장하였다.

ㄷ. C: 사형은 살인죄에 대한 동등성 원리에 부합하는 정당한 처벌인가? (○)
➡ 칸트는 사형을 살인죄에 대한 동등성의 원리에 부합하는 정당한 처벌이라 보고, 사형제의 존치를 주장하였다.

ㄹ. D: 사형은 종신형에 비해 처벌의 사회적 효용이 낮은 형벌인가? (○)
➡ 베카리아에게 사형은 종신 노역형에 비해 지속성이 떨어지기 때문에 처벌의 사회적 효용이 낮다. 따라서 사형제 폐지를 주장하고 종신 노역형을 대체되어야 한다고 보았다.

12 제시문의 사상가는 공리주의자 벤담이다. 벤담은 사회적 효용의 극대화를 정의로 본다. 롤스나 노직은 절차적 정의를 주장하므로 절차가 공정하면 결과가 불평등해도 정의롭다고 본다. 가치와 공적에 의한 재화의 분배를 중시한 인물은 아리스토텔레스이고, 소유에 관한 개인의 권리를 절대시하는 것은 노직이다. 노직은 또한 복지를 위한 국가의 재분배에 반대한다.

13 제시문의 사상가는 흄이다. 흄은 국가에 복종하는 의무는 정부가 제공하는 혜택에서 발생한다고 본다.

14 제시문은 롤스의 시민 불복종에 대한 내용이다. 롤스는 시민 불복종은 그 행위에 대한 법적 처분의 수용을 전제하며, 부정의한 법과 제도의 개선을 위한 공개적인 행위라고 본다.

15 갑은 소로, 을은 롤스이다. 소로는 개인의 양심을 근거하여 시민 불복종을 주장하였고, 롤스는 다수의 공유된 정의관에 근거한 시민 불복종을 주장하였다. 롤스에게 시민 불복종은 법에 대한 충실성의 한계 내에서 인정된다.

자료 심층 분석

보기

ㄱ. 갑: 개인은 법에 우선하여 양심과 정의에 따라 행동해야 한다. (○)
➡ 소로는 개인은 법보다 양심과 정의를 따라야 한다고 보았다. 즉 부정의한 법에 대해서는 저항해야 한다고 본다.

ㄴ. 을: 시민 불복종은 법에 대한 충실성을 거부하는 정치 행위이다. (×)
➡ 롤스는 시민 불복종은 법의 충실성의 한계 내에 있다고 본다.

ㄷ. 을: 시민 불복종의 대상은 일부의 부정의한 법이나 정책들에 한정된다. (○)
➡ 롤스는 시민 불복종의 대상이 일부의 부정의한 법과 정책들에 한정되며, 시민 불복종의 목적은 부정의한 법과 정책들의 개선에 있다고 보았다.

ㄹ. 갑, 을: 정의감에 호소하는 시민 불복종이 비폭력적일 필요는 없다. (×)
➡ 롤스는 정의감에 호소하는 시민 불복종이 비폭력적이고 공개적이어야 한다고 보았다.

16 갑은 롤스, 을은 소로다. 롤스는 공동체의 정의감을 불복종 정당화의 최종 근거로 본다면, 소로는 양심에 어긋나는 모든 법에 불복종해야 한다고 본다.

IV. 과학과 윤리

01 과학 기술과 윤리

개념 암기 75쪽

1 (1) ㉢ (2) ㉠ 2 ㄴ 3 (1) 가치 중립성 (2) 요나스 (3) 사회적 4 (1) ○ (2) ×

내신 기출 75~78쪽

01 ④ 02 ② 03 ④ 04 ② 05 ③ 06 ① 07 ④ 08 ⑤ 09 ② 10 ② 11 ③ 12 ② 13 해설 참조 14 해설 참조 15 해설 참조

01 갑은 과학 기술의 부정적 측면을 강조하는 과학 기술 혐오주의의 입장, 을은 과학 기술의 긍정적 측면을 강조하는 과학 기술 지상주의의 입장을 취하고 있다. 과학 기술 혐오주의는 과학 기술의 가치를 인정하지 않고 과학 기술의 성과를 부정하는 문제점이 있는 데 비해, 과학 기술 지상주의는 과학 기술의 부정적 측면을 간과하고 과학 기술의 부정적 측면에 대한 반성적 성찰이 결여될 수 있다는 문제점이 있다.

02 그림의 강연자는 야스퍼스이다. 야스퍼스는 과학 기술의 가치 중립성을 주장한다. 야스퍼스에 의하면, 과학 기술의 연구는 객관적인 진리 탐구를 하는 활동으로 보고, 과학 기술의 사실성 여부를 판단하는 과정에 특정 가치가 개입되어서는 안 되며, 과학 기술에 대한 윤리적 평가와 비판을 유보해야 한다.

왜 틀렸을까? 선택지 뜯어 보기

ㄴ. 인간은 과학 기술에 의해 ~~지배당하는 현상을 막아야~~ 한다.

과학 기술에 대한 윤리적 평가와 비판을 허용해야 된다는 것으로 과학 기술의 가치 중립성을 부정하는 입장이다.

ㄷ. 과학 기술은 정치, 경제 등 ~~사회적 요인과 결합하여~~ 발전한다.

과학 기술이 정치, 경제 등 사회적 요인과 결합하여 발전한다는 것은 과학 기술의 가치 중립성을 부정하는 입장이다.

03 제시문은 과학 기술의 가치 중립성을 부정하는 하이데거의 주장이다. 과학 기술의 가치 중립성을 부정하는 하이데거는 현대의 과학 기술은 단순히 인간의 편리한 생활을 위한 도구가 아니라 오히려 인간의 삶과 깊이 관련을 맺고 있다는 점을 강조하며 과학 기술을 가치 중립적인 것으로 보아서는 안 된다고 본다. 따라서 그는 과학 기술도 가치 판단에서 자유로울 수 없으므로 윤리적 검토나 통제가 필요하다고 주장한다.

04 갑은 과학 기술의 가치 중립성을 강조하는 야스퍼스, 을은 과학 기술의 가치 중립성을 부정하는 하이데거이다. 야스퍼스가 과학 기술을 단지 도구로 보는 데 비해 하이데거는 과학 기술이 인간을 지배할 수 있는 속성이 있음을 반성하고 성찰하는 자세가 필요하다고 주장한다. ①, ③, ⑤ 과학 기술의 가치 중립성을 강조하는 야스퍼스의 입장이다.

만점 노트 과학 기술의 가치 중립성 논쟁

가치 중립성 강조	• 객관적인 진리 탐구가 과학 기술 연구의 주된 활동이라고 봄 • 과학 기술에 대한 윤리적 평가와 비판을 유보해야 함
가치 중립성 부정	• 과학 기술도 가치 판단의 대상이므로 윤리적 검토나 통제가 필요함 • 과학 기술의 연구·활용 주체는 인간이므로 과학 기술과 도덕적 가치를 분리할 수 없음

05 제시문은 과학 기술 연구 과정에서 가치 중립성이 필요함을 강조하고 있다. 과학 기술의 발전을 위해서는 과학적 지식이나 원리를 탐구하는 연구 과정에서는 가치 중립적 태도가 필요하다. 그러나 과학 기술의 연구 목적을 설정하고 연구 결과를 현실에 활용하는 과정에서는 윤리적 평가와 반성이 필요함을 깨달아야 한다.

06 제시문은 과학 기술의 목표가 인간의 가치관이나 윤리적 목적과 밀접하게 관련되어 있음을 지적하고, 과학 기술자의 윤리적 책임을 강조하고 있다. 이와 같은 입장에서 과학 기술의 연구 목표를 설정하거나 연구 결과를 활용하는 과정에서 부정적 결과를 초래하지 않기 위해서는 과학 기술에 대한 윤리적 통제와 반성적 검토가 필요하다.

07 제시된 내용은 과학 기술이 발전한 시대에 새로운 책임 윤리를 확립해야 한다고 주장한 요나스의 입장이다. 요나스는 인간 상호 간의 책임을 강조하는 전통적인 책임 윤리는 과학 기술이 엄청나게 발전한 오늘날에는 한계가 있다고 본다. 그는 인류의 존속을 위해 과학 기술의 부정적 결과를 예방해야 한다고 보고, 미래 세대와 자연 생태계를 보존하는 새로운 책임 윤리를 강조한다. ㄷ. 요나스는 과학 기술의 미래에 대해 비관적 전망을 제시한다.

08 제시문은 전통 윤리학의 한계를 지적하고 새로운 책임 윤리를 주장한 요나스의 입장이다. 요나스는 과학 기술의 발전이 인류의 존속에 위기를 가져올 수 있다고 보고, 인류의 존속을 위해 미래 세대와 자연 생태계에 대한 현세대의 책임을 강조하는 윤리를 정립해야 한다고 본다. ㄴ. 요나스는 현세대가 지나치게 과학 기술에 의존하거나 자연 생태계를 파괴할 경우, 현세대의 행위 결과는 엄청난 인류의 재앙을 가져올 것이라고 전망한다.

09 제시문은 현세대뿐만 아니라 미래 세대와 지구 생태계로까지 책임 범위의 확장을 주장하는 요나스의 입장이다. 요나스는 과학 기술의 지배력이 커짐에 따라 부정적 결과가 엄청난 인류의 위기를 가져올 것으로 보고, 이러한 미래의 공포에 대해 현세대가 미리 책임 의식을 발휘하여 미래의 재앙을 막아야 한다고 본다. 그는 인류의 존속을 새로운 정언 명령으로 삼아 자연 생태계와 미래 세대에 대한 책임 윤리를 강화해야 한다고 주장한다.

10 갑은 과학자의 연구가 사회에 끼치는 영향을 고려하여 외적 책임을 강조하는 입장이며, 을은 과학자의 책임은 연구 과정에 한정되는 내적 책임만을 강조하는 입장이다. 외적 책임을 강조하는 갑의 입장에서는 내적 책임만을 강조하는 을에게 과학 기술의 사회적 영향을 고려하여 연구 목적을 설정해야 한다는 비판이나, 연구 결과의 부정적 측면을 고려하여 책임 있는 연구를 수행해야 한다는 비판을 제기할 수 있다.

왜 틀렸을까?

① 을은 내적 책임을 중요하게 생각하고 있다.
③ 갑은 과학자의 외적 책임을 강조하고 있다.
④ 갑은 연구 결과에 대한 책임에서 벗어나지 않아야 한다는 입장이다.
⑤ 갑, 을 입장 모두에 어긋나는 진술이다.

11 제시문은 과학자의 사회적 책임을 강조하고 있으며, 과학자의 책임을 연구 과정에서만 국한시키는 것을 비판적으로 바라보고 있다. 제시문의 ㉠에는 연구 과정에서의 책임이 아니라 사회적 책임을 강조하는 내용이 들어가야 한다. 즉, ㉠에는 연구 결과의 효용성이나 부작용, 부정적 측면에 대한 대처 방안 등의 내용이 들어가야 한다.

왜 틀렸을까?

③ 과학자의 사회적 책임이라기보다는 연구 과정에서의 책임에 관한 내용이다.

12 제시문의 (가)는 과학 기술자의 내적 책임, (나)는 과학 기술자의 외적 책임을 강조하고 있다. (가)는 연구 윤리와 신뢰할 수 있는 검증 과정을 중시하는 데 비해 (나)는 연구 결과가 사회에 미칠 부정적 영향과 이에 대한 사회적 책임 의식을 중시한다. 따라서 (나)의 입장은 (가)의 입장에 비해 X축 척도는 높고, Y축 척도도 높으며, Z축 척도도 높다고 평가할 수 있다.

자료 심층 분석

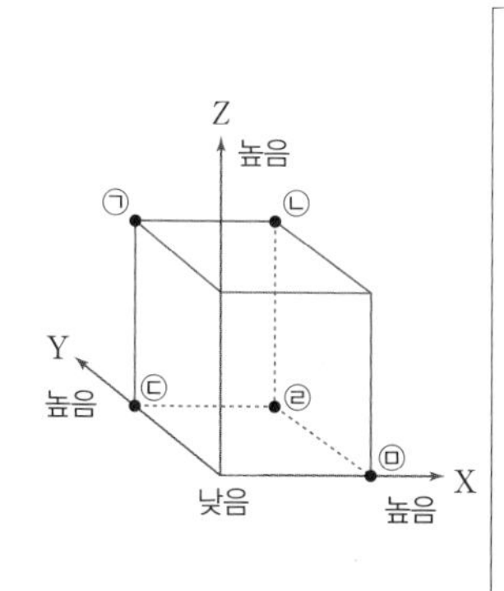

㉠ : X축 척도는 낮고, Y축과, Z축 척도는 높다. (×)
㉡ : X축, Y축, Z축 척도 모두 높다. (○)
㉢ : X축 척도는 낮고, Y축 척도는 높으며, Z축 척도는 낮다. (×)
㉣ : X축과 Y축 척도는 높고, Z축 척도는 낮다. (×)
㉤ : X축 척도는 높고, Y축과 Z축 척도는 낮다. (×)

서술형 문제

13 모범 답안 과학 기술의 연구 목적을 설정하고 활용하는 단계에서는 윤리적으로 성찰하고 반성하는 태도를 지녀야 한다.

만점 포인트 과학 기술의 가치 중립성 논쟁

구분	채점 기준
상	연구 목적 설정, 연구 결과 활용, 윤리적 반성을 모두 포함하여 서술한 경우
중	연구 목적 설정, 연구 결과 활용, 윤리적 반성 중 두 가지를 포함하여 서술한 경우
하	윤리적 반성이 필요하다고 서술한 경우

14 모범 답안 선한 의도로 시작한 연구일지라도 사회적으로 해로운 결과가 예상된다면 연구를 중단한다.

만점 포인트 사회적 책임 의식

구분	채점 기준
상	연구 결과의 부정적 측면을 고려하여 사회적 책임 의식 발휘 사례를 서술한 경우
중	사회 발전을 위한 사회적 책임 의식 발휘 사례를 서술한 경우
하	사회 구성원으로서 사회적 책임 의식 발휘 사례를 서술한 경우

15 모범 답안 과학 기술의 연구 개발 과정과 결과를 평가·감시·통제할 수 있는 기관 또는 국가의 각종 윤리 위원회 활동을 강화한다.

만점 포인트 사회적 차원의 윤리적 책임

구분	채점 기준
상	사회적 차원의 해결 방안을 두 가지 모두 바르게 서술한 경우
중	사회적 차원의 해결 방안을 한 가지만 서술한 경우
하	사회 제도의 필요성만을 서술한 경우

내신 1등급 79쪽

01 ④ 02 ③ 03 ④ 04 ⑤

01 갑은 과학 기술의 가치 중립성을 부정하는 하이데거의 입장이고, 을은 과학 기술의 가치 중립성을 강조하는 야스퍼스의 입장이다. 갑은 현대의 과학 기술이 인간을 닦달하는 속성이 있기 때문에 과학 기술에 대한 성찰과 반성이 필요하다고 보는 데 비해, 을은 과학 기술 그 자체는 선악의 요소가 없으며 인간이 어떻게 사용하느냐에 따라 선이 될 수도 있고 악이 될 수도 있다고 본다. 또한 갑은 과학 기술에 대한 도덕적·윤리적 가치의 밀접한 관계를 가진다고 보는 데 비해, 을은 과학 기술 그 자체는 도덕적·윤리적 가치와 독립적인 관계를 가진다고 본다.

왜 틀렸을까?

① 갑은 기술이 인간과 자연을 지배할 수 있다고 본다.
② 갑은 기술이 인간의 삶의 방식을 지배할 수 있다고 본다.
③ 현대 과학 기술이 가져올 위기를 극복하기 위해 현세대의 책임을 강조하는 요나스의 입장이다.
⑤ 을만의 입장에 대한 진술이다. 갑은 기술을 가치 중립적인 도구로 보는 데 반대한다.

02 제시문의 '나'는 과학 기술이 인류의 편의를 위한 도구의 성격을 지닌다는 점은 인정하지만, 현대 사회에서 과학 기술이 인간의 삶

을 지배할 수 있다는 점을 지적하고 있다. 이러한 입장은 현대 과학 기술을 가치 중립적인 관점에서만 바라보는 것은 기술 지배의 위험성을 가져올 수 있다는 점에 주목하고, 과학 기술에 대한 성찰과 반성이 필요함을 역설한다.

왜 틀렸을까?

①, ④, ⑤ 과학 기술의 가치 중립성을 강조하는 입장이다.
② 과학 기술 지상주의의 입장이다.

03 제시문은 새로운 책임 윤리를 주장하는 요나스의 입장이다. 요나스는 오늘날 강력한 힘을 가진 과학 기술을 그대로 방치하면 인류 존속을 위협할 수 있는 공포를 가져올 수 있다고 보고, 현세대의 책임 범위를 현재의 인류는 물론 미래 세대와 자연 생태계에까지 확대할 것을 주장한다. ㄷ. 과학 기술에 대한 가치 중립적 입장은 과학 기술을 단지 인류의 편의를 위한 도구로 보고, 과학 기술의 발전 자체가 인류 위기의 원인이 될 수 없다고 본다.

04 갑은 과학 기술자의 내적 책임을 강조하고 있는 데 비해 을은 과학 기술자가 내적 책임뿐만 아니라 외적 책임까지 져야 한다고 보고 있다. 갑, 을의 토론에서 핵심 쟁점이 되는 것은 두 사람 중 한 사람은 찬성, 나머지 한 사람은 반대하는 질문이어야 한다. ① 갑, 을은 모두 과학 기술이 긍정적·부정적 측면을 지니고 있다고 본다. ②, ③ 갑, 을 모두 부정의 대답을 할 질문이다. ④ 과학 기술 지상주의의 입장으로 갑, 을 모두 부정의 대답을 할 질문이다.

만점 노트 과학 기술자의 내적 책임과 외적 책임

내적 책임	• 연구 자체에 대한 과학 기술자의 책임 • 연구 윤리 준수, 연구의 참과 거짓 규명 등
외적 책임	• 연구 결과가 사회에 미칠 영향에 대한 과학 기술자의 책임 • 인간의 존엄성 구현, 삶의 질 향상, 미래 세대의 존속 및 인간 생존 등

02 정보 사회와 윤리

개념 암기 81쪽

1 (1) 저작권 (2) 잊힐 권리 (3) 익명성 (4) 미디어 리터러시
2 (1) ○ (2) ○ (3) × 3 (1) ㄱ (2) ㄴ (3) ㄷ

내신 기출 81~84쪽

01 ⑤ 02 ③ 03 ④ 04 ① 05 ① 06 ① 07 ⑤ 08 ③
09 ① 10 ② 11 ① 12 ④ 13 해설 참조 14 해설 참조
15 해설 참조 16 해설 참조

01 제시문은 저작권 보호를 주장하는 입장이다. 저작권 보호를 주장하는 입장은 정보 창작자의 노력에 대한 경제적 이익을 보장함으로써 창작 의욕을 높일 수 있고, 정보의 질적 수준을 높여 더 많은 양질의 지적 생산물을 생산할 수 있다고 본다. ① 정보 공유를 주장하는 입장에 해당한다. ② 저작권 보호를 주장하는 입장이나 정보 공유를 주장하는 입장은 특정 개인의 저작권 소유를 인정하지 않는 것은 아니다.

02 제시문은 정보 공유를 주장하는 입장이다. 정보 공유를 주장하는 입장은 지식과 정보 등 지적 창작물은 공공재의 성격을 지니며, 모든 지식과 정보는 공동체의 이익을 위해 사용되어야 한다고 본다. 또한 특정한 개인이나 집단이 정보를 독점한다면 정보 사회의 지속적인 발전이 어려워질 것이라고 주장한다. ①, ②, ④, ⑤ 정보 공유론의 입장에서 부정의 대답을 할 질문이다.

03 갑은 정보 공유를 주장하는 입장이며, 을은 저작권 보호를 주장하는 입장이다. 갑은 정보와 지식을 공공재로 보기 때문에 정보와 지식을 창작하는 사람의 노력을 충분히 고려하지 못한다는 비판을 받을 수 있다. 그에 비해 을은 정보와 지식의 창작자에게 정보에 대한 배타적 독점권을 부여하기 때문에 정보의 자유로운 교류를 방해할 수 있다는 점에서 비판을 받을 수 있다. ㄹ. 을의 입장에게 갑에게 제기할 수 있는 비판이다.

04 제시문에서는 가상 공간에서 네티즌들의 '잊힐 권리'가 보장되어야 함을 강조하고 있다. '잊힐 권리'란 온라인상에서 자신과 관련된 모든 정보에 대한 삭제 및 확산 방지를 요구할 수 있는 정보 주체의 자기 결정권 및 통제 권리를 의미한다.

왜 틀렸을까?

② 저작권 보호를 주장하는 입장이다.
③, ④ 정보 공유를 주장하는 입장이다.
⑤ 사생활보다 알 권리 보장을 강조할 경우 잊힐 권리를 인정하지 않을 수 있다.

05 사이버 폭력이란 가상 공간에서 타인에게 글, 영상 등을 이용해서 정신적·심리적 피해를 주는 행위를 말한다. 사이버 폭력에는 악성 댓글, 허위 사실 유포, 사이버 스토킹, 사이버 따돌림 등이 있으며, 사이버 폭력은 현실 공간에 비해 광범위한 범위에서 불특정 다수에게 매우 빠른 속도로 전파되는 특성이 있다. 또한 가상 공간에서 이루어지는 사이버 폭력은 현실 공간에서의 폭력과 달리 시공간의 제약 없이 언제 어디서나 일상적으로 이루어질 수 있다.

왜 틀렸을까?

ㄷ. 사이버 공간에서 한 번 유포된 정보를 쉽게 회수하거나 수정하기 어렵다.
ㄹ. 현실적 폭력에 비해 사이버 폭력은 광범위한 범위에서 급속한 속도로 전파되기 때문에 가해자를 파악하기 어려운 측면이 있다.

06 제시문에서는 시민의 '알 권리'의 중요성을 강조하고 있다. 일반적으로 시민은 정치, 사회 현실 등에 관한 정보를 자유롭게 얻을 수 있는 '알 권리'를 갖는다. 그렇다고 해서 시민의 알 권리가 시민의 사생활보다 항상 앞서는 것은 아니다. 알 권리는 단순한 호기심이 아니라 공익을 위한 목적에서 행사될 때 정당성을 가진다.

07 스피넬로는 정보 윤리의 네 가지 기본 원칙을 주장하였다. 스스로 도덕 원칙을 수립하여 행동하고 타인의 자기 결정 능력을 존중해야 한다는 것은 '자율성의 원리'이고, 타인의 복지를 증진하는 방향으로 행동해야 한다는 것은 '선행의 원리'이며, 남에게 해악이나 상해를 입히는 일을 피해야 한다는 것은 '해악 금지의 원리'이다. 또한, 공정한 기준에 따라 혜택과 부담을 공정하게 배분해야 한다는 것은 '정의의 원리'이다.

08 제시문에서는 뉴 미디어가 개인적인 소통 영역인 동시에 다수에게 영향을 줄 수 있는 공적 영역임을 지적하면서 정보 윤리의 필요성을 강조하고 있다. 뉴 미디어를 통해 전달되는 정보 중에는 허위 및 왜곡된 정보들을 포함하여 심각한 사회 문제를 일으킬 수 있는 정보들이 있다. 이러한 사회 문제를 예방하기 위해서는 정보의 사실성과 객관성을 점검하고 검토하는 데 주의를 기울일 필요가 있다. ③ 매체가 개인적이고 주관적인 정보를 생산한다면, 공정한 보도를 방해하고 사회에 악영향을 끼칠 수 있다.

09 소수가 다수에게 일방적으로 정보를 전달하는 전통 매체에 비해 뉴 미디어는 정보를 생산하는 주체와 소비하는 주체 사이에 쌍방향적 의사소통이 이루어진다. 뉴 미디어를 통해 정보의 생산자는 동시에 정보의 소비자가 되기도 하며, 수평적 관계를 바탕으로 정보를 주고받는다. 또한 뉴 미디어를 통해 사람들은 모임의 수나 시간, 장소 등에 제한을 받지 않기 때문에 광범위한 사회적 연결망을 형성할 수도 있다. ① 신문이나 텔레비전과 같은 전통 매체의 특징이다.

10 밑줄 친 'C 공간'은 사이버 공간이다. 칼럼에서는 무수한 정보가 광범위한 범위에서 소통되는 인터넷에서 네티즌으로서 누릴 수 있는 자유에는 남에게 피해를 주지 말아야 한다는 한계가 있음을 지적하고 있다. 이러한 문제를 해결하기 위해 가상 공간에서는 현실 공간에서와 마찬가지로 타인에 대한 이해를 바탕으로 타인의 의견을 고려하며, 반대 의견을 존중하는 자세를 가져야 한다.

왜 틀렸을까?

① 가상 공간에서는 사생활 침해라는 문제점을 유발하기 쉽다.
③ 가상 공간에서는 사실 정보가 아닌 허위 정보나 왜곡된 정보가 전달될 위험이 있다.
④ 다른 사람에게 피해를 주고, 사회의 무질서를 초래할 수 있다.
⑤ 제시문에서는 가상 공간에서도 현실 공간과 마찬가지로 진실한 모습을 갖출 것을 강조하고 있다.

11 '미디어 리터러시'란 정보 사회에서 매체를 이용하고 활용하는 능력이다. 예를 들어, 사용하고 이해하는 데 필요한 기본적인 읽기, 쓰기 능력을 '미디어 리터러시'라고 한다. 포괄적으로는 다양한 매체에서 이루어지는 정보의 소통, 정보에 접근하고 분석·평가하고 발신하는 능력과 정보의 가치를 평가하는 비판적 사고 능력을 의미한다. '미디어 리터러시'는 자신의 목적에 맞게 기존의 정보를 새로운 정보로 해석하고 조합하는 능력을 포함한다. ㄷ. 저작권의 보호를 강조하는 입장이다. ㄹ. 허위 정보와 왜곡된 정보를 산출하여 타인에게 해악을 끼칠 수 있다.

12 밑줄 친 ㉠은 '미디어 리터러시'를 의미한다. 미디어 리터러시는 정보를 해석하고 습득하는 능력으로서 자신이 찾아낸 정보의 가치를 비판적으로 평가하고, 정보를 소비하는 주체들이 매체가 제공하는 정보를 비판적·능동적으로 수용할 수 있게 한다.

왜 틀렸을까?

ㄱ. 미디어 리터러시는 있는 그대로의 모든 정보를 받아들이는 것이 아니라 새로운 정보를 해석하고 조합하는 능력이라고 할 수 있다.
ㄷ. 미디어 리터러시는 익명성을 발휘하여 최대한의 자유를 누리기보다는 규범의 준수뿐만 아니라 사회적 참여, 시민 의식 확보 등과 같은 윤리적 태도를 요구한다.

서술형 문제

13 모범 답안 정보 창작자의 노력을 충분히 고려하지 못함으로써 정보의 질적 수준이 낮아질 수 있음

만점 포인트 저작권 문제

구분	채점 기준
상	정보 공유를 비판하는 입장을 적절하게 서술한 경우
중	정보의 수준 저하 측면만 서술한 경우
하	정보 사회의 문제점을 서술한 경우

14 모범 답안 ㉠: 활발한 사회 참여와 연대를 이끌어 낼 수 있다. ㉡: 다른 사람의 인권을 침해하고 사회 질서를 훼손할 수 있다.

만점 포인트 가상 공간에서의 표현의 자유

구분	채점 기준
상	긍정적인 측면과 부정적인 측면을 모두 바르게 서술한 경우
중	긍정적인 측면이나 부정적인 측면 중 한 가지만 서술한 경우
하	현실 공간의 표현의 자유와 관련하여 서술한 경우

15 모범 답안 기존 매체는 정보를 일방적으로 전달하는 데 비해, 뉴 미디어는 정보 생산자와 소비자 간에 쌍방향적인 의사소통이 이루어진다.

만점 포인트 뉴 미디어를 통한 의사소통

구분	채점 기준
상	기존 매체와 뉴 미디어의 의사소통 특징을 비교하여 서술한 경우
중	의사소통 특징 이외에 기존 매체와 뉴 미디어의 특징을 서술한 경우
하	일반적인 매체의 특징을 서술한 경우

16 모범 답안 비판적 사고를 바탕으로 정보를 올바르게 이해하고 표현할 수 있어야 한다.

만점 포인트 미디어 리터러시

구분	채점 기준
상	미디어 리터러시와 관련하여 비판적 사고 능력이 필요함을 서술한 경우
중	정보의 사실성과 객관성이 중요함을 서술한 경우
하	거짓 정보의 문제점을 서술한 경우

내신 1등급 85쪽

01 ④ 02 ② 03 ⑤ 04 ③

01 갑은 정보 공유를 강조하는 입장이고, 을은 저작권 보호를 강조하는 입장이다. 정보 공유를 강조하는 입장은 모든 지식과 정보는 인류의 축적된 문화유산을 바탕으로 만들어지기 때문에 개인의 자산임과 동시에 공공재의 성격을 지닌다고 본다. 따라서 모든 지식과 정보는 자유롭게 이용할 수 있어야 하며, 공동선을 위해 활용되어야 한다고 본다. 그에 비해 저작권 보호를 강조하는 입장은 저작물에 대한 무단 표절과 복제를 막고 정보 창작자의 지적 재산권을 존중하고, 저작자의 노력에 정당한 대가를 지불해야 한다고 주장한다. 정보 공유와 저작권 보호를 강조하는 입장은 모두 정보 사회의 발전을 위한 주장들이다. ㄷ. 정보 공유를 강조하는 입장이다.

02 갑은 '잊힐 권리'를 강조하고 있는 반면, 을은 '알 권리'를 강조하고 있다. '잊힐 권리'는 인터넷상에 노출된 각종 민감한 개인 정보의 삭제를 네티즌 스스로가 결정하여 요구할 수 있는 권리이다. 그러나 '잊힐 권리'를 무한정 인정할 경우, 정보 이용자의 정보 접근권이나 알 권리를 훼손할 우려가 있다. '알 권리'는 공익과 관련된 정보에 대해 시민들이 자유롭게 접근할 수 있는 권리이다. 그러나 '알 권리'를 지나치게 강조할 경우, 개인의 사생활이 침해될 우려가 있다.

왜 틀렸을까?

③ 사생활 보호를 위해 시민들의 알 권리보다 잊힐 권리를 강조하는 입장이다.
④ 알 권리는 사적 이익이 아니라 공적 이익을 전제로 할 때 정당화될 수 있다.
⑤ 잊힐 권리나 알 권리를 강조하는 입장이라기보다는 저작권 보호를 강조하는 입장이다.

03 제시문에서는 사이버 공간이 개인의 자아 정체성 형성에 미치는 긍정적 측면에 주목할 것을 강조하고 있다. 사이버 공간에서 다중 자아 체험은 여러 자아를 실험하며 자신의 모습을 자유롭게 만들고 해체하면서 새로운 자아를 형성할 수 있다는 점에서 긍정적 측면이 있다. 반면 다중 자아 경험으로 인한 정체성 혼란 등은 다중 자아 체험의 부정적 측면이다.

04 빈칸 ㉠에는 뉴 미디어를 사용할 때 지켜야 할 윤리가 들어가야 한다. 정보 생산 및 유통 과정에서는 사실 그대로 전달하는 진실한 태도, 간접적으로 만나는 상대방을 배려하는 자세를 가져야 한다. 또한 정보를 이용하는 과정에서는 정보를 바르게 해석하고 습득하는 미디어 리터러시뿐만 아니라 사용자 상호 간의 윤리적 규범을 준수하고, 정보의 진실성을 감시하는 태도가 필요하다.

왜 틀렸을까?

ㄱ. 뉴 미디어는 수평적이고 쌍방향적인 의사소통을 특징으로 한다.
ㄴ. 정보의 왜곡이나 주관적 해석을 통해 타인에게 피해를 주거나 사회 혼란을 야기할 수 있는 견해이다.

03 자연과 윤리

개념 암기 87쪽

1 (1) ○ (2) × (3) ○ 2 (1) 베이컨 (2) 테일러 (3) 레오폴드
3 (1) 이익 평등 (2) 주체 (3) 큰 자아 (4) 파리 협정 (5) 지속 가능성

내신 기출 87~90쪽

01 ② 02 싱어 03 ④ 04 ① 05 ③ 06 ② 07 대지 08 ③
09 ④ 10 ⑤ 11 ③ 12 ③ 13 ① 14 ⑤ 15 해설 참조
16 해설 참조 17 해설 참조

01 제시문은 인간 중심주의를 주장한 칸트의 입장이다. 칸트는 이성을 지닌 인간의 인격을 목적으로 대우해야 하는 것은 인간이 지닌 직접적 의무라고 보고, 인간의 자연 보호 의무를 간접적 의무라고 주장하였다.

왜 틀렸을까?

① 삶의 주체인 동물의 권리를 존중해야 한다는 레건의 입장이다.
③ 동물 중심주의자인 싱어는 감각 기능을 지닌 존재들의 이익 관심을 동등하게 대우해야 한다고 주장하였다.
④ 모든 생명체를 도덕적 존중 대상으로 보는 것은 생명 중심주의의 입장이다.

02 제시문은 싱어의 주장이다. 싱어는 쾌고 감수 능력을 도덕적 고려의 기준으로 제시하였으며, 인간뿐만 아니라 인간과 마찬가지로 쾌고 감수 능력을 지닌 동물도 도덕적으로 고려해야 한다고 주장하였다.

03 제시문은 공리주의의 입장에서 동물 중심주의를 주장한 싱어의 입장이다. 싱어는 쾌고 감수 능력을 지닌 동물과 인간의 이익 관심을 평등하게 고려해야 한다는 이익 평등 고려의 원칙을 주장하였다.

왜 틀렸을까?

① 인간 중심주의의 입장이다.
② 싱어는 인간과 동물의 이익 관심이 동등함을 알아야 한다는 것이 아니라 이익 관심을 동등하게 고려해야 함을 강조하였다.
③ 의무론의 입장에서 동물 중심주의를 주장한 레건의 입장이다.
⑤ 인간과 자연의 관계에서 도덕적 주체가 될 수 있는 존재는 인간뿐이다.

04 제시문은 생명 중심주의를 주장한 슈바이처의 입장이다. 슈바이처는 생명 외경의 관점에서 모든 생명체는 동등한 가치로 여기고 생명을 고양하는 것을 도덕적 선으로 여겼다. 그는 불가피하게 생명을 해쳐야 하는 선택의 상황이 있다는 점을 인정하면서, 그러한 선택에 대해서는 도덕적 책임을 느껴야 한다고 주장하였다.

05 갑은 공리주의 입장에서 동물 중심주의를 주장한 싱어, 을은 의무론의 입장에서 동물 중심주의를 주장한 레건, 병은 생명 중심주의를 주장한 테일러이다.

자료 심층 분석

보기

ㄱ. A: 인간과 동물의 이익 관심이 같음을 알아야 한다. (×)

➡ 싱어는 인간과 동물의 이익 관심을 동등하게 대우할 것을 주장하였으며, 레건은 이익 관심과 무관하게 의무론의 입장에서 동물 중심주의를 주장하였다.

ㄴ. B: 유기체의 목적을 존중하는 것은 인간의 의무이다. (×)

➡ 유기체의 목적을 존중할 것을 주장한 사상가는 테일러이다.

ㄷ. C: 삶의 주체인 일부 동물들은 도덕적 존중의 대상이다. (○)

➡ 을은 삶의 주체인 동물, 병은 인간, 동물, 식물을 도덕적 존중 대상으로 보았다.

ㄹ. D: 도덕적 행위 능력이 없어도 존중 대상이 될 수 있다. (○)

➡ 도덕적 행위 능력이 있는 것은 인간뿐이다. 도덕적 행위 능력이 없는 동물과 생명체가 도덕 존중의 대상이 될 수 있다는 것은 갑, 을, 병의 공통 입장이다.

06 제시문은 생명 중심주의를 주장한 테일러의 입장이다. 테일러는 모든 생명체가 의식의 유무나 유용성에 관계없이 고유한 가치를 지니며, 인간은 자신의 고유한 선을 지니는 생명체를 도덕적으로 고려해야 할 의무를 지닌다고 보았다. ② 인간 중심주의의 입장에서 긍정의 대답을 할 질문이다.

07 ㉠은 대지이다. 레오폴드는 도덕적 고려의 범위를 넓혀 동식물뿐만 아니라 물, 흙 등을 포함하는 대지 전체로 확장해야 한다고 주장하였다.

08 갑은 동물 중심주의를 주장한 싱어, 을은 생태 중심주의자인 레오폴드이다. 싱어는 쾌고 감수 능력이 있는 인간과 동물의 이익 관심을 동등하게 고려할 것을 주장한 데 비해, 레오폴드는 생태계 구성원 전체를 도덕적으로 고려할 것을 주장하였다. ① 동물 중심주의를 주장한 레건이 긍정의 대답을 할 질문이다. ②, ④ 갑, 을 모두 긍정, ⑤ 갑, 을 모두 부정의 대답을 할 질문이다.

09 제시된 질문과 응답은 심층 생태주의를 주장한 네스를 대상으로 한 것이다. 네스는 환경 위기를 극복하기 위하여 자신을 자연이라는 더 큰 전체의 일부로 인식하는 '큰 자아실현'과 모든 생명체가 상호 연결된 공동체의 평등한 구성원이라는 '생명 중심적 평등'이라는 두 가지 규범을 제시하였다.

10 제시문은 송나라 시대 성리학의 자연관이다. 유교의 자연관은 인간과 자연이 조화를 이루는 천인합일의 경지를 추구한다. ㄱ. 도가 사상의 자연관에 해당한다. ㄴ. 서양의 인간 중심주의 자연관에 해당한다.

만점 노트 유불도의 자연관

- 유교: 천인합일의 경지 지향 ➡ 만물은 본래의 가치를 지니고, 하늘은 덕의 근원임
- 불교: 연기론 주장 ➡ 자연은 원인과 조건으로 연결된 그물
- 도교: 무위자연 추구 ➡ 자연에 통제나 조작을 가해서는 안 됨

11 제시문에서는 오늘날 환경 문제로 인해 지구 환경 전반이 심각한 위기에 직면하고 있음을 지적하고 있다. 이와 같은 환경 문제는 지구의 자정 능력을 넘어서 회복하기 어려운 수준으로 발생하는 경우가 많으며, 전 지구적으로 영향을 끼치는 초국가적 성격을 지니며, 책임 소재를 명확히 가리기 어려운 특징이 있다.

12 제시된 사례들은 세계 각국이 기후 변화와 지구 온난화에 대응하기 위해 체결된 국제적 협약들이다. 이와 같은 협약을 통해 각국은 기후 정의에 관한 논쟁이 활발하게 이루어졌으며, 지구 온난화 문제를 해결하기 위해 대책을 마련하기도 하였다.

13 제시문은 자연과 미래 세대에 대한 책임을 강조하는 요나스의 입장이다. 요나스에 따르면, 자연은 현세대뿐만 아니라 미래 세대가 함께 누려야 할 삶의 터전이므로 현세대는 미래 세대가 깨끗한 환경에서 건강하게 살아갈 권리를 보장해야 할 일방적인 책임을 지닌다.

14 ㉠ '생태적 지속 가능성'이다. 생태적 지속 가능성을 확보하기 위해서는 인간 중심적 자연관을 반성적으로 성찰하고 인간과 자연이 상호 의존 관계에 놓여 있다는 인식을 가져야 한다. ㄱ. 생태계의 수용 능력에 한계가 있음을 인식해야 한다. ㄴ. 현세대와 미래 세대의 존속을 위해 지속 가능한 발전을 추구해야 한다.

서술형 문제

15 **모범 답안** 돌멩이는 쾌락과 고통을 느끼는 능력을 가지고 있지 않기 때문이다.

만점 포인트 동물 중심주의 윤리

구분	채점 기준
상	쾌고 감수 능력을 포함하여 적절하게 서술한 경우
중	돌멩이가 동물이 아님을 서술한 경우
하	돌멩이가 무생물임을 서술한 경우

16 **모범 답안** 무생물을 포함한 생태계 전체를 도덕적 고려 대상으로 삼아야 한다.

만점 포인트 생태 중심주의 윤리

구분	채점 기준
상	생태계 구성원 전체를 윤리적 고려 대상으로 서술한 경우
중	생태계를 중시해야 한다고 서술한 경우
하	'생태계'라는 용어를 사용하지 않고 모든 존재를 존중해야 한다고만 서술한 경우

17 **모범 답안** 생태계의 자정 능력 범위 내에서 자원을 개발하고 이용해야 한다.

만점 포인트 생태적 지속 가능성

구분	채점 기준
상	생태계의 자정 능력을 포함하여 서술한 경우
중	자연의 중요성을 강조하여 서술한 경우
하	인간 중심주의의 입장에서 서술한 경우

내신 1등급 91쪽

01 ① 02 ⑤ 03 ④ 04 ⑤

01 제시문은 의무론을 바탕으로 동물 중심주의 윤리를 주장한 레건의 입장이다. 레건은 동물이 자기의 삶을 영위하는 삶의 주체이므로 그 자체로 본래적 가치를 지닌 목적적 존재라고 본다. ㄷ. 레건이 말하는 삶의 주체는 쾌고 감수 능력뿐만 아니라 믿음, 욕구, 지각, 기억 미래에 대한 의식을 지닌 존재이다. ㄹ. 이익 관심의 평등한 고려를 주장한 싱어의 입장이다.

02 제시문은 생명 외경 사상을 주장한 슈바이처의 입장이다. 슈바이처는 생명 그 자체가 지닌 가치를 중시하면서 생명을 유지하고 고양하는 것은 선이며 생명을 파괴하고 억압하는 것은 악이라고 본다. 그는 원칙적으로 모든 생명체가 동등한 가치를 지닌다고 여겼으나, 불가피하게 생명을 해쳐야 하는 선택적 상황이 있을 수 있다고 주장하였다. ④ 모든 자연관에서 도덕적 행위의 주체로 인정하는 존재는 인간뿐이다.

03 갑은 생태 중심주의를 주장한 레오폴드, 을은 생명 중심주의를 주장한 테일러, 병은 인간 중심주의를 주장한 칸트이다. 갑은 전체론의 입장을 취하는 데 비해, 병은 개체론적 입장을 취한다.

왜 틀렸을까?

ㄱ. 생태계에 대한 불간섭 의무는 테일러와 레오폴드의 공통 입장이다.
ㄷ. 생태계 전체의 이익을 중시한 것은 레오폴드만의 입장이다.

04 제시문은 인류의 존속을 새로운 정언 명령으로 제시한 요나스의 입장이다. 요나스는 현세대가 초래할 불확실한 미래의 환경 위기라는 결과에 대해서 책임을 져야 한다고 본다.

단원 마무리 92~95쪽

01 ④ 02 ③ 03 ④ 04 ⑤ 05 ② 06 ① 07 ③ 08 ③
09 ③ 10 ④ 11 ④ 12 ② 13 ⑤ 14 ① 15 ④ 16 ②

01 제시문에서는 로봇이라는 현대 과학 기술의 활용 과정에서의 문제를 지적하고 있다. 과학 기술과 관련된 행위는 의도하지 않은 부정적 결과를 낳을 수도 있기 때문에 과학 기술을 개발하고 활용할 때, 신중한 접근과 함께 윤리적 책임 의식을 강화할 필요가 있다.

02 갑은 과학 기술 지상주의의 입장이고, 을은 과학 기술에 대한 반성과 성찰을 강조하는 입장이다. 과학 기술 지상주의는 인류가 과학 기술을 이용하여 유용한 지식과 삶의 질을 향상시킬 것으로 보지만, 과학 기술이 갖는 부정적 측면을 간과할 수 있다. 과학 기술에 대한 반성과 성찰을 강조하는 입장은 과학 기술이 인간을 지배할 수 있는 속성이 있음을 경계할 것을 강조한다. ⑤ 갑, 을은 모두 기술을 수단으로 보지만, 을의 경우 현대 기술이 인간을 지배할 수 있음에 유의할 것을 강조한다.

03 (가)는 과학 기술의 가치 중립성을 강조하는 입장이며, (나)는 과학 기술의 가치 중립성을 부정하는 입장이다. (가)에 비해 (나)는 연구 결과 활용에 대한 과학 기술자의 사회적 책임을 강조하는 정도가 높고, 과학 기술 연구 과정에서 미래의 위험성을 고려하는 정도도 높으며, 과학 기술 자체에 대한 가치 판단의 배제를 강조하는 정도는 낮다.

04 갑은 과학 기술의 가치 중립성과 내적 책임을 강조하고 있으며, 을은 과학 기술자의 내적 책임과 외적 책임을 동시에 강조하고 있다. 이와 같은 견해 차이는 과학 기술의 이론적 정당화 맥락에서는 객관적 타당성이 중요하지만, 연구 목적을 설정하고 활용하는 맥락에서는 윤리적 가치 평가가 필요함을 간과하기 때문에 발생한 것으로 볼 수 있다.

왜 틀렸을까?

① 을은 과학 기술과 윤리의 상호 보완 관계를 강조한다.
② 을은 과학 기술의 윤리적 평가가 필요하다고 본다.
③ 갑은 과학 원리를 정립할 때 도덕적 가치를 배제해야 한다고 본다.
④ 을은 과학 기술 활용에 대한 과학 기술자의 책임, 즉 외적 책임을 강조한다.

05 칼럼에서는 연구 실행 과정에서 과학적 방법을 따라야 한다는 과학자의 내적 책임과 함께 연구 목적과 연구 결과 활용에 대한 과학자의 외적 책임을 강조하고 있다. ② 과학자의 내적 책임만을 강조하는 입장에서 제시할 수 있는 주장이다.

06 갑은 과학의 영역이 가치 중립적인 것이 아니라는 입장에서 과학자의 사회적 책임을 강조하고 있다. 반면 을은 과학의 영역이 가치 중립적이라는 입장에서 연구 과정에서 참과 거짓을 검증하고 과학적 진리를 성실하게 연구하는 과학자의 내적 책임을 강조하고 있다. ㄷ. 을은 과학자의 외적 책임을 부정하고 있다. ㄹ. 갑은 과학 연구 결과에 대한 과학자의 윤리적 평가가 필요함을 주장하고 있다.

07 갑은 정보 통신 기술의 부정적 측면에 주목하여, 정보에 대한 감시와 통제로 인해 시민들의 정치 참여가 위축될 것이라고 본다. 반면, 을은 정보 통신 기술의 긍정적 측면에 주목하여 정보 통신 기술의 발달로 인해 시민들의 자유로운 정치 참여가 확대될 것이라고 본다. ㄱ. 갑은 정보 통신 기술로 인한 사생활 침해를 우려한다. ㄹ. 을만의 입장에 해당한다.

08 갑은 저작권 보호를 강조하는 입장이고, 을은 정보 공유를 강조하는 입장이다. 갑은 정보 창작자의 노력에 대한 경제적 이익 보장과 배타적 정보 소유권을 강조하며, 을은 지적 창작물을 공공재로 보고 공동체의 이익을 위한 정보 사용을 강조한다.

왜 틀렸을까?

① 정보 공유를 강조하는 을의 입장이다.
② 정보 공유를 강조하는 입장에서는 정보 공유가 사회적 불평등을 해결할 수 있다고 본다.
④ 을은 정보의 공공재적 성격을 강화시켜야 한다고 본다.
⑤ 공익 증진을 위한 지적 재산의 공유는 정보 공유를 강조하는 입장이다.

09 갑은 사생활 보호를 위한 시민 개인의 민감한 정보에 관한 '잊힐 권리'를 강조하고 있으며, 을은 시민의 '알 권리'를 강조하고 있다. 갑은 을에게 공공 정보에 대한 '알 권리'보다 사생활 보호를 위한 '잊힐 권리'가 중요하다는 것을 비판으로 제기할 수 있다. ①, ④, ⑤ '잊힐 권리'보다 '알 권리'를 우선시하는 갑의 입장이다.

10 제시문은 사이버 공간이 여러 자아를 실험하며 자신의 모습을 자유롭게 만들고 해체함으로써 새로운 자아를 형성할 수 있게 하므로 사이버 공간의 긍정적 측면을 살리는 지혜가 필요하다고 본다.

11 갑은 의무론적 입장에서 동물 중심주의 윤리를 주장한 레건, 을은 생명 중심주의를 주장한 테일러, 병은 인간 중심주의의 입장에서 자연에 대한 간접적 의무를 강조한 칸트이다. 레건은 이성이 없더라도 삶의 주체인 개체가 고유한 가치와 목적을 지닌다고 본다. 칸트는 이성을 지닌 존재의 도덕적 지위를 존중할 것을 주장한다.

왜 틀렸을까?

① 테일러는 모든 생명체 각각이 지닌 고유한 선이 도덕 행위자에 의해 보호되고 증진되어야 한다고 본다.
② 레건은 개체에 대한 도덕적 존중의 근거를 내재적 가치에서 찾는다.
③ 테일러는 도덕적 행위 능력이 없는 무생물이 내재적 가치를 지닌다고 보지 않았다.
⑤ 레건, 테일러, 칸트 모두 도덕적 행위 주체인 인간의 도덕적 지위가 서로 평등하다고 본다.

12 갑은 모든 생명체의 생명 유지가 최고선이라고 주장하는 슈바이처, 을은 쾌고 감수 능력을 갖춘 존재에 대한 동등한 이익 고려를 주장하는 싱어, 병은 삶의 주체로서 조건을 갖춘 존재에 대한 권리를 주장하는 레건이다. 세 사상가 모두 인간에게 동물에 대한 도덕적 책임이 있다고 본다.

13 갑은 동물 중심주의를 주장한 싱어, 을은 생태 중심주의를 주장한 레오폴드, 병은 생명 중심주의를 주장한 테일러이다. 싱어는 이익 관심 평등 고려의 입장에서 쾌고 감수 능력이 있는 동물 보호를 주장하였고, 레오폴드는 생태계 전체에 대한 존중을 주장하였으며, 테일러는 생명체의 고유한 목적 존중을 강조하였다. ㄱ. 의무론의 입장에서 동물 보호를 주장한 레건의 입장이다.

14 제시문은 생태 중심주의적 입장이다. 생태 중심주의는 인간을 자연의 한 부분으로 파악하고, 자연 안의 모든 존재가 평등하며 인간이 자연관의 상호 관련성을 통해 자신을 발견할 수 있다고 본다.

15 (가)는 인간 중심주의의 입장이다. 인간 중심주의는 이성을 지닌 인간을 자연과 구별되는 유일한 존재로 여기며, 인간의 이익과 편리한 삶에 이바지하는 자연을 활용하고 보호해야 한다고 본다.

16 제시문은 미래 세대를 고려하는 새로운 책임 윤리를 강조한 요나스의 입장이다. 요나스는 인류가 지구상에 계속 존재해야 한다는 당위적인 요청에 근거하여 현세대가 미래 세대에 대해 사후적 책임뿐만 아니라 예견적 책임까지 져야 한다고 주장한다.

왜 틀렸을까?

① 요나스는 미래에 발생할 위협에 주목한다.
③ 요나스는 자연에 대한 인간의 일방적 책임을 강조한다.
④ 전통적인 책임 윤리에 근거한 주장이다.
⑤ 인간 중심주의에 입각한 주장이다. 요나스는 인간 중심주의적 책임 윤리에서 벗어나 미래 세대와 자연을 보호하는 새로운 책임 윤리를 주장한다.

V. 문화와 윤리

01 예술과 대중문화 윤리

개념 암기 97쪽

1 (1) 별개 (2) 윤리 (3) 대중 사회 2 ㄱ, ㄷ 3 (1) ○ (2) × 4 (1) 긍정적 (2) 자본주의 (3) 형식 (4) 본질 5 (1) ㉡ (2) ㉠

내신 기출 97~100쪽

01 ⑤ 02 ④ 03 ④ 04 ③ 05 ① 06 ③ 07 ③ 08 ⑤
09 ③ 10 ⑤ 11 ① 12 ② 13 ① 14 ⑤ 15 ①
16 해설 참조 17 해설 참조 18 해설 참조

01 심미주의는 미적 가치를 추구하는 것을 예술의 목적으로 본다. ①, ②, ③, ④ 도덕주의의 입장이다.

02 공자는 "예(禮)에서 사람이 서고, 악(樂)에서 사람이 완성된다."라고 하여 도덕과 예술의 조화로운 관계 속에서 진정한 인간으로 거듭날 수 있음을 강조하였다. 이처럼 예술은 미적 가치를 추구할 뿐만 아니라 도덕적 가치와의 조화로운 관계를 추구하기도 한다.

03 갑은 심미주의, 을은 도덕주의 입장이다. 심미주의는 '예술을 위한 예술'을 강조하며 예술의 순수성과 자율성을 중시한다. 반면, 도덕주의는 예술이 사회의 도덕적 성숙에 도움이 된다고 보고, 예술의 사회적 영향력을 강조한다.

왜 틀렸을까? 선택지 뜯어 보기

① 갑은 예술의 순수성보다 ~~도덕성을 우선시한다.~~
갑은 심미주의 입장으로 예술의 도덕성보다 순수성을 우선시한다.

② 갑은 ~~예술과 도덕이 상호 밀접한 관련~~이 있다고 본다.
예술과 도덕이 상호 밀접한 관련이 있다고 보는 것은 도덕주의 입장으로 을의 주장이다.

③ 을은 ~~'예술을 위한 예술'~~을 추구한다.
심미주의 입장으로 갑의 주장이다.

⑤ 갑과 을 모두 ~~예술의 필요성을 부정~~한다.
갑, 을 모두 예술의 필요성을 부정하지는 않는다.

04 예술의 상업화의 부정적 영향은 예술 작품을 평가할 때 미적 가치보다 경제적 가치를 최고의 기준으로 여겨 예술의 미적 수준의 하향화를 가져올 수 있다는 점이다. ③ 부유한 일부 계층이 누리던 예술을 대중들도 누릴 수 있게 된 것은 예술의 상업화가 가져온 긍정적 영향에 해당한다.

05 공자와 톨스토이는 모두 예술에 대한 도덕주의 입장을 가지고 있다. 도덕주의는 도덕적 가치가 미적 가치보다 우위에 있으며, 예술 작품은 인간의 성품을 순화하고 도덕적 교훈이나 본보기를 제공해야 한다고 본다. 즉 도덕주의는 예술의 사회성을 강조한다.

06 (가)는 심미주의자, (나)는 공자의 주장이다. ㄴ. 심미주의 입장, ㄷ. 도덕주의 입장이다.

07 제시문은 도덕주의자 플라톤의 주장이다. 플라톤은 예술의 존재 이유가 선을 권장하고 덕성을 장려하는 데 있다고 본다. 그는 예술이 도덕적 가치를 지녀야만 의미가 있으며, 예술은 도덕적 가치를 위한 수단으로 이해하였다.

만점 노트 도덕주의와 심미주의

도덕주의	• 윤리적 가치가 미적 가치보다 우위에 있음 • 예술의 목적은 올바른 도덕적 품성을 함양하는 것 • 예술가도 사회 구성원이므로 사회 발전에 이바지해야 함
심미주의	• 미적 가치와 윤리적 가치는 무관하며 예술 이외의 목적을 예술보다 우위에 두는 것을 경계 • '예술을 위한 예술'을 강조 • 예술의 독자성과 자율성 보장을 강조

08 오늘날 대중문화는 이윤을 창출하는 상품으로서 최소 비용으로 최대 이윤을 얻어야 한다는 경제 원칙의 지배를 받아 지나친 상업성을 추구하고, 자본의 종속 현상으로 예술가의 자율성과 독립성이 제약을 받으며, 대중문화의 획일화, 규격화, 몰개성화가 초래될 수 있다는 문제점이 나타난다. 기원과 지영은 현대 대중문화의 긍정적인 측면을 말하고 있다.

09 대중문화는 선정성이나 폭력성 등으로 대중에게 부정적 영향을 줄 수 있다.

왜 틀렸을까?

①, ⑤ 대중문화의 특징에 해당한다.
② 대중문화의 긍정적인 영향에 해당한다.
④ 대중문화는 지나친 폭력성이나 성의 상품화를 조장한다.

10 기사에서는 성 상품화 논란에 대해 설명하고 있다. 대중문화의 윤리적 문제로는 획일화, 규격화, 몰개성화, 대중 의식의 조작, 선정성과 폭력성 등이 있다.

11 대중문화는 문화의 대중화에 기여하는 긍정적 측면을 지니고 있다. 대중문화가 다양한 문화를 저렴한 비용으로 공급함으로써 많은 사람이 문화를 향유할 수 있게 되었다. 또한 대중문화는 대중이 사회에 관심을 가지고 참여하도록 기회를 제공하기도 한다.

12 학생은 대중문화에 대한 제도적 규제를 찬성하는 입장이다. 따라서 학생은 대중문화의 문제점을 부각하면서 제도적 규제를 찬성할 것이다.

왜 틀렸을까?

ㄴ. 제도적 규제를 한다면 대중문화의 자율성이 오히려 침해될 것이다.
ㄷ. 규제를 반대하는 입장의 논거이다.

13 은지와 승진은 대중문화의 긍정적 영향을, 동욱과 진영은 대중문화의 문제점을 지적하고 있다.

14 (가)는 문화가 자본에 종속될 수 있음을 경계하며 대중의 비판적 자세가 필요함을 강조하고, (나)는 대중 매체가 폭력 장면을 무분별하여 노출하여 청소년이 이를 모방할 것을 우려한다. 따라서 (가)의 관점에서는 대중문화를 무비판적으로 받아들이기보다는 주체적으로 선별하여 받아들일 것을 주장한다.

15 카타르시스는 비극을 봄으로써 마음에 쌓여 있던 우울함, 불안감, 긴장감 따위가 해소되고 마음이 정화되는 것을 의미한다. 이는 외설이 아닌 예술을 통해서만 느낄 수 있다. 예술은 미적 가치를 표현하는 반면, 외설은 감각적이고 관능적인 표현으로 성욕을 자극해 상업적 이익을 얻고자 한다.

왜 틀렸을까?

② 외설의 창작 목적이다.
③ 예술의 창작 목적이다.
④ 외설은 성적 호기심을 자극하기 위해 성적인 내용을 과도하게 표현한다.
⑤ 제시문과 관련 없는 내용이다. 예술에 있어서 미적 체험은 작품을 통해 카타르시스를 느낄 때 이루어진다.

서술형 문제

16 모범 답안 (1) (가): 도덕주의, (나): 심미주의(예술 지상주의)
(2) (가): 학생들이 사회의 통념에 맞는 도덕적 선을 추구하도록 하세요. (나): 사회의 통념이나 교화에 얽매이지 않고 미적인 가치를 추구하세요.

만점 포인트 도덕주의와 심미주의

구분	채점 기준
상	도덕주의와 심미주의 관점에서 (가), (나)를 모두 바르게 서술한 경우
중	도덕주의와 심미주의 관점에서 (가), (나) 중 한 가지만 바르게 서술한 경우
하	(가), (나)를 구분하지 않고 예술의 특징을 서술한 경우

17 모범 답안 대중문화의 자율성과 표현의 자유를 침해할 수 있다. 정치적 도구로 변질될 가능성이 있다.

만점 포인트 대중문화에 대한 윤리적 규제

구분	채점 기준
상	대중문화에 대한 제도적 규제의 반대 근거를 두 가지 이상 바르게 서술한 경우
중	대중문화에 대한 제도적 규제의 반대 근거를 한 가지만 서술한 경우
하	대중문화에 대한 제도적 규제 내용을 서술한 경우

18 모범 답안 예술의 역할은 인격을 세우고 윤리적 행동을 이끌어 내는 것이다.

만점 포인트 도덕주의와 심미주의

구분	채점 기준
상	도덕주의 관점에서 예술과 윤리의 관계를 바르게 서술한 경우
중	도덕주의 관점의 특징을 서술한 경우
하	심미주의와 도덕주의 관점을 혼용해서 서술한 경우

내신 1등급 101쪽

01 ② 02 ① 03 ② 04 ②

01 제시문은 예술과 윤리에 대한 도덕주의자의 주장이다.

왜 틀렸을까? 선택지 뜯어 보기

ㄱ. 예술은 선악미추의 대상이 아니다.
도덕주의자, 심미주의자 모두 반대할 진술이다. 예술이 선악의 대상인지는 도덕주의자와 심미주의자 사이에 의견이 나뉘지만, 예술이 미추의 대상임은 모두 긍정하는 진술이다.

ㄹ. 예술은 선악 판단의 대상에서 배제되어야 한다.
도덕주의자가 반대할 진술이다. 예술은 선악 판단의 대상에 포함된다.

02 갑은 도덕주의자, 을은 심미주의자이다. ㄱ. 도덕주의자는 찬성하고, 심미주의자는 반대할 입장이므로 A에 들어갈 수 있다. ㄴ. 도덕주의자의 입장이다. B는 갑의 입장만을 묻고 있으므로 B에 들어갈 수 있다.

왜 틀렸을까?

ㄷ. 심미주의자의 입장이다. 도덕주의는 음악은 사회적 요구에 응답해야 한다고 주장하므로 B가 아닌 C에 들어가야 한다.
ㄹ. 도덕주의자의 입장이다. 심미주의자는 예술은 수단이 아닌 그 자체로 빛나는 것이라고 주장한다. 따라서 C가 아닌 B에 들어가야 한다.

03 갑은 심미주의자, 을은 도덕주의자이다. 갑은 예술의 순수성을 강조하고, 을은 예술적 미와 도덕적 선은 관련성이 있다고 본다.

왜 틀렸을까?

①, ③ 갑은 예술의 순수성을, 을은 예술의 사회성을 강조한다.
④ 도덕주의자는 예술의 도덕적 가치를 긍정한다.
⑤ 도덕주의자에게 미와 도덕 간에는 위계 질서가 있고, 미는 도덕을 위한 수단일 뿐이다.

04 제시문의 사상가는 벤야민이다. 벤야민은 예술 작품에 대한 기술적 복제가 예술 작품을 숭배의 대상에서 전시의 대상으로 변화시키고 있다고 주장한다. ② 원작의 아우라는 복제품의 대량 생산으로 위축된다.

02 의식주 윤리와 윤리적 소비

개념 암기 103쪽

1 (1) 윤리적 (2) 의복 (3) 음식 2 (1) ㄷ (2) ㄱ (3) ㄴ
3 (1) ○ (2) × 4 (1) 대안 (2) 분배 (3) 주 (4) 하이데거
5 (1) ㉡ (2) ㉠

내신 기출 103~106쪽

01 ③ 02 ① 03 ① 04 ④ 05 ④ 06 ④ 07 ④ 08 ②
09 ④ 10 ② 11 ⑤ 12 ① 13 ④ 14 ③ 15 ④
16 해설 참조 17 해설 참조 18 해설 참조

01 의복을 입을 때는 때와 장소, 의식에 맞는 예의 표현, 집단의 가치나 성격을 표현한다. 의복은 다양한 의미와 기능을 지니기 때문에 '무언의 언어'라고 볼 수 있다.

02 더 아름다워지고, 타인에게 매력적으로 보이려고 한다는 점에서 의복의 기원 중 장식설이 가장 적절하다.

03 (가)는 정크푸드, (나)는 로컬푸드 운동이다. 정크푸드란 열량은 높지만 영양가는 낮은 식품을 말하고, 로컬푸드 운동이란 안전하고 건강한 지역 농산물의 사용을 장려하는 운동이다.

04 ④ 사회나 환경에 대한 고려 없이 개인의 욕구 충족만을 위한다는 점에서 의견이 다르다고 할 수 있다.

05 제시문을 통해 우리나라 조상들은 자연과의 조화를 이루는 주거 형태를 추구하였음을 알 수 있다.

06 추위와 질병 때문에 옷을 입기 시작했으므로 신체 보호설에 해당한다.

07 공간의 효율성과 편리성이 아닌 자연과 역사를 고려해야 한다.

08 윤리적 소비를 중시하는 박 씨는 상품의 지속 가능성을 고려할 것이므로 제품의 탄소 배출량을 확인할 것이다.

만점 노트 합리적 소비와 윤리적 소비

합리적 소비	소비자가 자신의 경제력 내에서 가장 큰 만족을 추구하는 소비
윤리적 소비	윤리적 가치 판단에 따라 상품이나 서비스를 구매하고 사용하는 소비

09 보드리야르는 자본주의 사회가 더 많은 상품을 판매하기 위한 전략으로 이미지를 사람들에게 강요하였고, 이에 따른 인간의 욕구는 허구적 욕구에 불과하다고 본다. ④ 소비 행위가 자연과 사회에 미치는 영향을 고려하는 소비는 제시문과 관련 없다.

10 집은 개인에게 신체적 안전과 정서적 안정, 휴식을 주는 내적 공간이자 공동체의 유대감을 형성하고 관계성을 회복하는 공간이다. ② 집은 인간을 가두는 곳이 아니라 인간의 삶의 터전이다.

11 인간의 거주 공간은 열릴 수 있는 닫힘의 공간이다. 폐쇄적인 면만 있는 공간이 아니다.

12 대화에서 말하는 주거와 관련된 윤리적 문제는 주거의 본질적 의미가 경제적 의미로 퇴색되어 가는 모습이다.

13 갑, 을 모두 공정무역을 긍정적으로 평가하지만, 갑은 공정무역 인증제에 찬성하는 입장이고, 을은 반대하는 입장이다.

14 제시문은 윤리적 소비를 주장한다. 윤리적 소비를 주장하는 입장에서는 동물의 복지, 노동자의 권리 등을 고려해 식품을 선택한다.

왜 틀렸을까? 선택지 뜯어 보기

ㄱ. 식품을 선택하는 유일한 기준은 ~~개인의 미적 선호~~인가?
동물의 복지, 노동자의 권리 등 도덕적 가치 판단에 의한 소비가 이루어져야 한다.

ㄹ. 윤리적인 ~~성찰이 배제된~~ 식품의 소비는 바람직한가?
윤리적 성찰을 통한 소비를 해야 한다.

15 제시문은 보드리야르의 주장이다. 그는 현대인이 생산 질서의 지배를 받고 있다고 주장한다. 보드리야르는 상품의 이미지와 기호에 의해 인간의 주체적 선택이 함몰되는 비주체적 소비를 보이는 현대 사회 소비의 문제점을 제시하였다.

서술형 문제

16 **모범 답안** (1) (가): 합리적 소비, (나): 윤리적 소비
(2) 합리적 소비는 경제적 편익만을 고려한 제품 선택으로 인해 제품 생산자의 인권이 침해되고 착취당할 우려가 있다.

만점 포인트 합리적 소비와 윤리적 소비

구분	채점 기준
상	합리적 소비의 문제점을 '인권'이라는 용어를 이용하여 바르게 서술한 경우
중	합리적 소비의 문제점을 서술한 경우
하	합리적 소비의 특징을 서술한 경우

17 **모범 답안** 사회적 기업이란 경제적 가치만을 추구해 온 전통적 기업과는 달리, 사회적 가치를 우위에 두고 재화나 서비스의 생산과 판매, 영업 활동을 수행하는 기업을 말한다. 사회적 기업은 일반 기업과 달리 주로 취약 계층을 대상으로 운영되고, 공공성을 기반으로 사회적 목적을 우선적으로 추구한다.

만점 포인트 사회적 기업

구분	채점 기준
상	사회적 기업의 의미와 특징을 바르게 서술한 경우
중	사회적 기업의 의미와 특징 중 한 가지만 바르게 서술한 경우
하	전통적 기업의 특징을 서술한 경우

18 **모범 답안** • 명품 선호 문제: 과시 소비를 조장하고 사회적 위화감을 조성한다.
• 유행을 과도하게 추구하는 문제: 유행으로 인한 몰개성화를 초래한다.

만점 포인트 의복과 관련된 윤리적 문제

구분	채점 기준
상	의복과 관련된 윤리적 문제를 두 가지 이상 바르게 서술한 경우
중	의복과 관련된 윤리적 문제를 한 가지 서술한 경우
하	의복과 관련된 윤리적 문제가 아닌 다른 문제를 서술한 경우

내신 1등급 107쪽

01 ① 02 ⑤ 03 ① 04 ②

01 (가)는 음식에 대한 윤리적 태도를 강조한 공자의 글이고, (나)는 불교에서 강조하는 음식에 대한 태도이다. ① 음식을 섭취하는 목적은 단순 기호 충족이나 생명 연장에 있지 않다.

왜 틀렸을까?

② 음식을 먹는 행위에서 인간의 품위를 추구한 것은 공자가 강조하는 내용이다.
③ 먹는 행위를 수행과 연계해야 한다는 것은 불교의 음식에 대한 윤리적 태도이다.
④ 음식을 통해 세상 모든 존재의 상호 의존성을 고려하여 음식을 대하라고 하는 내용은 불교의 연기설에 부합한다.
⑤ 음식을 섭취할 때 적절히 조절하고 절제해야 한다는 주장은 공자와 불교의 음식에 대한 윤리적 태도로 적절하다.

02 제시문은 육류 소비가 자연과 동물에 미치는 부정적 영향을 경고하고 있다.

03 갑은 신체를 보호하고 신분을 표시하기 위해 옷을 입는다고 주장한다. 을은 신체의 보호를 주장하며, 옷의 실용성을 강조한다.

04 인간 삶의 중심인 집은 거주자의 특성과 정체성을 반영한다. 또한 집은 개인이 어떻게 살아왔는지에 대한 과거의 현재의 정보를 담고 있다.

03 다문화 사회의 윤리

개념 암기 109쪽

1 (1) 문화 사대주의 (2) 용광로 이론 (3) 종교 2 (1) ㄱ (2) ㄷ (3) ㄴ
3 (1) ○ (2) × 4 (1) 다양성 (2) 관용의 역설 (3) 다문화주의

내신 기출 109~112쪽

01 ⑤ 02 ③ 03 ④ 04 ⑤ 05 ③ 06 샐러드 그릇 이론
07 ③ 08 ③ 09 ② 10 ⑤ 11 ② 12 ④ 13 ① 14 ②
15 ② 16 해설 참조 17 해설 참조 18 해설 참조

01 문화 상대주의는 문화의 다양성을 인정하는 태도이다. 문화의 다양성을 인정하지 않는 태도는 문화 절대주의로 문화 사대주의와 자문화 중심주의가 있다.

왜 틀렸을까?

①, ② 문화 사대주의는 자국의 문화를 열등하게 여겨 다른 문화를 숭배하고 추종하는 태도로 바람직하지 않은 태도이다.
③, ④ 자문화 중심주의는 자문화를 우월하다고 여겨 인종 차별 등 문화 제국주의로 변질될 가능성이 있다.

02 용광로 이론은 다양한 물질을 용광로에 넣어 녹이듯이 다양한 문화를 섞어 새로운 문화를 재탄생시켜야 한다는 입장이다. 이는 동화주의 정책과 관련 있다.

03 (가)는 문화 다원주의, (나)는 다문화주의의 입장이다. 문화 다원주의는 주류 문화와 비주류 문화를 구분하면서도 다양한 문화 간의 공존을 강조한다. 다문화주의는 문화를 주류 문화와 비주류 문화로 구분하지 않으며, 다양한 문화가 동등하게 공존해야 한다는 입장이다.

왜 틀렸을까?

ㄷ. 국수 대접 이론과 샐러드 그릇 이론 모두 비주류 문화가 주류 문화에 편입되어야 한다고 주장하지 않는다.

04 (가)는 동화주의, (나)는 샐러드 그릇 이론으로 다문화주의의 입장이다. 동화주의, 다문화주의 모두 주류 문화의 우위를 전제로 비주류 문화를 보호해야 한다고 주장하지 않는다. 동화주의는 비주류 문화를 주류 문화에 편입시켜야 한다고 주장하고, 다문화주의는 주류 문화와 비주류 문화 간의 구분을 두지 않는다.

05 제시문은 이민자들의 문화를 인정해야 한다고 주장한다. 이는 이민자들의 문화를 주류 문화에 편입시키는 것이 아니라 사회·제도적으로 인정하는 것이다.

06 샐러드 그릇 이론은 다문화주의의 대표 이론이다.

만점 노트 다문화주의와 문화 다원주의의 비교

공통점	다양한 문화를 인정하고 사회 통합을 추구함
차이점	• 다문화주의는 모든 문화를 평등하게 바라봄 • 문화 다원주의는 주류 문화를 중심으로 비주류 문화를 허용함

07 세계화 현상과 맞물려 다문화 사회에서는 새로운 문화 요소가 도입되어 사회 구성원의 문화 선택의 폭이 넓어지고 문화가 발전할 수 있는 기회가 확대되었다. 따라서 관용을 바탕으로 타 문화에 대한 수용과 존중의 자세를 가져야 한다. ③ 우리 문화를 기준으로 타 문화를 평가하는 것은 관용의 정신에 어긋난다.

08 제시문은 인간의 유한성과 그로 인한 초월성에 대한 열망을 나타낸다. 즉 인간이 '종교적 존재'임을 강조한다.

09 제시문은 종교 간의 갈등을 보여 준다. 이러한 갈등을 해결하기 위해서는 다른 종교를 이해하고 존중해야 한다.

10 갑은 엘리아데, 을은 과학을 중시하는 입장이다. 엘리아데는 종교를 일상 속에서 성스러움과 만나는 것으로 이해하였다. 그는 현실적인 삶과 성스러움의 조화를 추구하였으며, 현실 속에서 성스러움을 실현할 수 있다고 본다. ⑤ 을은 초월적 신의 존재를 인정하지 않는다.

만점 노트 종교의 본질에 관한 엘리아데의 주장

- 종교는 우리의 일상 가운데 성스러움이 드러나는 현상이다.
- 성(聖)과 속(俗)은 대립적이고 상호 모순적인 개념이지만, 일상에서 성스러움은 그 자체로 나타나지 않고 속된 세계와 더불어 나타난다.
- 인간은 본질적으로 종교적 존재이기 때문에 비종교적 인간의 대부분은 의식하지 못해도 여전히 종교적으로 행동한다.

11 황금률은 대부분의 종교에서도 발견되고 있는 공통적인 규범이라고 할 수 있다. 황금률은 다양한 종교들이 소통하고 화합할 수 있는 가능성, 또는 종교와 윤리가 소통할 수 있는 가능성을 제시해 준다.

12 엘리아데는 세속과 성스러움은 다른 것이지만 그렇다고 해서 어느 하나를 배척해서는 안 되며, 양측 모두와 공존하며 살아야 한다고 주장한다.

13 제시문은 종교 교리가 절대적이며, 현실 법에 우선하지 않는다고 주장한다. 이를 통해 타 종교의 교리 또한 존중해야 한다는 점을 알 수 있다.

14 민주주의 방식인 다수결의 원칙은 종교 간의 갈등을 해소하는 데에 있어 적합하지 않다. 가장 신도 수가 많은 종교에 유리할 수 있기 때문이다.

15 종교는 인류의 삶과 불가분의 관계이며, 인간은 실존적 문제 상황을 해결하고 삶의 궁극적 의미를 종교를 통해 발견하려 한다. 과학은 인간의 삶을 풍요롭게 하여 인류의 발전에 기여하였다. ② 생명의 유한성에서 오는 인간의 무력감을 해결해 주는 것은 과학이 아니라 종교이다.

서술형 문제

16 **모범 답안** (1): (가) 다문화주의, (나): 동화주의
(2) (가) 샐러드 그릇 이론: 다양한 문화를 주류 문화와 비주류 문화의 구분 없이 평등하게 존중한다.
(나) 용광로 이론: 다양한 이주민의 문화(비주류 문화)를 거대한 용광로(주류 문화)에 융합하여 하나의 새로운 문화로 만든다.
만점 포인트 다문화 사회의 정책 및 이론

구분	채점 기준
상	샐러드 그릇 이론과 용광로 이론의 의미를 모두 바르게 서술한 경우
중	샐러드 그릇 이론과 용광로 이론 중 한 가지 의미만 서술한 경우
하	용어만 쓴 경우

17 **모범 답안** 다문화주의는 주류 문화와 비주류 문화를 구분하지 않고 모든 문화의 정체성을 대등하게 인정하면서 조화롭게 공존할 것을 강조한다. 반면, 문화 다원주의는 주류 문화와 비주류 문화를 구분하면서도 다양한 문화들 간의 공존을 강조한다.
만점 포인트 다문화 사회의 정책

구분	채점 기준
상	다문화주의와 문화 다원주의의 차이점을 주류, 비주류 문화의 관계를 제시하면서 바르게 서술한 경우
중	다문화주의와 문화 다원주의의의 특징을 서술한 경우
하	다문화주의와 문화 다원주의의 공통점을 서술한경우

18 **모범 답안** 문화 간의 위계를 인정하지 않으며, 소수 문화에 대한 관용을 중시하고, 공존과 화합을 추구한다.
만점 포인트 다문화주의의 특징

구분	채점 기준
상	제시된 단어를 모두 이용하여 다문화주의의 특징을 바르게 서술한 경우
중	제시된 단어를 일부 이용하여 다문화주의의 특징을 서술한 경우
하	제시된 단어를 이용하지 않고 다문화주의의 특징을 서술한 경우

내신 1등급 113쪽

01 ④ **02** ⑤ **03** ③ **04** ②

01 갑은 이민자들이 주류 문화에 동화되어야만 시민으로 인정해야 한다고 주장한다. 반면, 을은 주류 문화에의 동화 여부와 관계없이 이민자들을 시민으로 인정해야 한다고 주장한다. 즉 을은 소수 집단의 문화를 존중한다.

왜 틀렸을까? 선택지 뜯어 보기

① 갑: ~~주류 문화와의 융합을 위해~~ 소수 문화의 가치를 존중해야 한다.
비주류 문화를 주류 문화에 편입하기 위해 소수 문화의 가치를 존중해야 한다.

② 갑: ~~사회권 보장으로 소수 집단의 문화적 정체성을 유지~~해야 한다.
을의 주장에 해당한다.

③ 을: 소수 문화에 대한 ~~불관용~~을 통해 국민 통합을 지향해야 한다.
을은 소수 문화에 대한 관용을 통해 국민 통합을 지향해야 한다고 주장한다.

⑤ 갑, 을: ~~문화적 동일성에 대한 요구~~ 없이 시민권을 보장해야 한다.
갑은 비주류 문화의 주류 문화에 대한 동질성을 주장한다.

02 갑은 소수 문화의 자율성을 강조하고, 을은 동화주의를 주장한다. 갑은 을과 달리 소수 문화의 자치 및 자율성을 존중하고, 국가의 주도로 통일된 문화를 형성하는 것에 반대한다.

03 갑은 엘리아데, 을은 과학 지상주의자이다.

왜 틀렸을까?

ㄱ. 엘리아데는 성과 속의 분리를 추구하지 않는다.
ㄹ. 을은 초자연적 진리를 인정하지 않으며, 엘리아데는 초자연적 진리는 인정하지만 그것을 찾는 방안을 과학으로 보지는 않았다.

04 제시문은 큉의 주장이다. 큉은 종교와 윤리 간의 대화와 협력을 통해 조화를 추구하며, 종교적 교리라 할지라도 보편적 윤리에 어긋나서는 안 된다고 본다.

단원 마무리 114~117쪽

01 ②	02 ②	03 ①	04 ②	05 ④	06 ④	07 ①	08 ①
09 ④	10 ⑤	11 ②	12 ⑤	13 ①	14 ②	15 ④	16 ①

01 갑은 도덕주의자인 플라톤이고, 을은 심미주의자인 와일드이다.

왜 틀렸을까?

① 플라톤의 입장에서 제시할 조언이 아니다. 플라톤은 예술을 통해 즐거움만 누리려고 해서는 안 됨을 주장한다.
③ 와일드의 입장에서 제시할 조언이 아니다. 와일드는 예술 작품에 도덕적 가치를 담아야 한다고 주장하지 않는다.
④ 와일드의 입장에서 제시할 조언이 아니다. 와일드는 예술가는 도덕적 공감을 지니지 않는다고 주장한다.
⑤ 와일드의 입장에서 제시할 조언이 아니다. 와일드는 예술 작품을 통해 자신의 삶을 성찰할 것을 주장하지 않는다.

02 갑은 도덕주의, 을은 심미주의 입장이다. 도덕주의자인 갑은 예술을 본질을 예술 안에서 찾아야 한다는 심미주의자의 주장에 동의하지 않는다.

03 갑은 도덕주의, 을은 심미주의 입장이다. 도덕주의는 예술이 사회적 책임을 다해야 한다고 보며, 인간의 감정을 순화하여 인격 함양에 기여해야 한다고 본다. 반면 심미주의는 예술이 예술 그 자체를 목적으로 삼아야 한다고 보며, 예술이 도덕적 평가의 대상이 되어서는 안 된다고 본다. ① 예술이 사회적 책임으로부터 자유로워야 한다고 보는 것은 을의 입장이다.

04 갑은 도덕주의, 을은 심미주의 입장이다. 도덕주의자인 갑이 심미주의자 을에게 예술은 도덕적 사회 실현에 기여해야 한다는 점을 반론으로 제기할 수 있다.

05 갑은 묵자, 을은 공자이다. 묵자는 백성의 이익을 최우선으로 생각하므로 공자에게 음악은 백성에게 이롭지 않은 허례라고 비판할 수 있다. 묵자에게 음악은 군주와 소수의 지배층만 즐거움을 느끼게 하는 것이기 때문이다.

06 갑은 아도르노, 을은 벤야민이다. 벤야민은 예술 작품의 대량 복제 기술은 기존의 예술 작품이 지녔던 신비감, 즉 '아우라(Aura)'를 사라지게 함으로써 누구나 쉽게 미적 체험이 가능하도록 한다고 주장한다.

왜 틀렸을까?

① 아도르노는 문화 산업은 예술을 상품화하고 인간의 의식을 획일화시키므로 대중의 자율성과 주체성이 훼손되고 예술 작품은 상품으로 전락하게 된다고 본다.
② 아도르노는 예술 작품의 반복적 소비를 통해 인간의 의식은 획일화된다고 본다.
③ 벤야민은 예술 작품의 복제를 통해 대중은 미적 체험의 기회를 증대할 수 있다고 본다.
⑤ 아도르노는 대중문화 산업을 통해 대중의 자율성과 주체성을 훼손당한다고 본다.

07 갑은 심미주의자, 을은 도덕주의자이다. 을은 갑에 비해 예술과 도덕의 합치를 강조하며, 예술의 사회적 영향력을 강조한다. 또한 예술의 도덕적 교화 기능도 강조한다.

08 제시문은 벤야민의 주장이다. 벤야민은 예술 작품에 대한 기술적 복제가 예술 작품의 존속에 아무런 손상도 입히지 않으며, 예술 작품을 숭배 대상에서 전시 대상으로 변화시키고 있다고 평가한다.

왜 틀렸을까?

② 기술적 복제를 통해 표준화된 생산으로 대중은 미적 체험을 경험할 수 있다.
③ 예술 작품의 기술적 복제 시대에 예술의 아우라, 즉 신비감은 축소된다.
④ 예술의 복제는 예술 작품에 대한 대중의 거리감을 감소시키고 접근성을 높인다.
⑤ 예술의 복제는 제의 의식에 바탕을 둔 숭배 가치보다 전시 가치가 높아지게 한다.

09 (가)는 공자, (나)는 묵자이다. 묵자는 예술을 심미적 관점보다 실용적 관점에서 평가하였고, 예술은 사회적 효과를 고려해서 그 가치를 판단해야 한다고 주장한다. 다만 공자는 예술의 사회적 교화 효과에 주목하였고, 묵자는 백성의 이익에 주목하였다.

10 갑은 스핑건으로 심미주의의 입장에서, 을은 플라톤으로 도덕주의의 입장에서 예술과 윤리의 관계를 파악하고 있다.

11 갑은 복제 기술의 발달로 대중 예술이 활성화되어 대중의 각성을 불러일으키고, 대중을 집단적 주체로 성장시킬 수 있다고 본다. 을은 대중문화는 자본주의의 영향으로 획일화되고 이에 따라 대중들이 능동적으로 사유하지 못하게 된다고 본다.

12 제시문의 사상가는 하이데거이다. 하이데거에 따르면 거주는 인간 삶의 바탕으로서 정서적 안정을 제공하고 인간다운 삶을 영위할 수 있도록 한다. ⑤ 하이데거는 거주를 낯선 공간에 내던져진 것이 아니라고 본다.

13 제시문은 유학의 이상적 인간상인 '군자'의 식습관을 제시한다. 군자는 먹는 행위를 덕의 실천으로 여기며, 먹을 때도 주위를 살피고 신중히 행하였다.

14 제시문은 아리스토텔레스의 입장이다. 아리스토텔레스는 먹는 행위에도 중용이 필요하다고 주장하였으며, 특히 지나침을 경계하여 이성을 통해 먹는 행위를 조절해야 한다고 보았다.

15 (가)는 합리적 소비, (나)는 윤리적 소비에 해당한다. (가)는 소비에 있어 유일하게 고려해야 하는 것은 최소의 비용으로 최대의 효용을 얻는 경제적 원칙이라고 본다. (나)는 소비에 있어 생산자의 인권 및 환경 등을 고려해야 한다고 본다.

16 (가)는 먹는 행위를 통해 모든 쾌락이 충족됨보다 먹는 행위에 있어 사치하지 말 것을 강조한다. (나)는 음식을 통해 만물이 상호 연관되어 있음을 깨달아야 한다고 본다.

VI. 평화와 공존의 윤리

01 갈등 해결과 소통의 윤리 ~ 02 민족 통합의 윤리

개념 암기 119쪽

1 (1) 희소성 (2) 세대 (3) 통일 (4) 편익 2 (1) ㉠ (2) ㉡ 3 (1) ㄱ (2) ㄴ 4 (1) ○ (2) × (3) ○ 5 (1) ○ (2) × (3) ○ 6 (1) 열린 (2) 국가적 (3) 유형적 7 (1) ㄱ (2) ㄴ

내신 기출 120~124쪽

01 ⑤ 02 ② 03 ④ 04 ② 05 ③ 06 ⑤ 07 ③ 08 ⑤ 09 ① 10 ② 11 ② 12 ⑤ 13 ② 14 ② 15 ④ 16 ③ 17 ② 18 ⑤ 19 ⑤ 20 ③ 21 ② 22 해설 참조 23 해설 참조 24 해설 참조

01 사회 통합은 개인의 행복을 위한 것이다. 갈등이 만연하면 개인은 신체적·정신적 고통을 받는다.

02 사회 갈등은 사회 발전을 저해할 우려가 있지만, 긍정적인 사회 변화를 가져오기도 한다. 따라서 모든 사회 갈등을 완벽히 없애야 하는 것은 아니다.

03 현대 사회는 갈수록 복잡하고 다원화됨으로써 개인 간, 집단 간 갈등 양상이 다양하게 나타나고 있다. 사회 갈등은 사회의 해체를 불러일으키기도 하지만, 배려와 관용의 정신으로 갈등을 예방, 조정하면 사회 문제를 명확히 인식할 수 있게 되어 사회의 발전으로 이어질 수도 있다. 따라서 갈등을 부정적으로만 보지 말고 사회 발전의 계기로 삼는 자세를 가져야 한다.

왜 틀렸을까?

ㄷ. 사회 갈등은 사회 구성원들의 권위와 협력을 끌어낼 수 있다는 점에서 민주주의와 사회 발전에 도움을 주기도 한다.

04 가상 대담 속 사상가는 하버마스이다. 하버마스는 공동의 문제를 시민 사회 내부에서 작동하는 의사소통의 망, 즉 공론의 장에서 논의하는 과정에서 서로에 대한 이해를 넓히고, 합의에 이르는 과정을 통해 사회 통합에 이를 수 있다고 보았다. 이때 공론의 장에서 합리적 담론이 이루어지기 위한 이상적 대화 상황의 조건으로, 이해 가능성, 정당성, 진리성, 진실성 등을 제시하였다.

05 제시문은 하버마스의 주장이다. 하버마스는 담론 상황에서 개인적 선호를 표현할 수 있다고 본다.

왜 틀렸을까?

① 하버마스는 합리적인 대화가 이루어지기 위한 과정을 중요시한다.
②, ④ 하버마스는 공론장에서 누구나 평등하게 발언하고 비판할 수 있어야 한다고 본다.
⑤ 담론 과정의 참여자들은 합의된 규범을 실천할 것을 상호 기대할 수 있어야 한다.

06 공자에 따르면 군자는 남과 다른 생각을 지니면서 화합하는 사람이고, 소인은 남과 같은 생각을 지닌 사람이다.

07 소통은 상대방과 상호 의견을 주고받으며 공유하는 것이다. 이러한 합리적 의사소통을 통해 사회 구성원은 서로를 이해하고 합의하여 갈등을 예방할 수 있다. 담론은 주로 토론의 형태로 이루어지는 이성적 의사소통 행위로, 현실에서 전개되는 각종 사건과 행위를 해석하고 인식하는 틀을 제공하여 사회 구성원이 그 틀을 토대로 현실을 바라보고 재구성하게 한다.

08 원효는 자신에 대한 집착과 상대에 대한 편견을 모두 버려야 한다고 주장한다.

09 제시문은 하버마스의 주장이다. 하버마스는 의사소통의 합리성이 담론 윤리의 핵심이라고 보았다. 또한 하버마스는 토론의 결과보다 과정을 중시하였고, 이미 결정된 사안에 대한 문제 제기도 허용하였다.

왜 틀렸을까?

② 하버마스는 공론장에서 합리적인 의사소통이 이루어지기 위해서는 타인의 주장에 의문을 제기할 수 있고, 상호 간 의견에 비판을 허용해야 한다고 주장한다.
③ 하버마스는 정치적 문제 등 공동의 문제에 대한 토론을 중요시한다.
④ 하버마스는 합리적인 의사소통의 과정을 거쳐야 합의에 도달할 수 있다고 본다.
⑤ 하버마스는 이미 합의된 사안에 대해서도 대화 당사자들이 합의한 결과를 수용하고 그것을 받아들이기 위해서는 합리적 담론이 필요하다고 본다.

10 남북통일은 인류의 보편적 가치를 구현하는 데 도움을 준다.

11 남북 분단 문제는 국가·민족의 정치적 문제일뿐만 아니라 남북한 주민들의 인간다운 삶을 저해하는 윤리적 문제이기도 하다.

왜 틀렸을까? 선택지 뜯어 보기

ㄴ. 현재 분단 상황은 ~~평화로운 종전 상태~~입니다.
현재 남북 분단 상황은 언제든지 전쟁이 발생할 수 있는 정전 상태이다.

ㄹ. ~~분단을 통해~~ 동북아시아 평화에 기여할 수 있습니다.
통일을 통해 한반도에 평화를 정착하고, 더 나아가 동북아시아와 세계 평화에도 기여할 수 있다.

12 분단 비용은 분단으로 인해 발생하는 유·무형적 비용이고, 통일 비용은 통일에 소요되는 비용이다. 또한 통일 편익은 통일로 인한 유·무형적 혜택을 의미한다.

13 (가)는 소모적인 비용이라는 점에서 분단 비용임을 알 수 있고, (나)는 통일 과정과 통일 후 소요되는 비용이라는 점에서 통일 비용임을 알 수 있다.

14 ㉠은 분단 비용, ㉡은 통일 비용이다. 분단 비용은 분단으로 발생하는 모든 비용으로, 막대한 군사비, 안보 비용 등의 직접적 비용

및 경제·사회·문화적 손실 등의 간접적 비용 등이 있다. 통일 비용은 통일 후 통일 한국을 실현하는 투자 성격의 생산적 비용이다. 경제적 비용과 경제 외적 비용 등이 있다.

15 독일 통일의 방식은 평화적 흡수 통일이다. 동서독은 분단 상태에서도 다양한 문화 교류를 추진하였고, 서독은 상대적으로 뒤떨어진 동독을 지원함으로써 관계를 개선하고 상호 신뢰를 구축하였다. 이러한 동서독 간의 활발한 교류 협력을 통해 독일은 평화적으로 통일을 이루었다.

16 제시문은 갑작스러운 통일보다 철저한 준비를 통해 점진적으로 통일할 것을 주장하는 내용이다.

17 통일 한국은 창조적 문화 국가를 지향하면서 여러 민족과 공존 공영할 수 있는 열린 민족주의에 바탕을 둘 것이다. 따라서 우수한 전통문화를 계승할 뿐만 아니라 다양한 문화와 조화를 이루며 창조적으로 문화를 발전시킬 것이다.

18 남북한이 통일을 이루기 위해서는 개인과 사회, 국가가 모두 노력해야 한다. ⑤ 이산가족 상봉 사업은 개인이 아닌 사회 혹은 국가가 주도해야 할 일이다.

19 제시문은 서독과 동독의 통일 이후 나타나는 문제점에 대한 내용이다. 이러한 문제점을 통해 우리가 얻을 수 있는 시사점은 문화나 예술, 스포츠 등과 같은 교류 확대를 통해 민족 간의 이질성을 줄여야 한다는 점이다.

20 남북통일은 다양한 갈등을 해소하고, 인류의 보편적 가치와 한민족의 특수한 가치를 바탕으로 미래 한국의 역사를 새롭게 만들어 가는 발전적이고 창조적인 과정이다.

21 제시문은 우리 국민들끼리 통일에 대한 의견이 맞지 않아 갈등이 일어난 사례를 보여 준다. 이러한 상황에서는 통일에 대한 국민적 공감대를 형성해야 한다.

서술형 문제

22 모범 답안 (1) 하버마스
(2) 과정을 강조하기 때문에 도덕규범의 구체적인 내용이나 삶의 방향을 제시하지는 않는다. 즉 합의된 내용에는 도덕적으로 옳고 그름을 판단하기 어렵다.
만점 포인트 하버마스의 담론 윤리

구분	채점 기준
상	하버마스 윤리 사상의 한계점을 바르게 서술한 경우
중	과정을 중시한다고 서술한 경우
하	하버마스 윤리 사상의 특징을 서술한 경우

23 모범 답안 (1) 군사비, 외교적 경쟁 비용, 이산가족의 고통, 남남 갈등 등
(2) 분단 비용은 통일되지 않는 한 지속적으로 발생하여 민족 구성원 모두의 손해로 이어지기 때문이다.
만점 포인트 분단 비용

구분	채점 기준
상	통일이 되지 않는 한 지속적으로 드는 비용으로 민족 구성원 모두의 손해로 이어진다고 서술한 경우
중	지속적 비용이라고만 서술한 경우
하	분단 비용의 의미를 서술한 경우

24 모범 답안 수준 높은 문화 국가, 자주적인 민족 국가, 평화로운 복지 국가, 자유로운 민주 국가
만점 포인트 통일 한국의 미래상

구분	채점 기준
상	통일 한국의 미래상을 네 가지 모두 바르게 서술한 경우
중	통일 한국의 미래상을 두 가지만 서술한 경우
하	통일 한국의 미래상을 한 가지만 서술한 경우

내신 1등급 125쪽

01 ③ 02 ④ 03 ④ 04 ④ 05 ⑤ 06 ②

01 하버마스는 행정 체계의 효율성만을 중시하다 보면 일반 시민들이 소외되고 전문가들만으로 구성된 공론장이 구성되기 쉽다고 본다.

02 제시문에서 나타나는 갈등은 청년 세대와 기성세대 간의 갈등으로, 세대 갈등의 사례이다. 세대 갈등은 각 세대가 서로의 차이를 이해하거나 인정하지 못해 발생한다. 세대 갈등의 사례로 일자리 문제, 노인 부양 문제 등을 둘러싼 갈등을 들 수 있다.

왜 틀렸을까?
ㄱ. 정치적 이념의 차이로 인해 나타나는 갈등은 이념 갈등에 해당한다.
ㄷ. 지역 이기주의적 문제로 나타나는 갈등은 지역 갈등에 속한다.

03 제시문은 도가 사상가인 장자의 입장이다. 첫 번째 진술은 불교의 입장이다. 도가 사상은 윤회를 주장하지 않는다. 세 번째 진술은 공자의 입장이다.

04 (가)는 통일에 있어 경제적 효과보다 문화적 측면을 중시하고, (나)는 통일에 있어 경제적 효과를 중시한다.

05 경제적 혼란과 이질화된 문화는 통일에 대한 반대 근거이다.

06 분단 비용은 미래 지향적이지 않은 소모적인 비용이고, 외국인 투자 감소도 분단 비용에 포함된다. 장기적으로 분단 비용의 증가는 민족 경쟁력에 악영향을 미친다. 반면 통일 비용은 생산적인 비용에 속한다.

03 지구촌 평화의 윤리

개념 암기 127쪽

1 (1) 현실주의 (2) 이상주의 (3) 적극적 2 (1) ㉠ (2) ㉡ 3 (1) ㄷ (2) ㄱ (3) ㄴ 4 (1) ○ (2) ○ 5 (1) 감소 (2) 차등의 원칙 (3) 보편적 윤리

내신 기출 127~130쪽

01 ② 02 ④ 03 ① 04 ① 05 현실주의 06 ② 07 ① 08 ④ 09 ⑤ 10 칸트 11 ③ 12 ③ 13 ② 14 ② 15 ④ 16 해설 참조 17 해설 참조 18 해설 참조

01 국제 관계를 바라보는 현실주의에 의하면 국제 분쟁은 국가 간 세력이 균형을 이룰 때 해결할 수 있다. 이상주의에 의하면 국제기구, 국제법, 국제 규범 등 제도 개선을 통해 집단 안보가 형성되면 국제 분쟁을 해결할 수 있다. 구성주의에 의하면 국가 간의 긍정적인 상호 작용으로 우호적 관계를 정립할 때 해결할 수 있다. ② 이상주의는 무력에 반대한다.

02 현실주의와 이상주의 모두 단일 세계 정부의 수립을 주장하지 않는다.

03 갑은 갈퉁, 을은 칸트이다. 갈퉁은 모든 전쟁의 종식이 곧 평화를 의미하지 않는다고 본다. 평화는 소극적 폭력뿐만 아니라 간접적 폭력까지 제거된 적극적 평화 상태를 의미한다.

04 칸트의 영구 평화를 위한 확정 조항은 '제1항 모든 국가의 시민적 정치 체제는 공화 정체이어야 한다. 제2항 국제법은 자유로운 국가들의 연방 체제에 기초해야 한다. 제3항 세계 시민법은 보편적 우호의 추구를 목표로 삼아야 한다.'이고, 예비 조항은 '1. 장차 전쟁의 화근이 될 수 있는 내용을 암암리에 유보한 채 맺은 어떠한 평화 조약도 결코 평화 조약으로 간주되어서는 안 된다. 2. 어떠한 독립 국가도 상속, 교환, 매매 혹은 증여에 의해 다른 국가의 소유로 전락할 수 없다. 3. 상비군은 조만간 완전히 폐지되어야 한다. 4. 국가 간의 대외적 분쟁과 관련하여 어떠한 국채도 발행되어서는 안 된다. 5. 어떠한 국가도 다른 국가의 체제와 통치에 폭력으로 간섭해서는 안 된다.' 등이다.

05 국제 관계에서 국가는 자국의 이익만을 추구한다고 보고, 국가 간 힘의 논리를 강조하는 입장은 현실주의 입장이다.

06 갈퉁은 적극적 평화는 직접적인 폭력에서 벗어나 구조적·문화적 폭력 등의 간접적 폭력까지 제거된 상태라고 본다. 또한 평화를 '국가 안보' 차원보다 '인간 안보' 차원으로 이해할 것을 주장한다.

07 국제 사회를 힘과 권력의 관점으로 바라보는 것은 현실주의이다.

왜 틀렸을까?

② (나)는 인간의 존엄성, 자유, 평등 등이다.
③, ④ (다)는 국가 간 세력 균형 유지이다.
⑤ (라)는 국제기구, 국제법을 통한 집단 안보 형성이다.

08 갑은 싱어, 을은 롤스이다. 롤스는 국제 사회에 차등의 원칙을 적용하는 것을 반대하였다.

만점 노트 해외 원조에 대한 롤스의 입장

장점	원조의 목적을 물질적 복지 증진이라는 일회성으로 변질될 수 있는 것으로 두지 않고 해당 국가를 '질서 정연한 사회'로 만들어 스스로 해결할 수 있는 능력을 키우는 데에 초점을 둠
단점	롤스가 주장한 정의의 제2원칙 중 차등의 원칙을 국제 사회에 적용하지 않는다는 비판을 받음

09 싱어는 윤리적 의무의 관점에서 해외 원조를 이해한다. 특히 공리주의를 토대로 친소나 지리적 근접성의 유무와 관계없이 고통받는 사람들의 고통을 감소시키고 쾌락을 증진시키는 것이 인류의 의무라고 본다. ⑤ 싱어는 소득의 최대 1 %를 기부하라고 주장한 것이 아니라 소득의 최소 1%를 기부하라고 주장한다.

10 칸트는 직접적인 폭력과 전쟁에서 벗어날 수 있도록 각국이 국제법의 적용을 받는 평화 연맹을 구성할 것을 요구하였다.

11 노직은 해외 원조를 의무가 아닌 선의를 베푸는 자선의 개념으로 본다. 이때 원조는 전적으로 국가의 강제가 아니라 개인의 자율에 맡겨야 한다고 본다. 노직은 원조의 주체를 오직 개인으로 본다.

12 세계화의 부정적 측면은 강대국이 시장과 자본을 독점하여 경제적 종속 문제와 국가 간 빈부 격차가 심화될 수 있다는 것이다.

왜 틀렸을까?

① 제시문은 세계화에 대한 부정적인 입장으로, 인류의 균등한 발전을 돕는다고 보지 않는다.
② 세계화는 인간다운 삶의 기반을 축소시키는 것이 아니라, 인간 삶의 공간이 국가에서 전 지구로 확장되는 것을 말한다.
④ 세계화는 새로운 동반자와 새로운 기회를 제공하지만, 제시문과는 관련 없는 내용이다.
⑤ 환경 문제를 해결하기 위해 전 지구적 차원에서 노력하고 있다. 제시문과는 관련 없는 내용이다.

13 제시문은 싱어의 주장이다. 싱어는 해외 원조는 인류 전체의 고통을 감소하는 것이기 때문에 절대적 빈곤으로 고통받는 사람들을 도와주는 것은 윤리적 의무라고 본다.

왜 틀렸을까? **선택지 뜯어 보기**

ㄴ. 원조와 관련하여 ~~지리적 인접성~~을 중시한다.

싱어는 원조에 있어 지리적 인접성을 중시하지 않는다.

ㄹ. 해외 원조에 있어 '~~고통의 감대~~와 쾌락의 증진'이라는 ~~당위주의적~~ 원칙을 고려해야 한다.

싱어는 '고통의 감소와 쾌락의 증진'이라는 공리주의적 원칙을 고려해 해외 원조를 할 것을 주장하였다.

14 싱어는 선진국이 약소국의 빈곤에 책임이 있는 채무자이기 때문에 원조의 의무적 윤리를 지녔다고 보는 것이 아닌, 고통을 느끼는 모든 존재의 이익을 평등하게 고려해야 하기 때문에 빈곤으로

인해 고통받는 사람들을 도와야만 한다고 주장하였다. ② 싱어는 원조의 의무성을 근거로 보고 보상 책임을 주장하지 않는다.

15 갑은 롤스, 을은 싱어이다.

자료 심층 분석

보기
ㄱ. 갑: 고통받는 사회가 부유한 사회가 되도록 원조해야 한다. (×)
➡ 롤스는 고통받는 사회가 '질서 정연한 사회'가 되도록 원조해야 한다고 본다.
ㄴ. 갑: 국제 사회의 최소 수혜자에게 가장 유리하도록 원조할 필요는 없다. (○)
➡ 롤스에 따르면 차등의 원칙은 국제 사회에 적용되지는 않는다.
ㄷ. 을: 원조의 의무는 정치적, 문화적으로 잘 정돈된 사회의 실현이다. (×)
➡ 싱어의 주장이 아니라 롤스의 주장이다.
ㄹ. 갑, 을: 해외 원조는 당위의 차원이지 자선의 차원이 아니다. (○)
➡ 롤스와 싱어는 해외 원조를 의무의 차원으로 본다.

서술형 문제

16 모범 답안 (1) (가) 싱어, (나) 롤스
(2) 싱어는 다른 기준에 구애받지 않고 오직 공리 증진에 가장 유리한 대상을 원조해야 한다고 주장한다. 롤스는 고통받는 사회를 질서 정연한 사회로 이행할 수 있도록 도와야 한다고 주장한다.
만점 포인트 해외 원조에 대한 싱어와 롤스의 입장

구분	채점 기준
상	싱어와 롤스가 주장한 원조 대상을 모두 바르게 서술한 경우
중	싱어와 롤스가 주장한 원조 대상 중 한 가지만 바르게 서술한 경우
하	해외 원조에 대한 싱어와 롤스의 공통적인 입장을 서술한 경우

17 모범 답안 암살자의 고용, 항복 협정의 파기, 반역 선동 등
만점 포인트 칸트의 영구 평화론

구분	채점 기준
상	칸트가 전쟁 중에 금기시한 행위 두 가지를 바르게 서술한 경우
중	칸트가 전쟁 중에 금기시한 행위를 한 가지 서술한 경우
하	칸트가 주장한 영구 평화론을 서술한 경우

18 모범 답안 (1) 갈퉁
(2) 갈퉁은 평화를 소극적 평화와 적극적 평화로 구분하였다. 소극적 평화는 전쟁, 물리적 폭력 등과 같은 직접적 폭력이 없는 상태이다. 적극적 평화는 직접적 폭력뿐만 아니라 구조적 폭력과 문화적 폭력 등의 간접적 폭력까지 제거된 상태이다.
만점 포인트 갈퉁의 적극적 평화론

구분	채점 기준
상	소극적·적극적 평화로 구분하고, 그 의미를 바르게 서술한 경우
중	평화의 구분과 평화의 의미 중 한 가지만 바르게 서술한 경우
하	평화의 구분만 서술한 경우

내신 1등급 131쪽

01 ④ 02 ① 03 ③ 04 ②

01 강연자는 글로벌 위험이 세계 시민주의의 근거를 강화시킬 것이며 이러한 위험에 대응하기 위해서는 전 세계의 노력과 협력이 필요하다고 주장할 것이다.

02 싱어는 사회 제도의 개선이 아닌 개인의 복지 향상을 원조의 목표로 삼고, 원조의 근거로 이익 평등 고려의 원칙을 강조한다.

만점 노트 싱어와 롤스의 해외 원조에 대한 입장

싱어	롤스
• 이익 평등 고려의 원칙에 따라 빈민을 원조 • 원조 대상을 정하는 기준은 '최대 다수의 최대 행복'이라는 공리주의의 기본 원칙에 따름 • 원조의 목적은 인류 전체의 복지를 증진하는 것	• 본인이 주장한 정의의 제2원칙 중 차등의 원칙을 국제 사회에 적용하는 것을 반대함 • 원조의 목적은 고통받는 사회를 '질서 정연한 사회'로 편입시키는 것

03 ㉠에 들어갈 현상은 '지역화'이다. ③ 세계화에 따라 세계 정치, 경제, 문화의 중심이 다원화되고 있다.

04 싱어는 절대적 빈곤으로 고통받는 사람들을 돕는 것은 윤리적 의무라고 본다. 특히 공리주의를 토대로 친소나 지리적 근접성의 유무와 관계없이 고통받는 사람들의 고통을 감소시키고 쾌락을 증진시키는 것이 인류의 의무라고 본다. 첫 번째 진술은 칸트의 원조에 대한 입장이다.

단원 마무리 132~135쪽

01 ② 02 ④ 03 ④ 04 ③ 05 ③ 06 ④ 07 ④ 08 ①
09 ⑤ 10 ⑤ 11 ② 12 ④ 13 ⑤ 14 ② 15 ⑤ 16 ②

01 갑은 싱어, 을은 롤스이다. ② 롤스는 원조 대상의 여부는 부가 아닌 사회 제도의 수준에 달렸다고 본다.

02 갑은 롤스, 을은 싱어이다. 롤스는 빈곤국의 자생력을 키워 주는 것이 원조의 목적이고, 질서 정연한 사회로 이행할 수 있도록 돕는 것이 윤리적 의무라고 본다. 싱어는 공리주의 입장에 근거하여 원조를 주장한다.

03 갑은 롤스, 을은 싱어이다. 롤스와 싱어 모두 원조가 국경을 초월한 세계 시민적 의무라는 데 동의한다.

04 갑은 싱어, 을은 노직, 병은 롤스이다. ③ 롤스는 빈곤하지만 정의로운 사회를 원조 대상으로 보지 않는다.

05 갑은 싱어, 을은 롤스이다. ③ 롤스는 자원 수준을 원조 대상 여부를 결정짓는 요인으로 평가하지 않는다.

06 갑은 싱어, 을은 롤스이다. ④ 롤스는 자원이나 부의 수준은 원조의 대상을 결정짓는 요인이 아니라고 주장한다.

왜 틀렸을까?

① 싱어는 원조는 자선이 아닌 의무라고 주장한다. 풍요로운 사회의 시민은 자신의 소득의 최소한 1%를 의무적으로 기부해야 한다고 주장하였다.
② 원조의 대상을 빈곤한 사회의 개인이 아닌 사회 그 자체로 보는 것은 롤스의 입장이다.
③ 롤스는 모든 빈곤국을 원조할 것을 주장하지 않고 질서가 무너진 사회, 즉 고통받는 사회를 지원할 것을 주장한다. 빈곤한 국가라도 해도 질서 정연한 사회는 지원의 대상으로 보지 않는다.
⑤ 롤스는 원조의 목적은 모든 인류의 복지 수준을 일치시키는 것이 아니라, 불리한 여건으로 고통받는 사회가 자유와 평등이 보장되는 질서 정연한 사회가 되도록 돕는 것이라고 본다. 싱어는 전 인류의 복지 수준 향상을 목적으로 한다.

07 갑은 싱어, 을은 롤스이다. ④ 롤스의 정의의 원칙 중 차등의 원칙에 해당하는 내용이다. 롤스는 차등의 원칙을 국제 사회에서 적용하지 않는다.

08 제시문은 싱어의 입장이다. 싱어는 원조 대상자의 국적이 아닌 공리주의에 의거하여 빈곤으로 고통받는 모든 사람들을 원조해야 한다고 본다.

09 갑은 싱어, 을은 롤스이다. 갑, 을 모두 복지 수준 평준화를 원조의 목적으로 삼지 않는다. 갑은 원조의 목적이 복지 수준 향상은 맞으나 복지 수준의 평준화를 주장하지 않았고, 을은 복지 수준에 대해서는 관심이 없다.

10 제시문의 사상가는 하버마스이다. 하버마스는 공론장에서 개인적인 욕구, 희망 사항을 발언할 수 있다고 본다.

11 갑은 정의 전쟁론을 주장한 왈처이고, 을은 영구 평화론을 주장한 칸트이다. ② 왈처는 정당한 전쟁이 되려면 개전 정당성만이 아니라 전시 정당성, 전후 정당성이 갖추어져야 한다고 본다.

왜 틀렸을까?

① 왈처는 전쟁은 도덕적 비판의 대상이며, 정당한 전쟁이 있을 수 있다고 본다.
③ 칸트는 적대 행위의 일시적 중지에 불과한 조약은 평화 조약이 아니라고 본다. 칸트는 장차 전쟁의 화근이 될 수 있는 내용을 암암리에 유보한 채 맺은 어떠한 조약도 결코 평화 조약으로 간주되어서는 안 된다고 하였다. 그런 조약은 휴전 상태, 즉 국가 간 적대 행위의 일시적 중지일 뿐이라고 보기 때문이다.
④ 칸트는 영구 평화를 위해 상비군이 조만간 완전히 폐지되어야 한다고 본다.
⑤ 왈처는 전쟁이 국제 정의 실현을 위한 수단이 될 수 있다는 정의 전쟁론의 입장을 취한다.

12 (가)는 인도주의적 차원에서, (나)는 통일의 경제성을 중시하는 차원에서 통일을 바라보고 있다.

13 국제 관계를 바라보는 관점 중 (가)는 현실주의, (나)는 이상주의이다. (나)는 (가)에 비해 국제법을 중시하며, 이성에 입각한 보편적 윤리를 중시한다. 그러나 세력 균형을 주장하는 정도는 (나)보다 (가)가 높다.

14 제시문의 사상가는 칸트이다. 칸트는 세계 시민법은 보편적 우호 조건을 규정하는 데 국한되어야 한다고 주장한다. 만일 그렇지 않다면 이는 개별 국가의 주권을 침해할 우려가 있기 때문이다.

15 (가) 사상가는 칸트이다. 칸트는 각 국가의 주권을 존중하면서 상호 협력을 도모하여 국제 연맹의 창설을 주장한다. 즉, 주권은 언제나 해당국에게 있어야 한다.

16 갑은 싱어, 을은 롤스이다. 싱어는 자국민에 대한 우선적 원조가 더 큰 공리를 증진한다면 정당하다고 본다. 단지 무조건 자국민이기에 우선적인 원조를 하는 것에 대해서는 비판한다. 롤스는 해외 원조에 있어 복지 증진보다 사회 구조 개편에 초점을 둔다.

왜 틀렸을까?

ㄴ. 싱어는 기본적 필요를 충족하고도 여유가 있는 사람들의 전체 소득의 최소 1%를 기부해야 한다고 주장한다. 산술적으로 동등한 부담을 지는 것이 아니다.
ㄹ. 싱어의 입장에서는 인권이 보장된 민주주의 국가라 할지라도 그 국가 내의 국민이 빈곤하다면 원조를 해야 하지만, 롤스의 경우 인권이 보장된 민주주의 국가를 질서 정연한 국가로 보기 때문에 원조 대상에 포함하지 않는다.

배움으로 행복한 내일을 꿈꾸는

천재교육 커뮤니티 안내

교재 안내부터 구매까지 한 번에!

천재교육 홈페이지

자사가 발행하는 참고서, 교과서에 대한 소개는 물론
도서 구매도 할 수 있습니다. 회원에게 지급되는 별을 모아
다양한 상품 응모에도 도전해 보세요!

다양한 교육 꿀팁에 깜짝 이벤트는 덤!

천재교육 인스타그램

천재교육의 새롭고 중요한 소식을 가장 먼저 접하고 싶다면?
천재교육 인스타그램 팔로우가 필수!
깜짝 이벤트도 수시로 진행되니 놓치지 마세요!

수업이 편리해지는

천재교육 ACA 사이트

오직 선생님만을 위한, 천재교육 모든 교재에 대한 정보가 담긴
아카 사이트에서는 다양한 수업자료 및 부가 자료는 물론
시험 출제에 필요한 문제도 다운로드하실 수 있습니다.

https://aca.chunjae.co.kr

천재교육을 사랑하는 샘들의 모임

천사샘

학원 강사, 공부방 선생님이시라면 누구나 가입할 수 있는 천사샘!
교재 개발 및 평가를 통해 교재 검토진으로 참여할 수 있는 기회는 물론
다양한 교사용 교재 증정 이벤트가 선생님을 기다립니다.

아이와 함께 성장하는 학부모들의 모임공간

튠맘 학습연구소

튠맘 학습연구소는 초·중등 학부모를 대상으로 다양한 이벤트와 함께
교재 리뷰 및 학습 정보를 제공하는 네이버 카페입니다.
초등학생, 중학생 자녀를 둔 학부모님이라면 튠맘 학습연구소로 오세요!

내신 다품

정답과 해설

고등 생활과 윤리

포기와 시작

누군가는 **포기**하는 시간

누군가는 **시작**하는 시간

코앞으로 다가온 시험엔
최단기 내신・수능 대비서로 막판 스퍼트!

7일 끝 (중・고등)

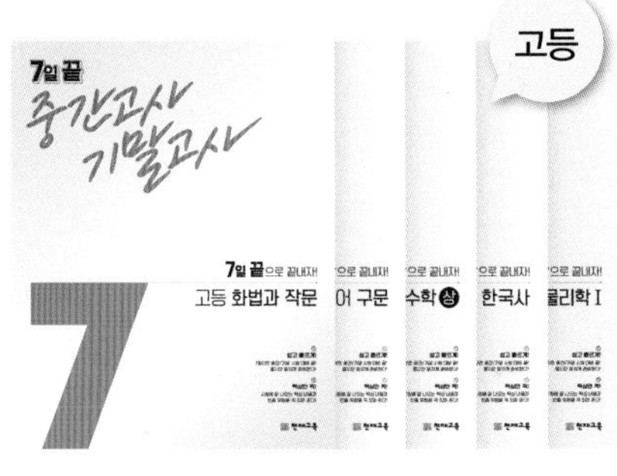

10일 격파 (고등)